# Redes de comunicação convergentes

# Redes de comunicação convergentes

## Tecnologias e protocolos

Antonio José Martins Soares
Antônio Teófilo Nassif
Eduardo Tommy Lopez Pastor
Georges Amvame-Nze
Humberto Abdalla Júnior
Priscila América Solís Mendez Barreto
Roque Lambert Filho
Wilson Dutra Sampaio

Brasília, 2008

EDITORA UnB

FINATEC
FUNDAÇÃO DE EMPREENDIMENTOS CIENTÍFICOS E TECNOLÓGICOS

Este livro foi aprovado pelo Conselho Editorial da Universidade de Brasília e a edição apoiada pela **Fundação de Empreendimentos Científicos e Tecnológicos – FINATEC**.





*Impresso no Brasil*

*Direitos exclusivos para esta edição:*

Editora Universidade de Brasília
SCS Q. 02 – Bloco C – nº 78, Ed. OK, 1º andar
70302-907 – Brasília-DF
Tel.: (61) 3035-4211
Fax: (61) 3035-4223
www.editora.unb.br
www.livrariauniversidade.unb.br
*e-mail*: direcao@editora.unb.br

Finatec – Universidade de Brasília
*Campus* Universitário Darcy Ribeiro
Av. L 3 Norte – Ed. Finatec – Asa Norte
70910-900 – Brasília-DF
Tel.: (61) 3348-0400
Fax: (61) 3307-3201
www.finatec.org.br
*e-mail*: finatec@finatec.org.br



Ficha catalográfica elaborada pela
Biblioteca Central da Universidade de Brasília

R314 Redes de comunicação convergentes / Antonio José Martins Soares ... [et al.] – Brasília : Editora Universidade de Brasília : Finatec, 2008.
272 p. il. ; 24 cm.

ISBN: 978-85-230-0896-3 (Editora Universidade de Brasília)
ISBN: 978-85-85862-26-8 (Finatec)

1. Redes de comunicação. 2. Tecnologias de comunicação. 3. Acesso banda-larga. 4. Arquitetura da rede de comunicação. 5. Convergência de serviços de documentação. 6. Padronização em redes de comunicações. 7. Protocolos de comunicação. I. Soares, Antonio José Martins. II. Título.

CDU 004.7

Este livro é dedicado a todos os professores, alunos e funcionários que ajudaram a construir, nos últimos 40 anos, a História do Departamento de Engenharia Elétrica da Universidade de Brasília.


**Agradecimentos**

Os autores agradecem à Agência Nacional de Telecomunicações (Anatel), pelo apoio financeiro.

# Prefácio

Desde a invenção do telefone por Alexander Graham Bell entre 1873 e 1874, o desenvolvimento do sistema de telefonia tem sido, essencialmente, uma evolução das técnicas de comutação por circuitos e de transmissão de voz. Contudo, existe atualmente um crescente interesse no sentido da introdução de técnicas de comutação por pacotes na rede de telefonia. Esse interesse não se limita somente à comunicação de dados, mas também de voz e vídeo, ou seja, o foco atual é a comunicação multimídia.

O serviço telefônico fixo comutado (STFC), que foi projetado para lidar com tráfego de voz, enfrenta hoje o desafio de tratar grandes quantidades de dados. Por sua vez, as redes de dados que foram originalmente desenvolvidas para a interligação de computadores, por meio da transferência de informações não-sensíveis ao atraso, são demandadas também para a transmissão de serviços em tempo real.

Com o crescimento da Internet e da utilização dos serviços de dados, a tradicional arquitetura das redes de comunicação está sendo redesenhada, fundamentada na maturidade das tecnologias de transmissão de pacotes e cujos benefícios seriam a redução nos custos e novas oportunidades comerciais trazidas pela desregulamentação do mercado.

Como resultado da queda de custos da plataforma de pacotes, da alta qualidade e confiabilidade das fibras ópticas e das melhorias em tecnologias de dados, torna-se viável, tanto tecnicamente quanto economicamente, transportar tráfego de voz sobre redes de pacotes. No entanto, a rede de dados não oferece a mesma combinação de qualidade e características avançadas que o STFC. Na Internet, todos os usuários e dados são tratados da mesma maneira, sem levar em consideração a importância da aplicação. Nesse contexto, surge como desafio o desenvolvimento de uma rede convergente, capaz de agregar qualidades e minimizar desvantagens das redes existentes.

Responsável pela regulamentação das telecomunicações no Brasil, a ANATEL firmou convênio com a UnB com o objetivo de se estudar e apresentar as tecnologias e os protocolos envolvidos no processo de convergência das redes. Este livro é o resultado desses estudos, realizados por professores e pesquisadores do Departamento de Engenharia Elétrica. Espera-se que este texto proporcione ao leitor uma visão geral da evolução das redes atuais para as redes convergentes.

O conteúdo do texto foi dividido em capítulos, abordando cada uma das camadas da arquitetura de rede, bem como diferentes aspectos relativos à convergência.

Uma visão geral das redes de voz e de dados é apresentada no capítulo 1. O capítulo 2 mostra as diversas tecnologias e redes na camada de acesso, com ênfase nas tecnologias ADSL e *cable modem*. Os capítulos 3 e 4 são dedicados à camada de transporte. Descrevem-se as evoluções da rede e, em particular, explica-se como os *backbones* são apropriados para evoluir de maneira a suportar altas taxas de transmissão e também o transporte unificado de tráfego de voz, dados e multimídia com a qualidade de serviço adequada.

O capítulo 5 aborda a camada de controle, descrevendo os principais componentes, as entidades funcionais e os protocolos utilizados para comunicação, controle e sinalização entre essas entidades. No capítulo 6 são descritos os aprimoramentos na camada de serviços. É mostrada a nova arquitetura de rede para serviços, a comunicação com a camada de controle e o desenvolvimento de interfaces abertas e padronizadas, as quais permitem o desenvolvimento e o fornecimento de novos serviços, independentemente da rede. Aspectos concernentes à convergência das redes são abordados no capítulo 7.

Cada capítulo é finalizado com uma relação de referências que serviram de consulta para a elaboração do material e no final do texto um apêndice em que são relacionados os organismos de padronização e suas respectivas áreas de atuação dentro do contexto das redes convergentes.

# Sumário

# Lista de figuras

# Lista de tabelas

# 1

# As redes de voz e de dados

## 1.1 Introdução

Historicamente, as redes de comunicação tinham um único propósito. A rede de comunicações original era empregada, nos anos de 1840, em suporte à telegrafia. Em 1870, enquanto a rede de telefonia estava sendo construída, a comunicação de voz era realizada em circuitos telegráficos alugados da *Western Union*. Inicialmente, a transmissão de dados era realizada em baixa velocidade através da rede de voz. Apenas nos anos de 1960 começou a emergir uma rede específica para dados. A partir de então, comunicações de dados aconteciam em redes especificamente projetadas para esse fim e também em circuitos dedicados para serviços de voz e adaptados a serviço de dados. Embora existisse algum nível de compartilhamento de infra-estrutura, as redes de dados e voz eram separadas e distintas.

A integração voz/dados, na última década, era um tópico bastante cansativo. Ele era vago demais no conceito e muito limitado na realidade para atrair atenção. A Rede Digital de Serviços Integrados (RDSI), a única tecnologia projetada para suportar uma verdadeira integração de rede, não foi capaz de efetivamente realizar esse trabalho. A RDSI tinha sérios problemas: era muito cara, ineficiente, limitada em disponibilidade e em largura de banda e pobremente suportada. Nos últimos anos, porém, a integração voz/dados tornou-se novamente um tópico interessante, já que começaram a existir não apenas aplicações de dados suportadas pela rede de circuitos comutados, mas também aplicações de voz suportadas pela rede de pacotes.

As tecnologias de rede de pacotes incluem o IP (*Internet Protocol*), o *Frame Relay* e o ATM (*Asynchronous Transfer Mode*). Embora os fundamentos do protocolo TCP/IP (*Transmission Control Protocol/Internet Protocol*) tenham sido desenvolvidos para a Internet, o IP é claramente orientado para dados. O *Frame Relay*, um protocolo de camada de enlace desenvolvido para acesso à rede de pacotes, é também claramente orientado para dados. O ATM foi projetado, desde o início, como tecnologia de multimídia e multisserviço. Dessa maneira, ATM parecia ser a escolha óbvia em um cenário de integração voz/dados. Porém, enquanto a maioria das soluções tecnicamente sólidas pareçam ser as escolhas óbvias, elas nem sempre emergem vitoriosas.

O modo de transferência assíncrona ATM foi especificamente projetado para servir, como uma solução única, todos os tipos de aplicação. O foco primário dos fabricantes e provedores de serviços, no entanto, tem sido o emprego do ATM como tecnologia de comutação de *backbone* para redes de dados. Isso é evidenciado pelo fato de que grande parte do trabalho do ATM-Fórum em especificações UNI (*User Network Interface*) tem sido focado em aplicações de dados, como LANE (*Local Area Network Emulation*) e MPOA (*Multiprotocol over* ATM). Esse foco é um reflexo natural do crescimento nas comunicações de dados em geral e, especificamente, do tráfego de Internet e de LAN-para-LAN. Esse crescimento, por sua vez, resultou em um requisito claro e imediato para o desenvolvimento e a otimização da tecnologia de redes de comunicação.

Enquanto o crescimento do tráfego de dados tem ocorrido a uma taxa exponencial, o tráfego de voz tem crescido na previsível e modesta taxa de 4% a 6% ao ano e, provavelmente, continuará se comportando dessa maneira no futuro próximo. As tecnologias empregadas no STFC (Serviço Telefônico Fixo Comutado) exigiam pouca atenção. Circuitos comutados podem ser ineficientes, mas a tecnologia empregada é altamente eficaz e havia muita capacidade disponível. Vídeo quase não era solicitado. Como os dados se tornaram a força propulsora em termos de crescimento de tráfego, ele adquiriu todas as facilidades, apesar de o tráfego de voz ainda gerar a maior parte da receita das operadoras. Em outras palavras, dados adquiriram toda a atenção, embora voz ainda pague as contas.

A RDSI (Rede Digital de Serviços Integrados), embora tenha sido projetada para suportar todos os tipos de informação, trata todos eles, essencialmente, com o mesmo nível de desempenho demandado pelos circuitos de comutação de voz em tempo real. O ATM foi a primeira tecnologia, e é atualmente a única, a alegar que poderia suportar essa visão unificada de uma maneira efetiva em custos, sem sacrificar a QoS (qualidade de serviço). De fato, o ATM foi construído em um modelo estendido da RDSI, particularmente no plano de controle e do sistema de sinalização nº 7 (SS7 – *Signaling System Number* 7).

Voz nativa sobre ATM (VoATM – *Voice over* ATM) não é economicamente viável, a menos que já exista uma rede corporativa ATM sendo utilizada via multiplexadores de bordas. A exceção a essa regra é o ADSL (*Assymetrical Digital Subscriber Line*), uma vez que a maioria dos *modems* DSL e multiplexadores de acesso DSL são fundamentados em ATM. Para objetivos estritamente internos, algumas operadoras utilizam o ATM no núcleo da rede de voz como uma tecnologia de multiplexação estatística em conjunto com a hierarquia digital síncrona, procurando maior eficiência. Semelhante arranjo dá suporte à transmissão de voz de uma maneira fundamentalmente nova comparada com as redes síncronas convencionais. Uma vez posicionado no núcleo da rede de dados, torna-se uma questão relativamente simples e óbvia para a passagem do tráfego de voz em uma plataforma de comutação ATM, visto que o tráfego de voz excede a capacidade estabelecida da plataforma de comutação de circuitos. Neste caso, exigiria a reconfiguração da rede ou a mudança nos comutadores de circuitos, quando estes já atingiram seus níveis máximos de operação.

*Frame Relay*, avançando do lado dos negócios da empresa de rede de dados, também é fundamentado nos padrões RDSI. Especificamente, *Frame Relay*, uma interface de rede ou acesso, é um padrão que foi definido em 1988 nas suas recomendações I.122 do ITU-T (*International Telecommunication Union – Telecommunication Standardization Sector*). Embora alguns tenham procurado o *Frame Relay* como uma plataforma de protocolo de rede unificada, essa solução não tem tido grande popularidade. Fabricantes disponibilizam dispositivos de acesso habilitados para voz e diversas operadoras oferecem o serviço de voz sobre *Frame Relay* (VoFR) em redes públicas. Apesar de VoFR funcionar bem em muitos casos, ele é geralmente limitado a uma solução de empresas.

As tecnologias IP têm sido as mais utilizadas nos últimos anos. O desenvolvimento da *World Wide Web* (WWW) e a comercialização da Internet criaram um interesse muito intenso e uma demanda de mercado que obrigou a melhoria das redes IP básicas. O protocolo IP foi desenvolvido especificamente para aplicações de comunicações de dados e não suporta uma verdadeira QoS. Assim, a rede IP parecia ser improvável para um cenário de convergência. Como a Internet e seus componentes de redes se tornaram melhores, desenvolveram-se consideráveis interesses industriais em voz sobre IP (VoIP – *voice over* IP). Esses interesses se espalharam pelos domínios LAN (*Local Area Network*) e WAN (*Wide Area Network*). De fato, um grande número de clientes/servidores e PBX (*Private Branch Exchange*), que suportam VoIP sobre LANs Ethernet, bem como serviços de VoIP de longa distância, estão comercialmente disponíveis.

## 1.2 A rede de voz

A voz é inerentemente de natureza analógica. O sinal acústico nativo é caracterizado por partes planas, subidas e quedas de amplitude (volume) e freqüência (*pitch* ou tonalidade). A voz também é inerentemente orientada a *stream* na natureza, o que quer dizer que um locutor ativo em uma conversação fala ou pode falar em um fluxo (*stream*) contínuo de vocalização. Mesmo as pausas na fala podem ter significado e podem, conseqüentemente, ser consideradas parte do fluxo da vocalização. As redes de comunicação de voz originais eram completamente analógicas, porque usavam a eletricidade que viaja na forma de onda analógica, assim como todas as formas da energia eletromagnética. A forma atual do STFC teve início quando a primeira linha foi instalada em 1878. Aquela primeira comutação de circuitos suportou de forma flexível a interconexão dos circuitos, uma melhoria sobre os circuitos dedicados utilizados previamente para conectar os terminais da voz. Um comutador de circuito, sob demanda e quando disponível, ajusta as conexões entre circuitos, temporariamente, por meio de uma matriz de comutação de forma contínua e exclusiva. As conexões, mantidas somente pelo tempo que são requeridas, são terminadas quando uma das partes desliga. Em uma chamada, a conectividade é mantida continuamente e dedicada exclusivamente a essa chamada, independentemente de a vocalização estar ativa ou não.

A forma digital do STFC teve início com a instalação do primeiro sistema de transmissão por meio de portadora em 1957. O primeiro sistema comum de controle eletrônico digital de comutação foi instalado em 1965, completando o conjunto básico de tecnologia digital requerida. Sem entrar no âmago da questão tecnológica, é suficiente dizer que existem irresistíveis vantagens para a transmissão e comutação digital. Entre essas vantagens, incluem-se o aumento da disponibilidade da largura de banda, o aumento da eficiência da largura de banda por meio da compressão, a melhoria do desempenho de erro e a ampliação do controle da capacidade e do gerenciamento da rede. Como os planejadores começaram a se preparar para a introdução da tecnologia digital no STFC, eles claramente tiveram que encontrar uma maneira para digitalizar a voz analógica.

A solução genérica era a modulação por código de pulso (PCM – *Pulse Code Modulation*), embora o mundo se dividisse em dois campos em termos de especificidade. Os americanos adotaram o padrão conhecido como a lei μ, embasada no teorema de Nyquist, e os europeus adotaram a lei A, fundamentada na lei de Shannon. Ambas as aproximações são conceitualmente as mesmas e são padronizadas pelo ITU-T na recomendação G.711, embora as especificidades as tornem incompatíveis. Em qualquer caso, o objetivo é converter o sinal analógico de voz em um sinal digital para a transmissão através de uma rede digital e convertê-lo de volta em um sinal analógico na extremidade de recepção da conexão, tudo sem perda sensível de qualidade.

Para isso, a amplitude (volume) do sinal analógico é amostrada 8.000 vezes por segundo. Cada amostra é codificada (convertida) em um valor digital com oito bits (um *byte*) que representa o valor de amplitude o mais próximo do real. Na extremidade de recepção da transmissão, o sinal digital é decodificado (o processo da conversão é invertido) e as amostras digitais são convertidas de volta em um sinal analógico compreensível ao ouvido humano. Esse processo é executado em intervalos de tempo muito preciso, a cada 125 μs (125 μs é equivalente a 1/8.000 de um segundo). Como os *codecs* se casam (*coder/decoders*), o resultado é um sinal reconstruído com qualidade de voz completamente aceitável.

Para se obter a voz digitalizada do codificador e do decodificador, mantendo a natureza do fluxo de voz no processo, é necessário empregar um sistema de transmissão que combine os *codecs* em termos de freqüência e ritmo. Assim, o sistema de transmissão deve aceitar, transportar e entregar um *byte* de voz a cada 125 μs, com pequeno atraso terminal a terminal e sem nenhum *jitter* (que é a variação do atraso). Os sistemas T-*carrier* (América do Norte) e E-*carrier* (Europa e internacional) são projetados para fazer exatamente isso, em uma implementação canalizada que suporta hierarquia dos canais de voz com uma largura de banda de 64 kbps.

Os comutadores usados para interconectar os circuitos no STFC devem combinar ambos os *codecs* e facilidades de transmissão em termos de freqüência e de ritmo. Em outras palavras, os comutadores devem aceitar um *byte* de voz (oito bits) a cada 125 μs na porta de entrada, comutá-lo através de uma matriz de comutação e entregá-lo a uma porta de saída com atraso muito pequeno de extremidade a extremidade e com nenhum *jitter*. Isso significa que não pode haver congestionamento em nível de *byte* nos comutadores. Portanto, requer-se que os comutadores de voz sejam comutadores de circuito, que devem comutar os circuitos de maneira flexível, sob demanda e com disponibilidade, e devem estabelecer e manter as conexões temporárias continuamente e exclusivamente durante a chamada. Uma vez solicitada, a largura de banda é consignada durante a duração da chamada por comutação de circuito, absolutamente e sem nenhuma dúvida. A comutação de circuito é verdadeiramente orientada à conexão, ou seja, durante o processo de estabelecimento da chamada, um trajeto físico é estabelecido através da rede. Todos os dados associados a uma dada chamada seguem o mesmo trajeto, extremidade a extremidade.

Os *codecs* do PCM são convenientes para comunicações de voz digitais de alta qualidade sem compressão, em tempo real, quando conectados por circuitos T/E-*carrier* através de comutadores de circuitos no STFC. Os *codecs* PCM podem ser posicionados em vários locais físicos. Podem, por exemplo, ser encaixados no equipamento terminal digital de voz, como seria o caso de um cenário BRI (*basic rate interface*) da RDSI, que envolve uma pequena aplicação de negócio ou residencial. Essa aplicação não é usual porque o seu custo é adicionado aos dos aparelhos telefônicos, enquanto oferece pequena funcionalidade adicional além de voz.

Entretanto, é completamente comum encontrar *feature phones* digitais em um ambiente de PBX. Quando conjuntos de PBX analógicos são usados, os *codecs* são disponibilizados como portas de interface do sistema, porque virtualmente todos os sistemas PBX são de natureza digital. Quando um PBX analógico é usado, um *codec*, geralmente embutido no conjunto de canais, serve como interface do PBX a um circuito de T/E-*carrier*. No entanto, os circuitos analógicos multicanais são incomuns, ainda que no nível do enlace local. Em um típico cenário residencial ou de pequeno negócio, os conjuntos telefone e enlace local são analógicos e o *codec* faz a interface entre a porta de comutação da central e o núcleo da rede da operadora, que é completamente digital. Há exceções a essa regra. Em muitos países em desenvolvimento, a infra-estrutura da rede permanece largamente analógica. Mesmo em países desenvolvidos, existem partes analógicas na rede que serve a algumas áreas rurais e escassamente povoadas.

O acesso ao circuito de comutação é ineficiente no sistema PCM digital, tanto para voz quanto para dados, que geralmente não requerem e freqüentemente não se beneficiam do desempenho da rede. Tal ineficiência se traduz na quantidade elevada de recursos, o que se traduz em custo excessivo. Um acesso completamente integrado suportaria todas as aplicações e tipos de informações com maior eficiência de custo, sem sacrificar a QoS. Desse modo, cada aplicação realizaria exatamente a QoS esperada, nem mais, nem menos. Essa é uma característica do ATM, mas tem-se aceito o fato de o ATM ser um tanto problemático.

A Figura 1.1 ilustra a arquitetura típica de uma rede telefônica. Nessa figura, o número 4 representa troncos *tandem* ou rede de transporte entre centrais. O tronco designado pelo número 6 é uma linha dedicada alugada para interconectar PBX em uma empresa com várias filiais, sem a utilização da rede comutada. Um PBX é uma central de comutação de circuitos, localizada nas dependências do assinante. O PBX habilita as pessoas dentro da empresa a falar umas com as outras e também obter acesso à rede pública para transmitir e receber ligações externas, que são executadas através de troncos digitais ou analógicos. Um tronco é definido como um enlace que interconecta centrais. Um tronco de PBX interconecta um *switch* do PBX ao *switch* de uma central STFC. Um *switch tandem* interconecta a outro *switch* do STFC que são *switches* de uma central.

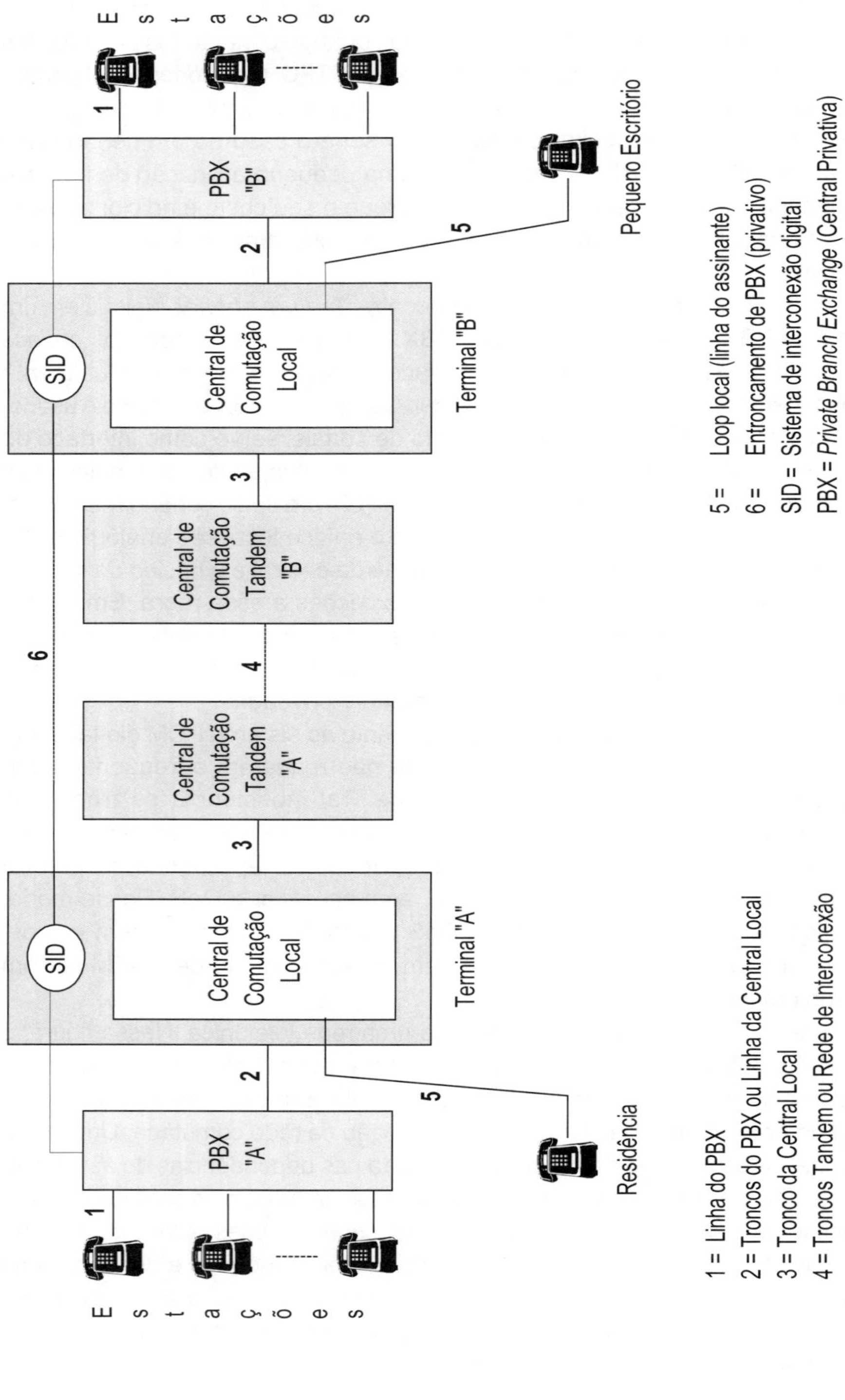


Figura 1.1 Arquitetura da rede telefônica

### 1.2.1 *Sinalização e controle*

Em uma rede tão grande quanto o STFC, convencional, complexa e sensível às considerações de sincronismo, é essencial que mecanismos bem projetados estejam presentes para fornecer a funcionalidade de sinalização e de controle. Tais funções incluem o reconhecimento do estado (por exemplo, disponível e não-disponível), a identificação do dispositivo (como o número de telefone de origem ou o ID do circuito), instruções de roteamento (o número do telefone chamado), rota de preferência e rota disponível, preferência da operadora e instruções de bilhetagem (a conta para o número de origem, a conta para o número destinatário e a conta para o cartão de chamada). É incluída também uma grande variedade de funções de gerência de rede, como monitoração remota, diagnóstico, isolação de falha e controle da rede. Há dois tipos de sinalização e de controle: em banda (*in-band*) e fora de banda (*out-of-band*).

Sinalização e controle *in-band* ocorre no mesmo trajeto físico e ocupa a mesma faixa de freqüência (no sistema analógico) ou o mesmo *slot* de tempo (no sistema digital) que o usuário da transmissão de dados. Como as informações de sinalização e controle têm prioridade sobre os dados do usuário que estão sendo transmitidos, esse acesso é caracterizado como causador de ruptura ou inoportuno. Conseqüentemente, sinalização e controle *in-band* são raramente usados no STFC digital, à exceção do enlace local analógico.

Sinalização e controle *out-of-band*, nos exemplos mais simples, ocorrem sobre as freqüências ou *slot* de tempo separados daqueles usados para suportar os dados do usuário. Como não existe nenhuma interferência entre eles, sinalização e controle *out-of-band* são caracterizados como oportunos e não causadores de ruptura. Essa é a alternativa mais comum no núcleo da rede digital e é usada através de muitos laços locais digitais, como o E-*carrier* e a RDSI.

O padrão para sistemas de sinalização *out-of-band* é o sistema de sinalização nº 7 (SS7), que é essencialmente uma sub-rede de sinalização e controle, em pacotes, que controla a operação da rede de comunicação primária de voz. Desenvolvido especificamente para o uso no STFC digital, orientado à voz e empregado em tais redes no mundo inteiro, o SS7 melhora significativamente os tempos de estabelecimento da chamada, suporta as características das chamadas, a portabilidade dos números e, geralmente, permite a otimização da gerência e do desempenho da rede.

## 1.3 A rede de dados

Os dados (dados do computador) são inerentemente de natureza digital. Quando, nos anos 1960, tornou-se evidente a necessidade de redes de computadores, havia duas maneiras de implementá-las. A primeira era sobre o STFC na modalidade discada, usando uma série de dados, que mais tarde evoluiu para o denominado *modem*. Essa possibilidade ofereceu a vantagem da flexibilidade, porque qualquer número no mundo poderia ser discado, mas envolvia circuitos analógicos predispostos a erros, larguras de banda limitada à faixa de voz e os custos das chamadas eram elevados e sensíveis ao uso. A segunda possibilidade era por meio de linhas dedicadas alugadas, que eram circuitos (ou canais) tomados fora do uso compartilhado do STFC. Essa alternativa oferecia a vantagem da qualidade proporcionada pelo circuito, mas este era geralmente analógico e a vantagem da flexibilidade era perdida. Além disso, o custo mensal do circuito era proibitivo, a menos que se conectasse substanciais computadores ou grupos de computadores que se comunicassem muito intensamente. Nos dois casos, era empregada a infra-estrutura do STFC, desenvolvida com objetivos de comunicação de voz.

No início dos anos 1950, o Departamento de Defesa dos Estados Unidos iniciou o projeto de uma rede que poderia sobreviver a uma guerra nuclear, pois a rede de telefonia era considerada vulnerável. Em 1967, a ARPA (*Advanced Research Projects Agency*), em conjunto com universidades e centros de pesquisa, divulgou o protótipo de uma rede de comutação de pacotes onde cada *host* teria seu próprio roteador. Nesse protótipo, cada nó tem como filosofia a conexão com mais de um ponto, sendo que no caso de queda de uma conexão, caminhos alternativos podem ser encontrados para a comunicação. A construção desse protótipo resultou em uma rede denominada ARPANET, considerada hoje a primeira rede de comutação de pacotes e a predecessora da Internet.

No final dos anos 1970, a NSF (*National Science Foundation*) dos Estados Unidos iniciou, com base nas idéias da ARPANET, um programa de pesquisa para investigar técnicas e tecnologias para interligar pessoas e sistemas envolvidos em vários aspectos da ciência da computação e da pesquisa militar. A exigência era uma alta redundância de rede otimizada especificamente para aplicações interativas de comunicações de dados. Na Europa, surgiram a EuropaNET e o EBONE. Em 1983, definiu-se o modelo de referência TCP/IP como uma especificação do protocolo oficial para a comunicação entre as redes. A integração de outras redes regionais continuou ocorrendo e esse conjunto de redes ficou conhecido como Internet, na qual o TCP/IP firmou-se como o padrão de interconexão.

Até o início dos anos 1990, a rede Internet tinha uso restrito às universidades e entidades de governo. O conjunto de aplicações se reduzia ao correio eletrônico, transferência de arquivos, acesso remoto de computadores e divulgação de notícias. Uma aplicação desenvolvida no início dos anos 1990, a WWW, permitiu que a Internet tivesse as características de qualquer meio de divulgação, como imagens, textos e fotografias, além da possibilidade de atualização continua das informações e, derivando destas, serviços e facilidades para as pessoas comuns no dia a dia. Dessa forma, começou a utilização massiva da rede e o desenvolvimento de um novo conjunto de negócios, entre eles, o ISP (*Internet Service Provider*), que são companhias que oferecem aos usuários acesso à Internet. Essas companhias devem trabalhar em conjunto com as grandes operadoras de telefonia que possuem o acesso até à maioria dos usuários. Assim, também as operadoras de telefonia começaram a explorar de forma massiva o fornecimento dos serviços de transmissão de dados, instaurando-se uma nova forma de interconectar e fornecer serviços. A Figura 1.2 mostra um esquema da arquitetura básica da Internet.

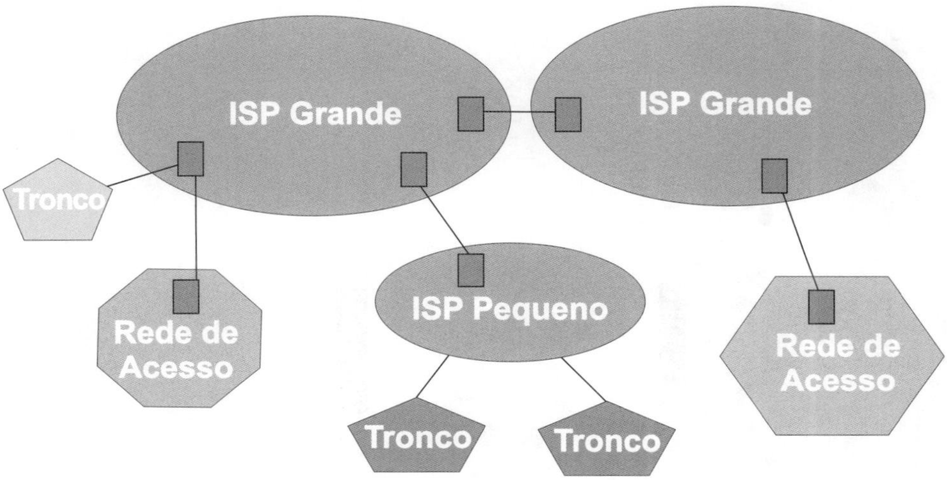


Figura 1.2 Arquitetura da Internet

## 1.4 A rede celular

A moderna comunicação móvel gira em torno de dois conceitos principais. O primeiro, "quanto menor, melhor", divide uma área relativamente grande em muitas células contíguas. Então, uma simples macrocélulas é dividida em muitas microcélulas, as quais podem ser ulteriormente divididas em muitas picocélulas. Torres de rádio situadas no centro das células comunicam-se com telefones móveis (telefones celulares) e outros dispositivos, como PDAs (*Personal Digital Assistants*).

O segundo conceito, "menos é melhor", reduz a potência transmitida das respectivas torres, o que é a razão básica da redução de tamanho da célula. Menor potência transmitida e pequenas áreas celulares possibilitam a reutilização das freqüências de rádio. Esse efeito multiplicativo permite que muito mais usuários possam ser atendidos na mesma faixa de freqüência.

A peça central de uma rede *wireless*/celular é o CCM (Centro de Comutação Móvel) ou MSC (*Mobile Switching Center*) que interconecta pequenas áreas de cobertura de rádio em um grande sistema. A Figura 1.3 ilustra uma rede de comunicação móvel.

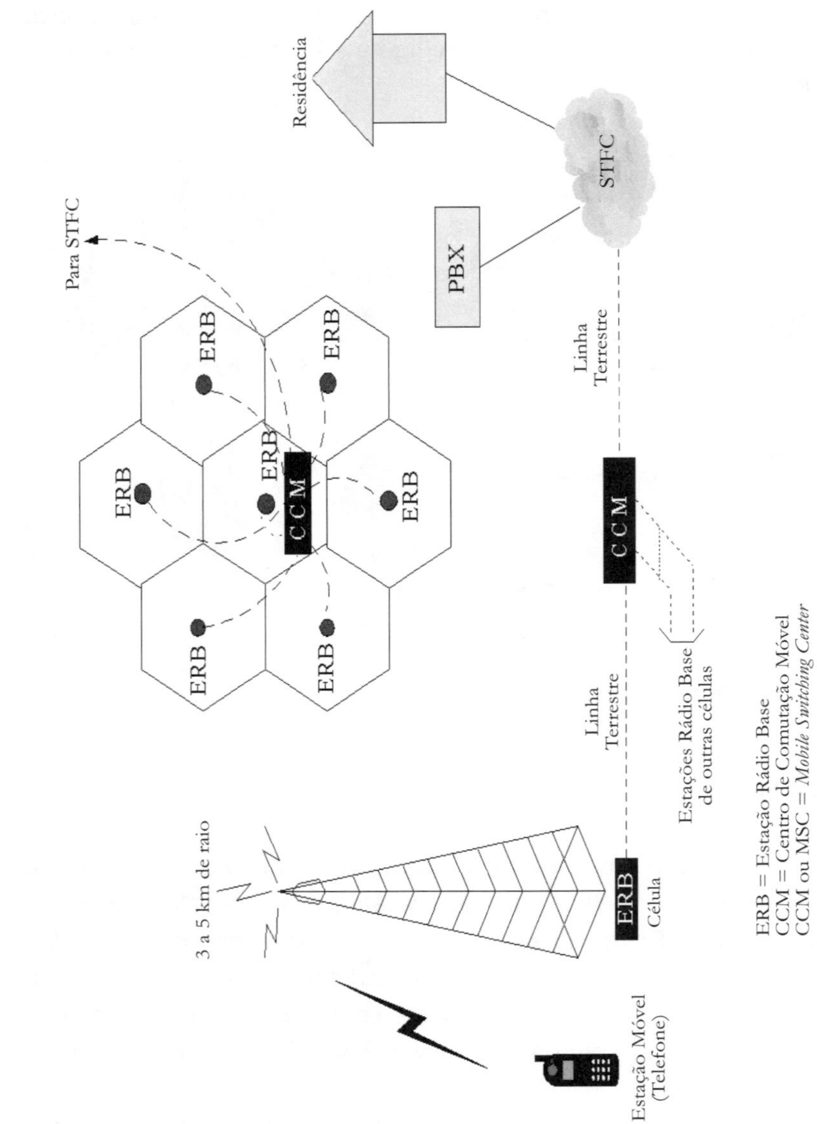


Figura 1.3 Rede de comunicação móvel

As estações rádio base comunicam-se por enlace de rádio com os telefones móveis ou outros dispositivos sem fio (*wireless*). Linhas terrestres conectam as estações rádio base ao MSC, o qual rastreia a localização do dispositivo que foi ligado.

Quando um dispositivo, por exemplo um telefone móvel, é ligado, ele procura por um canal de controle não utilizado, toma-o e requisita um registro. Para originar uma chamada:

- O telefone móvel envia uma requisição de chamada para o MSC por meio de uma estação rádio base. Uma estação rádio base pode simultaneamente transmitir e receber por muitos canais de rádio de freqüências diferentes e, assim, pode estar em contato com um grande número de dispositivos móveis em um dado momento.
- O MSC conecta a chamada a um STFC, o qual então conecta a chamada ao seu destino (por exemplo, fone de casa, PBX ou um outro telefone móvel em outra localidade).
- O MSC comanda a comutação do telefone móvel para um canal de conversação (canal de rádio selecionado pelo MSC) para iniciar a conversa e, por fim, responder a chamada a quem chamou. Quando as partes desligam o telefone, o MSC instrui o telefone móvel a comutar para um canal de controle.

Para receber uma chamada (conhecido como "entrega da chamada"), o telefone móvel deve ser ligado e preso a um canal de controle. Considerando a origem da chamada de uma residência:

- O STFC comuta a chamada para o MSC, o qual localiza o telefone móvel a partir do momento em que este foi ligado.
- O MSC envia um *page* (comportando o número do telefone móvel) para a célula do site, a qual envia um *broadcast* para todos os telefones da célula.
- Quando o telefone procurado responde ao comando *page*, ele é ordenado a comutar para o canal de conversação (canal de rádio selecionado pelo MSC) para a chamada. O MSC então comanda o telefone a alertar o usuário (tom de campainha).

### *1.4.1 Handoff e roaming*

Quando o telefone móvel está ligado no estado "disponível" ou no estado "ocupado" (em uma conversação), ele pode deixar uma célula do *site* e penetrar em uma célula diferente do mesmo *site*. Em algum ponto, a potência do sinal recebido do canal de controle ou do canal de conversação diminuirá ao ponto em que a recepção é inviável. A potência do sinal abaixo de um nível predeterminado dispara o *handoff* do telefone móvel para a estação rádio base com o sinal mais forte. A mudança na freqüência ocorre, coordenada pelo MSC, já que o *site* da célula adjacente opera em uma "lista" de freqüência mutuamente exclusiva.

Algumas redes celulares fazem *hard handoff* por meio de um processo "quebra e faz" que envolve a quebra da conexão com a célula original antes de fazer a conexão com a célula seguinte. Esse *hard handoff* é imperceptível para a comunicação de voz, mas pode causar o rompimento da sessão de dados. Outras redes fazem o *soft handoff*, que é aceitável na comunicação de dados, visto que a conexão é feita no *site* seguinte antes que a conexão seja quebrada no *site* original.

No caso de um *handoff* para uma nova célula do *site* servida por MSC diferente, a situação é conceitualmente semelhante. Os detalhes são complexos, o MSC deve trocar mensagens (IS-41 ou SS7 dependendo da rede) para coordenar muitas ações:

- Seleção pelo primeiro MSC de um tronco intercentrais para o segundo MSC.
- Seleção do canal de rádio pelo segundo MSC.
- Notificação ao telefone móvel para comutar canais.
- Rompimento do enlace com a estação rádio base antiga.
- Estabelecimento do enlace com a nova estação rádio base.
- Confirmação do segundo MSC que o telefone móvel está operando sobre um novo canal.

Após o sucesso do *handoff*, o caminho da conversação consiste dos *switches* do STFC e recursos, do tronco do primeiro MSC e *switch* do primeiro MSC, do tronco do segundo MSC e o *switch* do segundo MSC, do tronco para a nova estação rádio base, do canal de rádio para o telefone móvel e do telefone móvel, ele mesmo. Teoricamente, o processo pode continuar indefinidamente, o caminho da conversação acumulando MSCs adicionais (e troncos) durante a odisséia aparente do telefone móvel. Praticamente, as chamadas são finitas e a mais longa termina antes do trem de *switches* aumentar além de vários MSCs.

Usuários algumas vezes transportam telefones móveis fora da sua área de serviço, uma condição conhecida como *roaming*. Quando o telefone é ligado, ele emite o seu número de telefone móvel e o MSC que serve o telefone móvel naquela localização distante, comunica com o registrador de localização (*Home Location Register*) do provedor de serviço do assinante para encontrar externamente o provedor de serviço do telefone visitante (crédito merecido), bem como as opções de serviço e as características do telefone que teria direito. Nesse caminho, o provedor de serviço conhece o paradeiro do telefone móvel, ou seja, ele sabe identificar o MSC visitado e o MSC visitado sabe como prover o serviço, como se o assinante lá residisse. A origem da chamada é trabalhada pelo MSC visitado, que trata o telefone *roaming* como se fosse seu próprio. Entretanto, a recepção da chamada é complicada, pelo fato de o telefone ser *roaming*.

Considere que a chamada venha de uma residência de São Paulo destinada a um telefone móvel de Brasília, que se encontra num momento dado em Recife. Ela será direcionada, via STFC, para o registrador de localização (*Home Location Register*) do provedor de serviço do assinante (Brasília), o qual informará que o telefone móvel está fora de sua área de serviço. Os seguintes passos vão ocorrer:

- O registrador de localização envia uma mensagem para o MSC visitado (Recife), solicitando que o MSC visitado forneça um número de lista local temporariamente (TLDN – *Temporary Local Directory Number*). No Brasil, esse número tem 10 dígitos, incluindo o código de área do MSC visitado.
- O MSC visitado seleciona um TLDN de seu *pool* de números, associa o TLDN ao número do telefone móvel (como enviado na requisição original pelo *home* MSC) e envia o TLDN para o *home* MSC.
- O *home* MSC origina uma nova chamada, via STFC, usando o TLDN com o endereço de destino.
- O STFC roteia a chamada para o MSC visitado, o qual combina o TLDN recebido ao corrente telefone móvel visitante.
- O MSC emite um comando *page* contendo o número do telefone móvel.
- Quando o telefone móvel responde, o MSC comanda o início de um sinal de alerta (tom de campainha) e comanda o telefone a comutar para o canal que transportará a chamada. O assinante responde e conversa com a parte que originou a chamada.
- Quando a chamada termina (uma ou ambas as partes desligam), o MSC visitado libera o TLDN para o *pool* disponível de números, para ser usado em outra chamada.

TLDNs não são publicados, eles são reservados somente para o roteamento interno da rede. Na origem de uma chamada aleatória, se um TLDN é discado errado, o STFC roteia a chamada para o MSC (assumido ser Recife), o qual provê o anúncio que a chamada não pode ser completada como discada.

## 1.5 Redes convergentes

Embora seja consenso que a próxima grande revolução nas telecomunicações esteja nas redes convergentes, não há uma arquitetura específica que venha a solucionar todos os problemas de todas as operadoras e provedores de serviços, já estabelecidos ou emergentes, e, tampouco, atender a todos os anseios dos usuários.

As redes de comunicação convergentes são definidas como um conjunto de princípios, tratando-se, portanto, de um conceito guarda-chuva que contempla uma série de mudanças que estão ocorrendo na forma de se estruturar as redes. Indica uma direção a ser tomada pela indústria, cuja velocidade de implementação depende das necessidades de negócios de diferentes organizações.

O princípio básico das redes convergentes é a flexibilidade. Aquela necessária às operadoras já estabelecidas para adaptar seus negócios e suas redes ao mercado em mudança; aquela da qual novas operadoras precisam para estabelecer negócios viáveis e lucrativos nos nichos de mercado; aquela que possibilitará prover aos usuários serviços fixos e móveis que irão ao encontro de sua forma de trabalho e, aos usuários residenciais, serviços de lazer.

Naturalmente, como em qualquer outro negócio, as redes convergentes devem ter uma relação custo/benefício atrativa, de sorte que operadoras em atuação no mercado possam conduzir uma migração e que novas operadoras possam se estabelecer. Em ambos os casos, custos operacionais devem ser inferiores aos atualmente praticados.

Um dos fatores que impulsionam as redes convergentes é o crescimento exponencial na demanda por serviços de dados e tráfego de dados, como conseqüência do crescimento massivo da Internet e das pressões derivadas da competição no mercado, que exigem maior eficiência em todos os níveis dos negócios correntes.

As atuais redes públicas de comunicação foram concebidas para tratar tráfego de voz. Portanto, um redirecionamento para redes de comutação de pacotes torna-se inevitável, na medida em que dados se sobressaem sobre a voz como principal fonte de geração de recursos.

Acompanhando a imensa popularidade da Internet, é inevitável que a nova rede seja embasada no IP. Contudo, voz permanecerá sendo um serviço de importância e certamente haverá a necessidade de se transportar voz com qualidade sobre IP, com todas as implicações que isso traz com relação à confiabilidade e à qualidade de serviço.

A estrutura básica das redes convergentes deve não somente facilitar a convergência de dados e voz, mas também a convergência de transporte óptico e tecnologia de pacotes, assim como de redes fixas e móveis. Convergência significa que diferentes serviços são fornecidos por um mesmo equipamento de telecomunicação, um mesmo terminal, uma mesma ligação de acesso, um mesmo suporte de transporte, um mesmo elemento de comando ou um mesmo *software* de aplicação. As redes convergentes não são concebidas para uma aplicação em particular, elas podem oferecer todos os tipos de aplicação. A questão central é como tirar proveito das oportunidades criadas com essa convergência.

Também é importante considerar a necessidade de usuários finais no que se refere a uma gama maior de serviços e aplicações mais sofisticadas, incluindo serviços multimídia, cuja grande maioria nem era vislumbrada quando as redes atuais foram implementadas.

Do ponto de vista das operadoras, o transporte não mais provê receitas suficientes. Assim, brevemente elas serão movidas a oferecer aos usuários finais uma grande cesta de serviços úteis e de fácil uso de forma a gerar mais receitas e manterem-se competitivas. Conseqüentemente, as redes convergentes serão orientadas a serviços, provendo todos os meios que suportem a oferta de novos serviços e a adequação dos serviços existentes para futura geração de receitas.

Outro impulsionador do negócio, as mudanças nas regulamentações fizeram crescer a competição no mercado de telecomunicações, resultando na revisão dos modelos de negócios pelas operadoras estabelecidas e na entrada de novas operadoras no mercado buscando oportunidades rentáveis de negócios. Como resultado, as redes convergentes devem suportar uma grande variedade de modelos de negócios, provendo a solução mais eficiente e de melhor relação custo/benefício para cada modelo.

Prognósticos mostram freqüentemente uma queda nas receitas dos serviços de voz e um incremento nas receitas geradas por serviços de dados de valor agregado. Assim, a maioria das operadoras necessitará reavaliar seus modelos de negócios correntes à luz desses prognósticos, levando em conta as mudanças nas regulamentações, de forma a identificar e tirar proveito das oportunidades que surgirão com a convergência. Ao mesmo tempo, os novos operadores buscarão modelos de negócio que os permitam capturar uma parcela dos segmentos mais rentáveis do mercado de telecomunicações.

Uma das maiores preocupações para as operadoras tradicionais será como migrar suas redes de voz para a nova estrutura de rede, na qual o tráfego IP predominará, minimizando os custos de transição e tirando imediato proveito dos benefícios oferecidos pelas redes convergentes. A maioria optará por uma estratégia de evolução na qual suas redes existentes serão fortalecidas gradativamente. Contudo, algumas operadoras estão vislumbrando efetivar uma completa ruptura com o estado atual e mover rapidamente para uma arquitetura convergente. Naturalmente, operadoras novas e competentes tentarão entrar no mercado implantando uma estrutura de rede já completamente aderente à arquitetura convergente.

O presente momento é o mais adequado para a implementação das redes convergentes. Primeiramente, os princípios das plataformas de criação de serviços e a separação lógica do serviço foram totalmente testados em redes inteligentes e estão prontos para serem estendidos nas redes convergentes. Tecnologias que permitem uma relação custo/benefício favorável estão agora comercialmente disponíveis de sorte a tornar a convergência de redes uma realidade: comutadores de pacotes robustos fabricados com tecnologias de semicondutores altamente integradas e de alto desempenho; tecnologia óptica com seu custo de largura de banda maciçamente reduzido; e novas tecnologias de acesso que provêem larguras de banda maiores aos usuários comerciais e residenciais. Por fim, a dinâmica do mercado pressiona as operadoras no sentido de reagir a receitas e margens de lucro estáveis ou em declínio em serviços de voz. Conseqüentemente, as operadoras estão à procura de novas oportunidades para adaptar suas redes de maneira que possam encontrar novas fontes de receita.

## 1.6 Evolução em direção à convergência

Ao contrário das redes legadas, usadas somente para serviços específicos, as redes convergentes podem fornecer múltiplos serviços. Da perspectiva do usuário, a convergência de serviços propiciará o surgimento de serviços transparentes, que possam ser disponibilizados a partir de qualquer tipo de rede de acesso. Assim, constata-se, por parte dos usuários, a necessidade de acesso total a dados e serviços, como Internet móvel, redes sem fio e mobilidade entre redes de acesso ou terminais de diferentes tecnologias, potencialmente voltadas para serviços com alto valor agregado usando geolocalização.

Os fornecedores de equipamentos têm prometido, nos últimos anos, novos *switches* como a solução para vencer as ineficiências do STFC. Ao mesmo tempo, os fornecedores são desafiados a prover equipamentos e soluções que permitam às operadoras atualizar suas redes utilizando *media gateways*, *softswitches* e servidores de *feature* ou de aplicações. Provedores de serviço estão pesquisando por tecnologia para simplificar suas redes, reduzir custos de operação, gerenciamento e manutenção e aumentar a flexibilidade de serviços.

Como as redes estão evoluindo em direção aos *softswitches*, no lugar do ímpeto à adesão total ao empacotamento, espera-se que as operadoras ainda continuem a implementar *switches* de nova geração em pequena escala. A habilidade de convergir elementos de rede terá um papel fundamental no emprego do *switch* no curto prazo. Em médio prazo, as operadoras explorarão novas redes fora de seus territórios e aí construirão redes VoIP ponta a ponta utilizando totalmente tecnologia de comutação IP e ATM.

*Switches router* multisserviços são plataformas que pretendem casar o dispositivo de roteamento IP com um segundo modelo de comutação capaz de entregar serviços com parâmetros de qualidade definidos. Operadoras empregarão tais plataformas quando quiserem otimizar suas redes, enquanto protegem seus investimentos contra o tempo, e quando puderem migrar para redes totalmente IP. Com *switch router*, as operadoras estarão aptas a introduzir novos serviços com mudanças incrementais na configuração da rede, enquanto reduzem os custos de aprovisionamento de serviços e os colapsos na camada de rede. Plataformas multisserviços serão usadas como ponto de partida e não como elementos de rede de longo prazo.

Aspectos críticos de roteadores IP e *switch router* multisserviços são o caminho para os provedores de serviços manipular QoS (*Quality of Service*) e acordos de níveis de serviços (SLAs – *service level agreements*). Elementos relevantes para a QoS, como armazenamento (*buffer*), ajuste, políticas e entrega de estatística de SLA, são agora providas por fluxo de dados. Fornecedores devem incorporar esse conceito na hierarquia de gerência de tráfego na nuvem IP e incluir gerenciamento de congestionamento, ajuste, tabela, bem como engenharia de estatísticas de tráfego.

A implantação dessa arquitetura estabelece que as funções desempenhadas pelas redes de comunicação sejam separadas em planos ou camadas funcionais: acesso, transporte, controle e serviço, Figura 1.4. Essas camadas são independentes, ou seja, podem ser modificadas independentemente umas das outras. A camada de acesso fornece a infra-estrutura de conexão entre o usuário final e a rede de transporte, usualmente denominada enlace local ou última milha.

A camada de transporte consiste de redes *backbone* às quais as redes de acesso são conectadas. Os enlaces entre os nós da rede de transporte utilizam, principalmente, fibra óptica. Esses enlaces também podem utilizar sinais em radiofreqüência terrestre ou via satélite. A camada de controle tem a função de controlar a operação da rede por meio da troca de sinalização entre os seus componentes. A camada de serviços é responsável pelo controle e implementação dos diversos serviços oferecidos aos clientes pela rede de comunicação, definindo suas características de provisionamento e operação.

A arquitetura em camadas fornece uma rede flexível e escalável, o que permite reduzir o tempo de implantação de novos serviços. Os planos funcionais são separados por interfaces abertas para facilitar a interconexão com outras operadoras e a integração de terceiros. Além disso, nesses planos podem ser implementados sistemas de gerenciamento de qualidade de serviço, sistema de suporte a operações, sistemas de tarifação e sistemas de segurança. A Figura 1.5 ilustra diferentes possibilidades de conexão da rede de acesso ao *backbone* da rede de transporte.

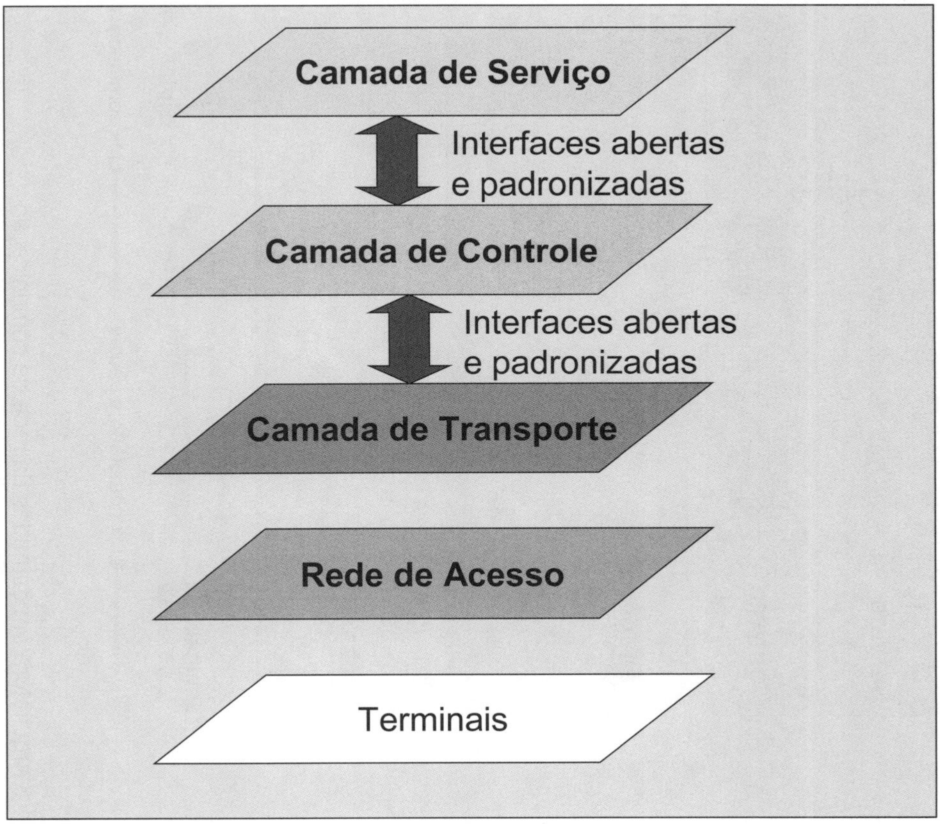


Figura 1.4 Separação de camadas em uma arquitetura convergente

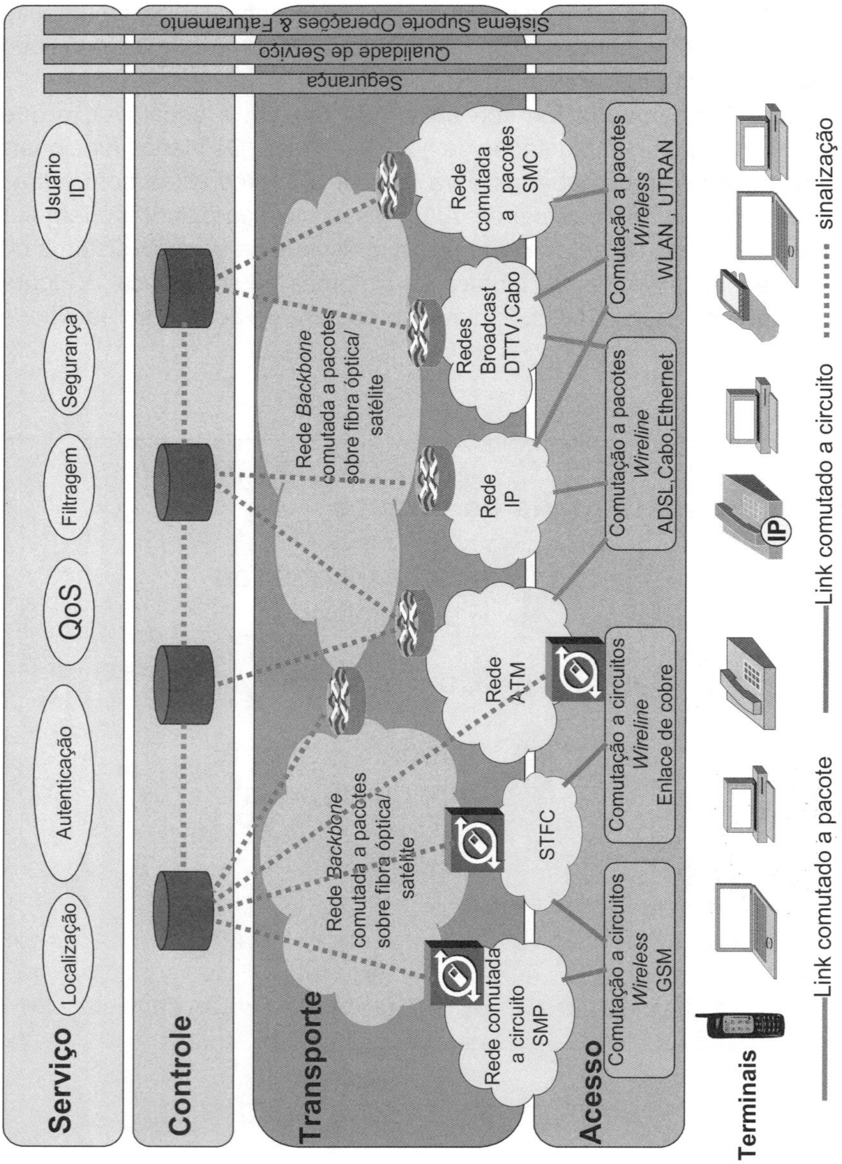


Figura 1.5 Arquitetura em camadas da rede de comunicação

## 1.7 Conclusão

Hoje, as redes públicas de voz, dados e telefonia móvel são independentes e sobrepostas. Por isso, existe a necessidade de uma grande quantidade de equipamentos instalados. Na atual planta de telecomunicação, o tráfego de voz e de dados, em termos de volume de ocupação de banda (designação genérica para o espaço ocupado no meio de transmissão), ocupa, cada um, 50% da capacidade das redes instaladas. Contudo, o faturamento das operadoras é mais concentrado no tráfego de voz.

Com o crescente aumento do uso da Internet, principalmente no segmento de entretenimento, e o impacto provocado pelo *e-business* no segmento corporativo, a tendência é que esse quadro mude. Na nova fase da telefonia, o grande desafio será garantir a rentabilidade das operadoras em função de uma forte competição. A disputa deve ficar concentrada na comunicação de dados e na telefonia de longa distância.

Os serviços de voz continuarão a ter grande representatividade no faturamento das operadoras, mas deve surgir no mercado o perfil de usuário de serviços multimídia. Com a introdução das redes convergentes, em vez de manter três redes sobrepostas (voz, dados e telefonia móvel), a operadora poderá ofertar múltiplos serviços em uma só rede, mais eficiente na utilização da banda. Além disso, ao viabilizar uma rede de serviços convergentes, a introdução de novos serviços multimídia (voz, dados e vídeo) pode ser sustentada pela rentabilidade dos serviços de voz.

A construção de uma rede convergente tem três focos principais: acesso em banda larga multisserviços, infra-estrutura óptica dinâmica e comutação com inteligência distribuída. A arquitetura e o padrão da rede são abertos, ou seja, a operadora tem maior facilidade para associar novas funcionalidades e é possível também distribuir melhor a arquitetura. As funções de controle, gerência e distribuição do tráfego de chamadas local regional e internacional são concentradas e executadas em uma plataforma homogênea e unívoca. Dessa forma, é possível aumentar a confiabilidade da rede. Essa rede também oferece maior flexibilidade, porque quando não está sendo transmitida voz sobra espaço para trafegar dados e vice-versa (a chamada alocação dinâmica da banda).

Este texto procura fornecer uma visão unificada das redes de comunicação e seu processo de convergência. Embora esse processo de convergência esteja em constante evolução tecnológica, procura-se dar uma visão conceitual para profissionais de telecomunicações e áreas afins que ainda não tenham um contato profundo com o tema.

## Referências

COSTELLO, Richard A.; HORAK, Ray. Basics Concepts of Communications: an Introduction. Gartner Dataquest. Disponível em:<http://www.gartner.com>. Acesso em: 24 set. 2003.

ESTES, Glenn H. NGN: Preparing for tomorrow services. *Alcatel Telecommunications Review*, 2nd Quarter 2001.

ITU-T. *Recommendation G.711: Pulse code modulation (PCM) of voice frequencies.* Disponível em: <http://www.itu.int>.

ITU-T. *Recommendations I-Series: Integrated services digital network.* Disponível em: <http://www.itu.int>.

SIEMENS LTDA COMUNICAÇÃO CORPORATIVA. *Comunicação Multimídia*. Disponível em: <http://www.siemens.com.br/imprensa_mais.asp?canal=16&indice_conteudo=5569>. Acesso em: set. 2002.

# 2

# Camada de acesso

## 2.1 Introdução

A arquitetura da rede de comunicação é composta de camadas funcionais que desempenham tarefas em diferentes níveis. A infra-estrutura de conexão entre o usuário final e a rede de transporte é fornecida pela camada de acesso, usualmente denominada enlace local ou última milha. O acesso pode ser via radiofreqüência (*wireless*) ou via cabo (*wireline*) através de fios de cobre, cabo coaxial e fibra óptica. Na camada de acesso, podem ser usadas tecnologias de comutação a circuitos ou de comutação a pacotes.

O desenvolvimento das tecnologias de acesso reflete a importância estratégica das operadoras para manter ou aumentar o número de clientes. No contexto de novos serviços na rede de comunicação, além do aumento do número das tecnologias oferecidas, a atual evolução da camada de acesso tem como foco: atendimento voltado para o crescimento do tráfego de dados; tecnologias de transporte multisserviços no modo pacote (IP ou ATM); e convergência fixa-móvel, levando em consideração a mobilidade e a remoção do cabeamento.

As opções dos usuários e das empresas prestadoras de serviços também se diversificaram. Essas opções incluem: novos tipos de acessos e serviços – seleção da prestadora de longa distância, Internet, transmissão de dados a altas taxas, integração de voz e dados etc. –; diferentes formas de acesso disponibilizados pelas operadoras; e múltiplas possibilidades de escolha entre a operadora tradicional e as entrantes.

Com relação à abrangência da conectividade, existem tecnologias para enlace local e para enlaces que abrangem distâncias curtas ou longas em áreas pessoal, local e global. A Figura 2.1 mostra algumas tecnologias de acesso em função da proximidade com a rede de transporte. Os tipos de acesso para a rede de transporte podem ser classificados em fixo, fixo sem fio e móvel. Nas seções a seguir, as redes de acesso serão discutidas de acordo com essa classificação.

## 2.2 As redes de acesso fixo

As redes de acesso fixo foram se adaptando progressivamente para suportar serviços de dados a altas taxas, conforme a síntese apresentada na Tabela 2.1. Na rede de telefonia comutada, a tecnologia xDSL, acessível para os novos operadores por meio do compartilhamento do enlace local, permitiu a oferta de serviços de voz e dados a altas taxas. O acesso Ethernet, originalmente projetado para fornecer serviços de dados, teve seu uso expandido em termos de taxa, perímetro de utilização e serviço transportado (voz, dados e multimídia). Outros meios que permitem o suporte de serviços de voz e/ou dados são as redes de TV a cabo, a tecnologia de fibra óptica e, mais recentemente, a PLC (*Power Line Communication)* que usa a rede elétrica como meio de transmissão.

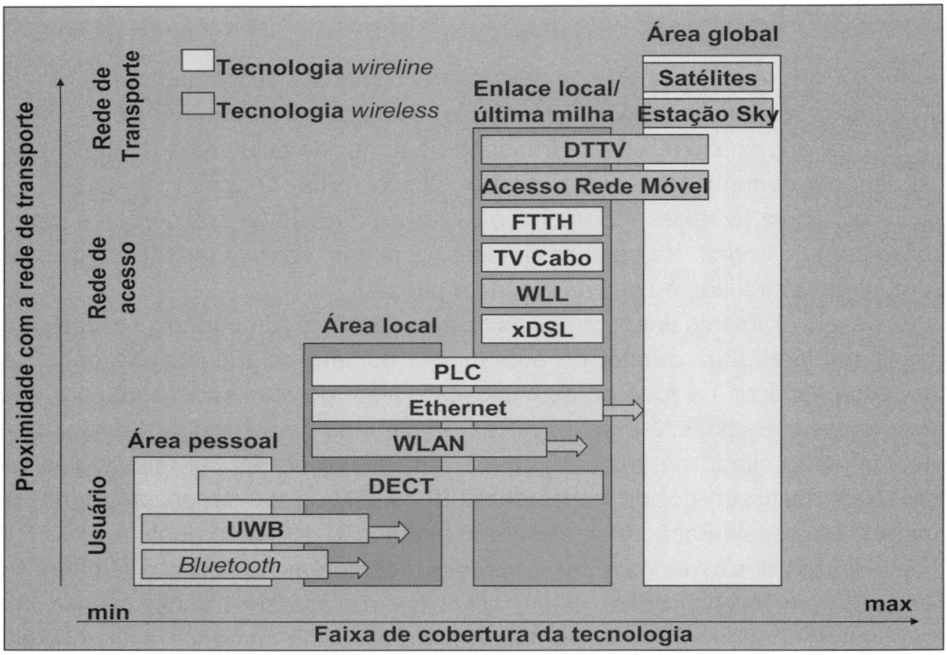


Figura 2.1 Diferentes tecnologias de acesso

Tabela 2.1
Características das tecnologias de rede de acesso fixo

| Redes de acesso | | | |
|---|---|---|---|
| **Tecnologia de acesso** | **Taxa de dados (ordem de grandeza)** | **Comutação/ Interface para o núcleo da rede** | **Potencial convergência** |
| RTFC, RDSI | < 64 ou 128 kbit/s > | TDM (circuito) | Empacotamento da voz (transporte), serviços VoIP |
| xDSL | 0,5 à 50 Mbit/s | Interconexão ATM ou IP sobre ATM | Novos operadores, interfaces IP, voz sobre xDSL |
| Ethernet | LAN: 10-100 Mbit/s Wan: 1-10 Gbit/s | IP | Extensão com rede MAN/ WAN |
| Fibra óptica | Centenas de Gbit/s com WDM | Neutra (nível conexão) | Extensão para enlaces locais. WAN: WDM e comutação óptica |
| HFC (Cabo) | TV: 0,5-10 Mbit/s Dados: ~5 Gbit/s | Dados: orientado a IP (norma Docsis) | Diversificação para serviços VoIP, dados, Internet |
| PLC | Até 10 Mbit/s | Neutra (nível conexão) | Serviços de proximidade |

Historicamente utilizado em serviços de voz, o serviço telefônico fixo comutado (STFC), que usa um par de fios de cobre como suporte, teve a sua estrutura digitalizada para permitir novos serviços. A rede de acesso telefônico, assim como a rede de transporte de longa distância associada, permanece até hoje como uma rede dedicada que utiliza a comutação por circuitos. Essas redes possuem interconexões para gerenciar comunicações internacionais, ligações entre redes fixa e móvel ou de uma operadora para outra, em uma mesma comunicação.

Com a desregulamentação das telecomunicações (em particular com a introdução da seleção do transporte), muitas operadoras entrantes desenvolveram infra-estrutura para oferecer serviços a seus clientes, inclusive o transporte de dados. Essa diversidade de serviços tem levado as operadoras a desenvolver redes convergentes do tipo pacotes, a fim de otimizar sua infra-estrutura.

A RTFC é também utilizada cada vez mais para acesso à Internet com tráfego de diferentes provedores de serviço, os quais geralmente são empresas do ramo de dados. No seu domínio, os equipamentos comunicam-se com as redes telefônicas utilizando a sinalização SS7, separando as funções relacionadas à gestão do tráfego e da sinalização.

### *2.2.1 Tecnologias DSL*

A tecnologia de faixa larga DSL (*Digital Subscriber Line*) permite a transmissão e a recepção de informações (vídeo, áudio e dados) através de fios telefônicos de cobre com alta taxa de transmissão. A conexão de dados fica permanentemente disponível.

O serviço de telefonia analógica não utiliza a capacidade máxima de transmissão do fio de cobre. A quantidade máxima de dados que pode ser transmitida com os *modems* tradicionais está em torno de 56 kbps. Com a rede digital de serviços integrados (RDSI), a taxa de transmissão chega a 128 kbps. As interfaces T1 e E1 oferecem velocidades de transmissão em torno de 1,544 Mbps e 2,048 Mbps, respectivamente, mas com alto custo. Por sua vez, o ADSL (*Assymetric Digital Subscriber Line*), o tipo mais popular de DSL, pode oferecer até 8 Mbps em *downstream* e 512 kbps em *upstream*. A Figura 2.2 mostra uma comparação entre as capacidades de diferentes tecnologias de acesso.

Na tecnologia DSL, os dados de um computador são modulados e transmitidos digitalmente, o que permite à operadora utilizar toda a banda do fio disponível para transmitir dados. Por meio de um separador ou divisor de sinal (*splitter*), o sinal digital é separado do sinal de voz de modo que ambos possam ser transmitidos no mesmo cabo ao mesmo tempo.

Para utilizar a rede telefônica, os *modems* comuns operam na faixa de freqüência do sinal de voz. Em geral, as limitações da taxa de transmissão não estão relacionadas à linha do assinante (*local loop*) e sim aos filtros existentes na central, que limitam a faixa de voz em 3,4 kHz. Sem esses filtros, os pares metálicos suportam sinais com freqüências de até 1,1 MHz, com atenuação que depende do comprimento do par metálico e da freqüência do sinal. Nesse caso, quanto menor for a distância entre uma central prestadora do serviço e um assinante, maior é a taxa de transmissão de dados.

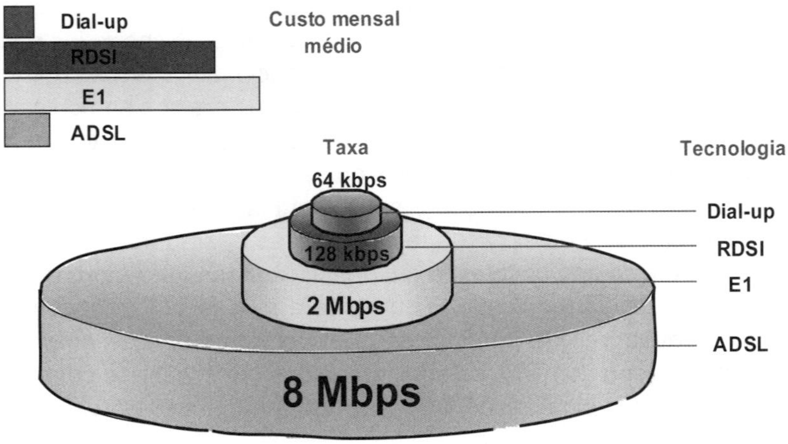


Figura 2.2 Comparação entre as tecnologias de acesso existentes no mercado

A Figura 2.3 apresenta uma representação gráfica da evolução do valor da taxa de transmissão em função do aumento da distância da central prestadora do serviço, isto é, do comprimento do cabo par-trançado utilizado, até um assinante, quando ADSL é usado em *downstream* e *upstream*. Como se pode verificar, os valores para a taxa de transmissão são elevados até 2 km. A partir dessa distância, a taxa de transmissão de dados possível diminui de forma acentuada.

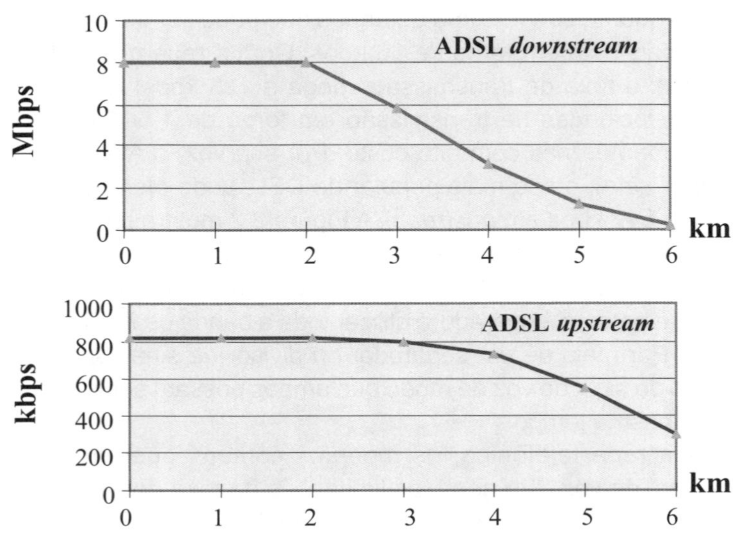


Figura 2.3 Comparação entre a taxa de transmissão e a distância (comprimento do cabo par-trançado)

A atenuação do sinal na linha e a dispersão do pulso são dois fatores limitantes para alcançar maiores taxas. As Figuras 2.4 e 2.5 apresentam essas dependências. A atenuação do sinal é inerente ao par-trançado, após uma distância de 5 km, e é difícil prover o serviço ao assinante.

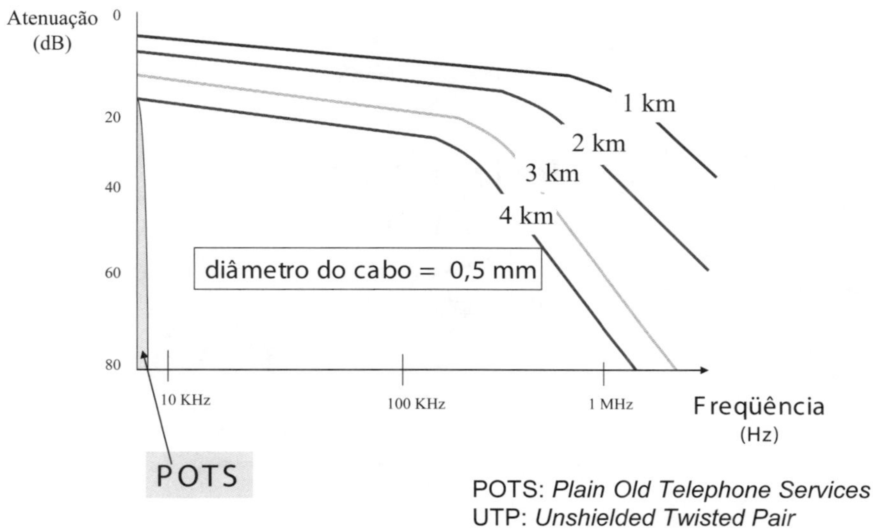


Figura 2.4 Curva de atenuação do par-trançado

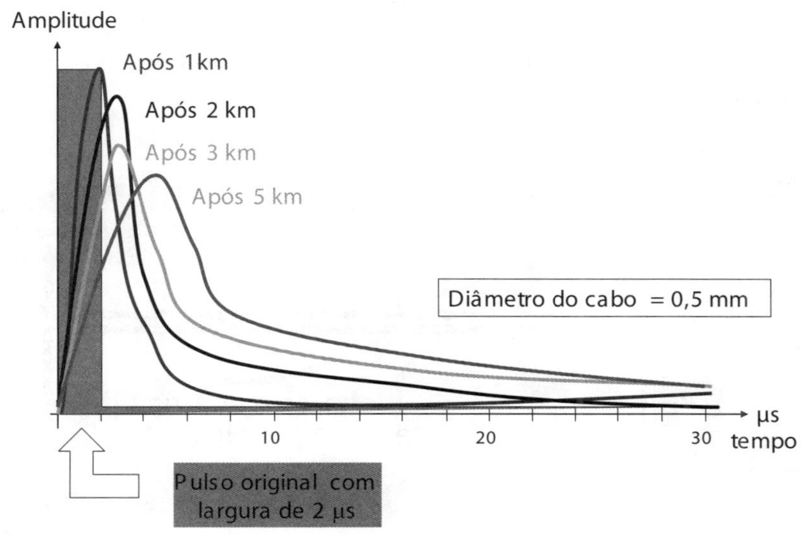


Figura 2.5 Dispersão do pulso

Uma solução poderia ser colocar nós de acesso para estender o raio de cobertura do serviço e atingir os usuários que ficam mais afastados do provedor. Esses nós concentrariam os sinais que seriam transportados à central mais próxima usando fibra ou microondas. Além disso, os nós poderiam também regenerar o sinal para minimizar os problemas de dispersão do pulso. Esse cenário é apresentado na Figura 2.6.

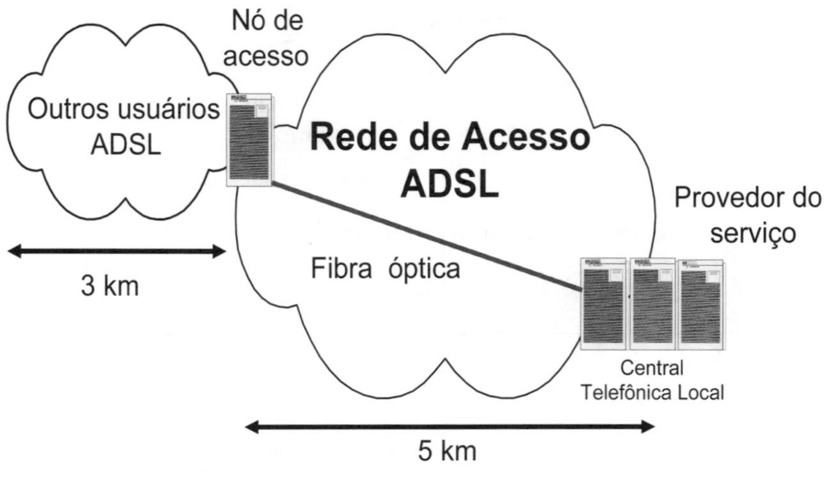


Figura 2.6 Rede ADSL com nós de acesso via fibra óptica

A Figura 2.7 ilustra o problema de *crosstalk*, que ocorre quando um sinal modulado transmitido através das linhas de cobre induz energia nos fios de cobre adjacentes que se encontram no mesmo cabo, interferindo assim na informação transmitida. O *crosstalk* é um fator que influencia diretamente na taxa de transmissão.

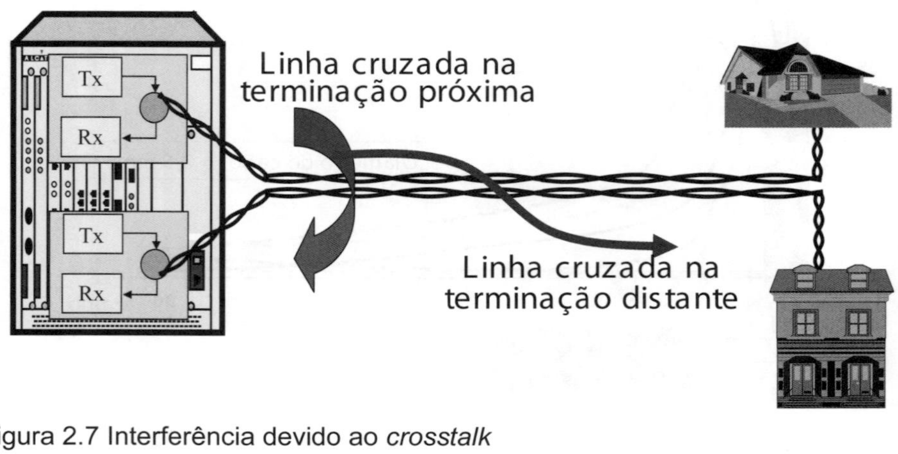


Figura 2.7 Interferência devido ao *crosstalk*

Outros fatores interferentes são o ruído térmico (ruído branco) e o ruído impulsivo. O ruído térmico, provocado pela agitação dos elétrons nos condutores, é uniformemente distribuído em todas as freqüências do espectro e sua quantidade é função da temperatura. O ruído impulsivo, que não é contínuo e consiste em pulsos irregulares e com grandes amplitudes, sendo de difícil prevenção, geralmente é pouco danoso em uma transmissão analógica, mas, na transmissão digital, ele é a principal causa de erros de transmissão.

### 2.2.2 *As redes de dados IP e Ethernet*

As redes locais, ou LANs (*Local Area Networks*), são redes que interligam determinado número de computadores situados num pequeno espaço geográfico, como em edifícios. Para isso, existem as tecnologias de redes locais, próprias para interligação de computadores em pequenas distâncias. A principal tecnologia, hoje, é a Ethernet.

Embora a Ethernet não tenha sido a primeira rede de comunicação de dados a se qualificar tecnicamente como uma rede local, ela é a mais importante porque representa o primeiro produto a oferecer interfaces e protocolos de comunicação não-patenteados.

Usando um projeto experimental desenvolvido em um laboratório de pesquisas da *Xerox Corporation*, as empresas *Xerox*, *Digital Equipment* e *Intel* se reuniram para definir alguns produtos comerciais fundamentados em padrões de comunicação publicados em conjunto. Essa ação incentivou outros fabricantes a desenvolverem produtos compatíveis. A estratégia de *marketing* obteve bastante êxito para estabelecer a interface Ethernet como um padrão, mesmo em sistemas que utilizam meio de transmissão diferente do cabo coaxial de banda básica especificado originalmente para uso no Ethernet.

A arquitetura Ethernet é conceituada na rede de comunicação por satélite *Aloha* desenvolvida na Universidade do Havaí. O sistema *Aloha* permite que vários dispositivos distribuídos se comuniquem uns com os outros sobre um único canal de rádio, utilizando um satélite como um *transponder*. Uma estação comunica-se com outra esperando até que o canal de rádio fique inativo (o que é determinado por um sensor de portadora) e depois enviando um pacote de dados com um endereço de destino, um endereço de origem e bits de verificação redundante para detectar erros de transmissão. Todas as estações inativas monitoram continuamente os dados recebidos e aceitam esses pacotes com seus endereços e totais de verificação válidos. Sempre que uma estação recebe um novo pacote, a estação receptora retorna um reconhecimento à origem. Se uma estação-origem não receber um reconhecimento dentro de um intervalo de tempo especificado, ela retransmitirá o pacote, sob a suposição de que o pacote anterior sofreu a interferência de ruído ou de alguma transmissão concorrente de outra estação (a última situação é referenciada como uma colisão). A Ethernet emprega o mesmo conceito básico, utilizando originalmente cabo coaxial para distribuição por um edifício ou *campus*, Figura 2.8.

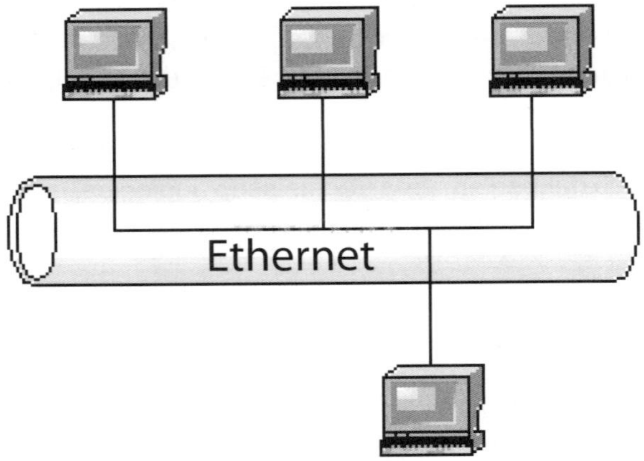


Figura 2.8 Topologia de rede Ethernet

Na realidade, o termo Ethernet refere-se a um grupo de redes tendo como base o protocolo de acesso CSMA/CD (*Carrier Sense Multiple Access with Collision Detect*). O padrão Ethernet original, definido pelas empresas *Xerox*, *Digital Equipment* e *Intel*, operava a 10 Mbps sobre um cabo coaxial grosso de 50 ohms na topologia barramento. Desde então, foram promulgados vários padrões Ethernet de alta velocidade, com meios de acesso distintos, como par-trançado.

O padrão IEEE 802.3u Fast Ethernet refere-se a uma série de três especificações de LANs de 100 Mbps da camada física que utilizam o protocolo de acesso CSMA/CD. Com o surgimento dos *switches*, a topologia em barramento original da Ethernet foi substituída pela topologia em estrela, Figura 2.9. Além disso, foi criado o conceito de comunicação *full-duplex*, ou seja, comunicação simultânea em ambas as direções transmissora e receptora, o que determinou o fim das colisões em redes Ethernet.

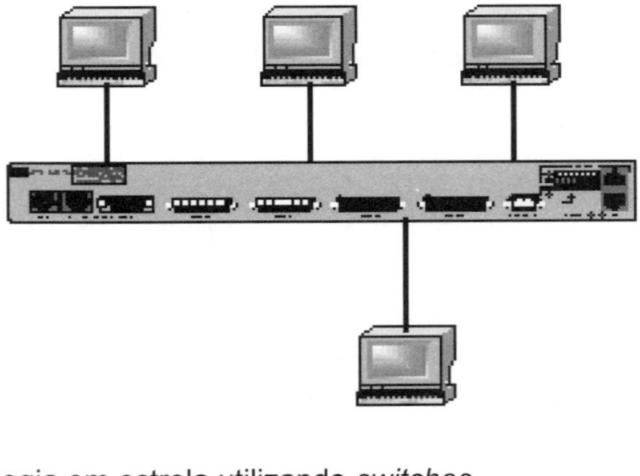

Figura 2.9 Topologia em estrela utilizando *switches*

Uma recente versão da Ethernet padronizada pelo IEEE, a Gigabit-Ethernet, representa, na verdade, uma série de padrões que admitem uma taxa de transmissão de 1 Gbps sobre vários tipos de cobre e fibra óptica.

O primeiro padrão de redes 10 Gigabit-Ethernet foi finalizado em 2002 e denomina-se 10GBaseX. Esse padrão é bastante interessante do ponto de vista técnico, pois, além da velocidade, opera em redes de longa distância, com o alcance máximo chegando a 40 km, utilizando cabos de fibra óptica monomodo, o que muda a concepção de Ethernet ser uma tecnologia exclusiva para redes locais.

A Tabela 2.2 resume os parâmetros das redes conforme sua evolução.

Tabela 2.2 Parâmetros das redes Ethernet

| Período | Tecnologia | Equipamento de interligação | Velocidade | Ligação duplex | Distâncias máximas |
|---|---|---|---|---|---|
| até 1990 | Ethernet | cabos coaxiais | 10 Mbps | half-duplex | 500 m |
| 1990-2000 | Ethernet | *Hubs* | 10 Mbps | half-duplex | 100 m |
| 1995-hoje | Fast-Ethernet | *switches* | 100 Mbps | full-duplex | 100 m(1)<br>2 km(2) |
| 2000-hoje | Giga-Ethernet | *switches* | 1 Gbps | full-duplex | 100 m(1)<br>40 km(3) |
| 2002-hoje | 10 Giga-Ethernet | *switches* e roteadores | 10 Gbps | full-duplex | 40 km(3) |

(1) utilizando cabo UTP (par-trançado não-blindado)
(2) utilizando fibra multimodo
(3) utilizando fibra monomodo

## 2.2.3 *O acesso híbrido fibra-coaxial (HFC)*

Devido às necessidades de acesso a maiores taxas de transmissão para dados, pensou-se em adequar várias infra-estruturas de comunicação, entre elas as redes de televisão a cabo (CATV), uma vez que a possibilidade de levar fibra óptica até o usuário final ainda não é economicamente viável na maioria dos casos. Assim, foi introduzida a tecnologia *cable modem* para adequar as redes de TV por assinatura à transmissão de dados.

Para a prestação de serviços de comunicações avançados, os sistemas unidirecionais de CATV tiveram de ser atualizados e convertidos em redes bidirecionais com amplificadores de duas vias, permitindo a circulação dos sinais em duas direções.

Atualmente, a maioria das redes CATV é um híbrido de cabos coaxiais e fibra óptica, e são chamadas de redes HFC (Híbrida Fibra-Coaxial), Figura 2.10. Os sinais passam através dos cabos de fibra óptica desde o *headend* até um nó óptico, um ponto próximo do usuário, onde os sinais ópticos são convertidos em sinais elétricos. A partir desse ponto, os sinais são transmitidos em cabos coaxiais até o assinante. As redes HFC têm uma série de especificações de interface para permitir a definição, desenvolvimento e aplicação de sistemas de dados sobre suas redes em uma base interoperável, uniforme, consistente, aberta e não-proprietária.

Assim, atualmente as redes HFC, além de permitir serviços analógicos de radiodifusão, como CATV, são também modernas redes bidirecionais de comunicação de dados, sobre a qual é implementada a tecnologia digital *Cable Modem*.

A tecnologia de acesso *cable modem* transfere pacotes IP de forma transparente entre o *headend* do provedor de serviço e o *modem* do usuário, usando um ou mais canais de 6 MHz da rede de TV por assinatura. Esse canal é compartilhado por múltiplos usuários através de uma topologia de tipo árvore ramificada, Figura 2.11.

O sistema é composto por rotas de descida (*downstream*) e subida (*upstream*). O canal de *upstream* é essencialmente ponto-a-ponto, enquanto o canal de downstream está num meio compartilhado. O fluxo de dados pelo sistema é normalmente assimétrico, sendo que o fluxo *downstream* possui uma maior largura de banda (6 MHz), e uma maior taxa de transmissão, 27 Mbps, a ser compartilhado por todos os usuários. Para o canal de *upstream* tem-se até 1,28 Mbps, quando usado um canal *upstream* de 800 kbps.

Os dados IP, provenientes do *backbone* são conectados a um adaptador especial denominado sistema de terminação de *cable modem* (CMTS – *Cable Modem Termination System*) que converte o *stream* de dados IP em sinais de RF (Rádio Freqüência) propício para o tráfego na rede de TV.

Durante um *downstream*, os sinais são convertidos, por meio de um conversor elevador (*upconverter*), para um canal específico na freqüência de operação do sistema de TV em uma janela de freqüência compreendida entre 50 e 864 MHz. Na direção *upstream*, o sistema *cable modem* usa uma janela subdividida entre 5 e 42 MHz.

A redes HFC e a tecnologia *cable modem* são soluções temporárias ao problema de acesso de banda larga uma vez que a possibilidade de levar fibra óptica até o usuário final ainda vai amadurecendo e reduzindo seus altos custos.

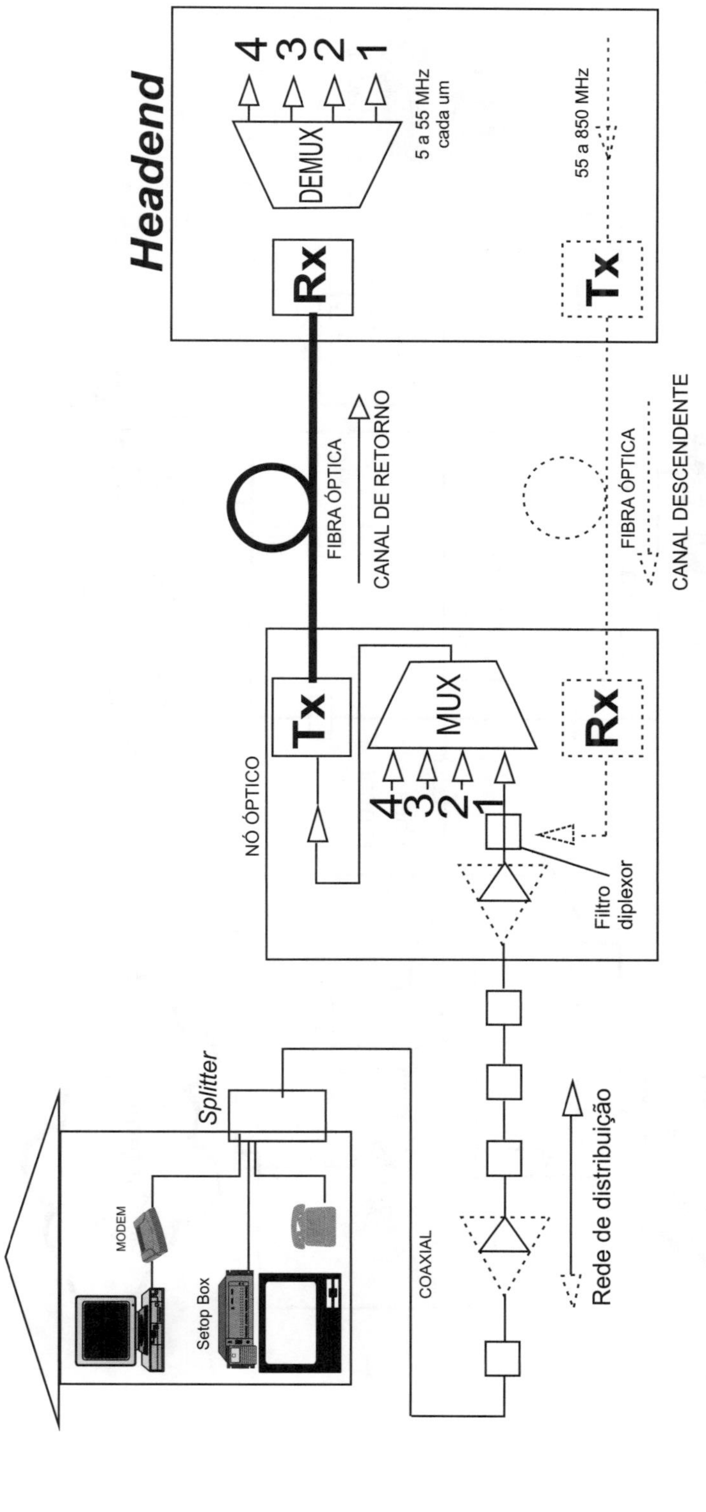


Figura 2.10 Arquitetura híbrida fibra-coaxial bidirecional

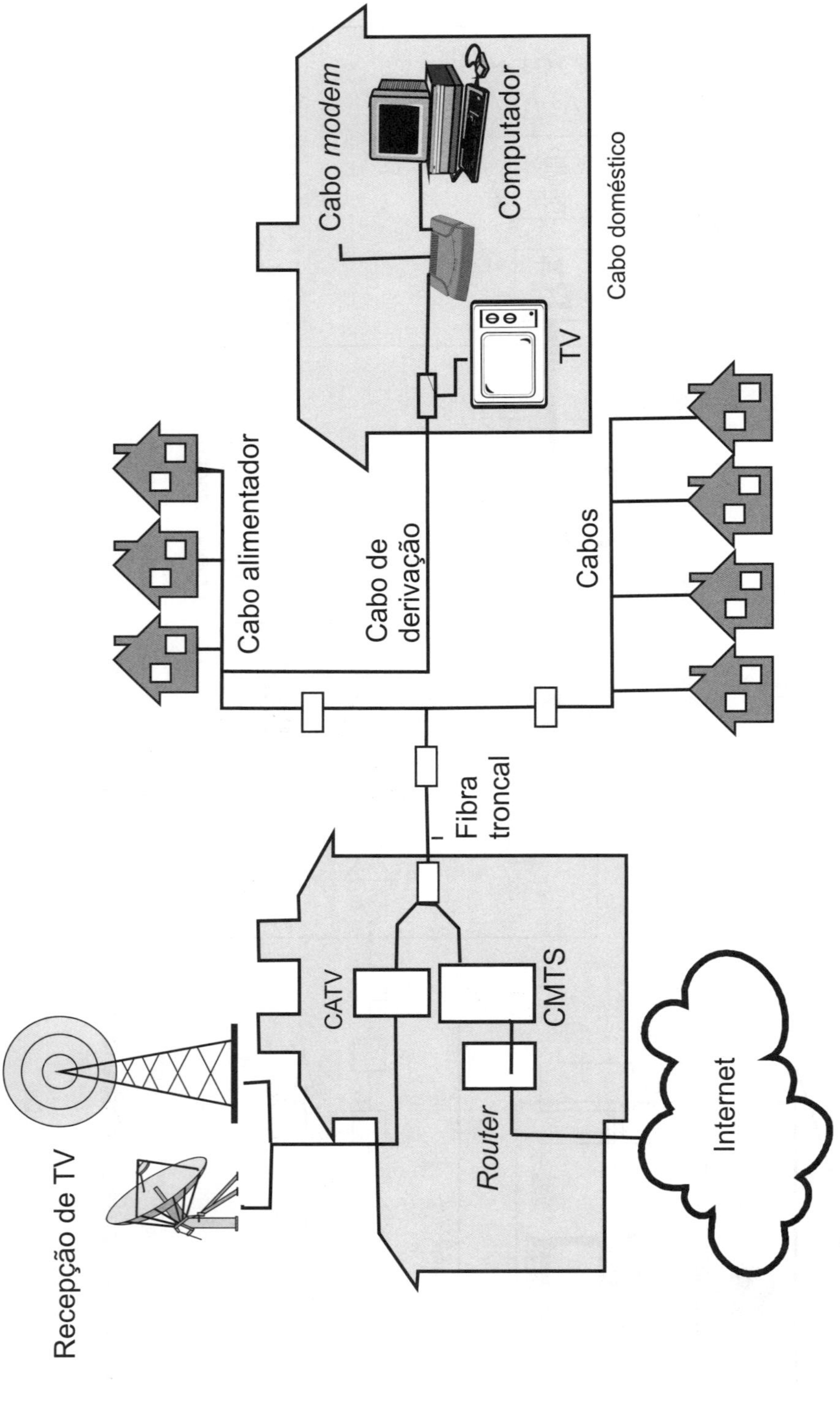


Figura 2.11 Arquitetura de rede de acesso híbrida fibra-coaxial

### 2.2.4 *Transmissão pela rede de energia elétrica*

A tecnologia PLC (*Power Line Comunication*) permite o acesso ao enlace local em áreas não atendidas por outras tecnologias. A aparente simplicidade para sua implementação e a capilaridade da rede elétrica de baixa tensão apresentam-se como perspectivas interessantes para o cliente final do serviço local. No estágio atual do desenvolvimento dessa tecnologia, não existem normas técnicas relacionadas à interoperabilidade dos equipamentos, somente soluções proprietárias. Além disso, a experiência dessa tecnologia mostra limitações de utilização, particularmente para um outro uso que não seja o local.

A tecnologia PLC utiliza um equipamento conectado à rede elétrica que fornece serviços de transmissão nos dois sentidos para voz, dados e Internet a taxas de 1 Mbps ou superior. Dependendo da tecnologia específica, são instalados *taps* na rede elétrica, com interfaces com o equipamento de comunicação, que injetam e extraem sinais de comunicação através dos fios elétricos. Comunicações faixa larga podem, portanto, ser estabelecidas sem a necessidade de nova instalação de fios, somente conectando o *modem* PLC em uma tomada normal da rede elétrica.

A grande vantagem da tecnologia PLC é a área de cobertura e presença das redes elétricas para prover acesso em regiões não atendidas por outras tecnologias. Pode, conseqüentemente, representar uma alternativa ao DSL sobre o enlace de cobre local ou rede de cabo faixa larga, aumentando a competição em infra-estruturas faixa larga. Essa tecnologia pode ser usada também para conectar prédios entre si ou para implementar LAN dentro de edifícios.

A troca de informações relacionadas à tecnologia PLC é realizada no PLC fórum, que é composto de empresas da área de sistemas de potência (Électricité de France, Tokyo Electric Power Company, Scottish and Southern Energy), universidades (École Polytecnique Fédérale de Lausanne, University of Dortmund) e fabricantes (Mitsubishi Electric Corporation, Schaffner), entre outros.

## 2.3 Tecnologias de acesso fixo sem fio

Algumas tecnologias recentes, como o WLL (*Wireless Local Loop*) e a rede local sem fio *Bluetooth*, permitem o fornecimento de serviços de voz e dados por meio de acesso via rádio. É essencial para a convergência de voz e dados que a tecnologia de transporte seja neutra ou orientada a dados, que desempenhará um papel importante no surgimento das redes e serviços convergentes. A Tabela 2.3 mostra em síntese as características das tecnologias de acesso sem fio, que serão discutidas a seguir.

Tabela 2.3 Características das redes de acesso fixo sem fio

| Redes de acesso | | | |
|---|---|---|---|
| **Tecnologia de acesso** | **Taxa de dados (ordem de grandeza)** | **Comutação/ Interface para o núcleo da rede** | **Potencial convergência** |
| WLL | Até > 500 Mbit/s > | ATM inicialmente | Todos serviços fixos, voz e dados |
| DVB | Até 30 Mbit/s | Dados: orientado a IP | Serviços fixos de difusão, por demanda ou eventualmente bidirecionais |
| WLAN | Até 11 Mbit/s (evolução > 50 Mbit/s | IP | Serviços de transmissão de dados alto tráfego, complemento com redes móveis |
| Bluetooth | Até 1 Mbit/s | Neutra (nível conexão) | Terminais próximos |
| DECT | 0,5 Mbit/s (evolução: 2 Mbit/s | TDM (circuito) ou IP (pacote) | Redes privadas (operadores: complemento com redes móveis 3G) |

### *2.3.1 Wireless Local Loop*

A tecnologia WLL permite aos novos entrantes o uso do enlace local da operadora tradicional. Pelo fato de usar o acesso via rádio, essa tecnologia tem a vantagem da flexibilidade, da velocidade e da rapidez de implantação e permite a transmissão de altas taxas de dados, assim como serviços variados. É vista como um grande competidor com a tecnologia de acesso xDSL.

O princípio do WLL consiste em substituir os últimos quilômetros das linhas físicas que chegam ao cliente por ligações de rádio no modo ponto-multiponto. Uma estação base é conectada ao operador da rede e inúmeras estações terminais são ligadas à rede dos clientes. O enlace pode cobrir uma distância máxima de 5 km a 6 km dentro da banda de 26 GHz e 10 km na banda de 3,5 GHz.

A rede WLL encarrega-se de encapsular os dados dentro de *frames* e, portanto, não limita o tipo de serviço que pode oferecer. A tecnologia usada para transmissão é a LMDS (*Local Multipoint Distribution Services*) que inicialmente foi desenvolvida para a difusão de programas de televisão. Essa tecnologia cobre uma larga faixa de serviços de comunicação, como acesso à Internet a altas taxas, aluguel de conexão, telefonia básica, rede privada virtual (VPN – *Virtual Private Network*), interconexão de LAN e transferência de arquivo em tempo real (vídeo *streaming*). Entretanto, somente estão disponíveis atualmente as ofertas de acesso à Internet e o aluguel de conexão.

As taxas propostas para o acesso Internet são geralmente tráfego simétrico da ordem de 128 kbps a 2 Mbps, característica bastante interessante no quadro de utilização de determinados serviços multimídia, como videoconferências. Certos operadores propõem também tráfego assimétrico. As interfaces disponíveis para os equipamentos do cliente são, por exemplo, conexões a 2 Mbps, telefonia, conexão ATM, Ethernet e SDH. Para a conexão da estação-base com o núcleo da rede, existe a oferta de produtos WLL de primeira geração com interfaces ATM, protocolo adaptado ao transporte de serviços de voz e dados, qualidade de serviço garantida e tráfego controlado.

A tecnologia WLL proporciona uma oportunidade para as novas operadoras não dependerem da *incumbent* para utilização do enlace local. Entretanto, o alto custo da estação-base e dos equipamentos terminais podem ainda representar o principal fator inibidor para a sua implantação.

### *2.3.2 O acesso via satélite*

Além do tradicional mercado de difusão de TV e rádio, o satélite pode ocupar uma posição interessante no mercado da Internet, mais particularmente nas aplicações *multicast*, as quais devem representar uma parte crescente do tráfego na Internet. Por natureza, essa tecnologia é do tipo ponto-multiponto. Ela permite acesso à Internet e garante uma certa largura de banda, o que é significante para aplicações de mídia *streaming* em tempo real.

Dois tipos de satélites podem ser identificados: os satélites de difusão e os satélites multimídia de nova geração. Os satélites multimídia são geralmente bidirecionais, isto é, permitem um canal de retorno, que pode ser terrestre. O objetivo desses satélites de banda larga é difundir conteúdo específico a um usuário (configuração *unicast*) ou a um grupo de usuários (configuração *multicast*). Quando usados para comunicação, esses satélites podem usualmente prover comunicação de dados a taxas entre 200 kbps e 800 kbps para *dowstream* e precisam de uma tecnologia de acesso alternativa para o tráfego *upstream*.

O recente padrão DVB-RCS (*Digital Video Broadcast – Return Channel for Satelite*), aprovado pelo ETSI (*European Telecommunications Standards Institute*), permite comunicações assimétricas à taxa de dados de 8 Mbps *downstream* e 2 Mbps *upstream*.

O sistema Inmarsat, formado por uma coalizão de empresas de telecomunicações e que usa satélites geostacionários para serviços de comunicação, tem planos para o lançamento de novos satélites como parte do projeto B-GAN (*Broadband Global Area Network*). Os serviços oferecidos por tais satélites podem incluir acesso à Internet, vídeo sob demanda, videoconferência e telefonia, a taxas de

400 kbps. Os serviços B-GAN devem ser compatíveis com a rede 3G, graças ao uso de padrões de comunicação abertos. Para esse tipo de satélite, pode-se considerar três classes de serviços: serviços *multicast* com base na difusão ponto-multiponto, serviços sob demanda com difusão ponto-a-ponto e serviços de acesso à Internet bidirecionais.

### *2.3.3 Redes locais sem fio*

As tecnologias WLAN (*Wireless* LAN) permitem o estabelecimento de redes locais IP sem fio entre computadores específicos. Os serviços oferecidos aos usuários são os mesmos oferecidos no acesso fixo IP: e-mail, acesso à Intranet da empresa, acesso à Internet, troca de arquivos, etc. Sua aplicação inicial foi direcionada para redes privadas de empresas, mas algumas operadoras a utilizam como redes WLAN públicas.

As WLANs, como os sistemas celulares, utilizam as estações base para se comunicar com computadores portáteis. Diferentemente da WLL, as redes WLANs permitem gerenciar a mobilidade de seus usuários no nível IP. Os fluxos de transmissão de dados são muito superiores aos utilizados pelas redes celulares.

Os padrões WLAN foram desenvolvidos principalmente pelos organismos ETSI e IEEE (*Institute of Electrical and Electronics Engineers*). Atualmente, o padrão mais popular é o 802.11b, especificado pelo IEEE em 1999. Permite taxas de dados de 11 Mbps (cerca de 6 Mbps na largura de banda usável) na faixa de freqüência de 2,4 GHz. O padrão 802.11a foi lançado após o 802.11b e provê taxas de dados a 54 Mbps, em teoria, na faixa de freqüência de 5 GHz. O IEEE desenvolveu o padrão 802.11g, que pode fornecer, na faixa de 2,4 GHz, a mesma taxa de dados que o 802.11a com um custo menor. O padrão 802.11a tem compatibilidade com o padrão Hiperlan 2, que foi desenvolvido pelo ETSI para a mesma faixa de freqüência de 5 GHz.

As tecnologias WLAN podem ser usadas em ambientes privados e públicos. No primeiro caso, uma entidade privada como um hotel ou empresa fornece o acesso WLAN a seus membros, clientes e empregados e solicita os serviços de uma operadora de acesso para a conexão a serviços Internet ou, mais genericamente, serviços de transporte. No segundo caso, um operador estabelece uma WLAN através de seus *hot spots* com pontos de acesso em áreas públicas, como aeroportos, *shoppings* e *coffee shops*, e fornece acesso Internet através desses pontos de acesso.

A tecnologia WLAN, madura e promissora com grandes evoluções em termos de taxas de transmissão, cobertura e uso, permite o fornecimento de serviços IP, com uso nômade, atendendo a três elementos-chave da definição de um serviço na rede de dados. As interfaces com o núcleo da rede são também com IP, o que facilitará para as operadoras WLAN a implementação do núcleo de rede convergente para transporte IP.

### 2.3.4 *Acesso sem fio Bluetooth e UWB*

Algumas tecnologias fornecem conexão a curta distância entre equipamentos pessoais formando uma PAN (*Personal Area Network*). Existem duas tecnologias importantes nessa categoria: Bluetooth e UWB (*Ultra Wide Band*).

Bluetooth foi desenvolvida em 1998 pelo grupo de indústrias Bluetooth SIG e tem sido amplamente implementada em computadores, telefones móveis e PDA (*Personal Digital Assistants*). É um protocolo *wireless* operando no espectro de UHF, na mesma faixa de 2,4 GHz do padrão IEEE WLAN 802.11b. Até 8 dispositivos equipados com transceptores Bluetooth podem trocar tráfego de voz e dados à taxa de 1 Mbps, nos dois sentidos, dentro de um raio de 10 metros.

Ao contrário das tecnologias WLAN ou WLL que se apóiam em uma arquitetura centralizada, Bluetooth não necessita de ponto de acesso, pois as conexões podem ser feitas diretamente entre os equipamentos. A utilização da Bluetooth foi planejada inicialmente para conexões de curtas distâncias no conceito de "rede pessoal" entre periféricos. Contudo, Bluetooth pode evoluir para ser usado como rede de acesso para permitir serviços similares aos de WLAN. Alguns fabricantes começam a oferecer aos operadores acesso com base no serviço Bluetooth utilizado em complemento a redes de acessos móveis (GSM/GPRS, UMTS) de maneira a servir a *sites* de empresas.

Aumentando a potência de transmissão, Bluetooth pode fornecer conexão *wireless* a uma distância maior, do tipo WLAN. Nesse caso, um dispositivo equipado com Bluetooth pode servir como um ponto de acesso para a rede com fio.

A tecnologia UWB foi desenvolvida nos anos 1960 para fins militares nos EUA. É uma tecnologia de conexão para curta distância operando nas faixas de radiofreqüência de 3 GHz a 10 GHz, de 26 GHz a 28 GHz e de 43 GHz. A tecnologia pode fornecer taxa de dados de até 10 Mbps a uma distância de 50 m e, potencialmente, 100 Mbps para distâncias muito curtas.

O uso da UWB foi aprovado pelo FCC para produtos *wireless* de consumidores e negócios em fevereiro de 2002. Empresas como JVC, Sony, Panasonic, Intel, Motorola e Sharp estão trabalhando atualmente na definição do padrão industrial com base em UWB.

### 2.3.5 *Telefonia sem fio*

O DECT (*Digital Enhanced Cordless Telecommunications*) é um padrão europeu de acesso para rádio digital celular sem fio, tendo sua primeira versão publicada pelo ETSI em 1992. Utiliza um modo de acesso TDMA/FDD (*Time Division Multiple Access / Frequency Division Duplex*), com importantes procedimentos de segurança, como autenticação e codificação. A tecnologia DECT é largamente adotada na União Européia, sendo usada em mais de

110 países. Abrange os domínios da telefonia sem fio residencial, telefonia sem fio de empresas com soluções de PABX *(Private Automatic Branch Exchange*) sem fio e sistema de acesso sem fio para os assinantes da rede pública de telecomunicações.

As principais diferenças do DECT comparadas com os sistemas celulares digitais GSM (*Global System for Mobile Communications*) e DCS 1800 (*Digital Cellular System*) são:

- enquanto os sistemas celulares são desenvolvidos para cobrir uma grande área geográfica, a norma DECT é otimizada para uma cobertura local de 20 m a 300 m com uma grande densidade de usuários;
- a seleção de alocação de canais para operação em uma comunicação é automática, não necessitando de um planejamento prévio de freqüências e a gerência da mobilidade no DECT é restrita ao domínio de aplicação sem fio (rede local).

Após 1995, a norma DECT foi constantemente atualizada para suportar:

- um serviço de transmissão assíncrono de dados no modo pacotes chamado DPRS (DECT *Packet Radio Service*). As taxas são atualmente de 552 kbps, com uma evolução prevista para 2 Mbps.
- outros modos de transmissão de dados como a transmissão isosíncrona a 32 kbps, ou serviços de mensagem similares ao GSM: DECT-SMS (*Short Message Service*), EMS *(Enhanced Message Service*) ou MMS (*Multimidia Message Service*).
- serviços multimídia. Os sistemas DECT foram melhorados com DMAP (DECT *Multimidia Access Profile*) incluindo o perfil de acesso dos terminais para voz e dados.
- interoperabilidade com as redes móveis 3G. A evolução do serviço de dados do DECT para altas taxas é uma das razões para que o padrão DECT faça parte das normas de redes de acesso agrupadas na família IMT-2000 para os serviços móveis de nova geração.

As recentes evoluções do padrão DECT permitem a troca de dados com tráfego a 2 Mbps, serviços multimídia e interoperabilidade com as redes móveis 3G. O suporte simultâneo a esses serviços, associado a um alto nível de segurança e uma maturidade de seus produtos, fará com que o DECT ocupe um espaço dentro do ambiente de rede local sem fio convergente, e talvez permita o desenvolvimento de ofertas de serviços das operadoras.

## 2.4 As redes de acesso móvel

Algumas redes de acesso via rádio que fornecem serviços públicos de radiocomunicação móvel são apresentadas a seguir. O GSM é uma tecnologia historicamente orientada para os serviços de voz e dados a baixa taxa, madura e largamente difundida, que atualmente evolui para serviços de transmissão de dados no modo pacote (GPRS e EDGE) e em curto prazo com o surgimento da nova geração convergente de voz, dados e multimídia, para UMTS (*Universal Mobile Telecommunications System*). A Tabela 2.4 mostra uma síntese de características das tecnologias de acesso móveis, que serão apresentadas.

Tabela 2.4 Características das redes de acesso móvel

| Redes de acesso | | | |
|---|---|---|---|
| **Tecnologia de acesso** | **Taxa de dados (ordem de grandeza)** | **Comutação/ Interface para o núcleo da rede** | **Potencial convergência** |
| GSM | < 15 kbit/s (evolução ~70 kbit/s com HSCSD) | TDM (circuito) | Empacotamento da voz (transporte) |
| GPRS | 10-150 kbit/s (evolução ~380 kbit/s com HSCSD) | IP (pacotes) | Serviços de dados móveis no modo pacote, transporte IP |
| UMTS | ~380 kbit/s (evolução 2 Mbit/s | Pacote ATM (evolução para IP) | Serviços de dados móveis Multimídia, objetivo é rede 100% |

### *2.4.1 GSM e GPRS*

O GSM (*Global System for Mobile Communication*) é uma norma européia de sistema de radiocomunicação digital, com grande penetração no mercado desde o final de 1990. Esse sistema foi inicialmente voltado ao provimento de serviço de voz em um ambiente móvel. A arquitetura de rede modelou-se com equipamentos específicos para redes móveis, mas foi especificada para conexões com redes STFC e RDSI e comutação de tráfego efetuado no modo circuito TDM a 64 kbps dentro do núcleo da rede.

O GPRS (*General Packet Radio Service*), especificado pelo ETSI em 1991, é um novo serviço móvel de transmissão de dados em modo pacotes utilizando a tecnologia de rádio acesso GSM. O GPRS reutiliza, com algumas adaptações técnicas, a rede de acesso a rádio GSM e seus elementos, assim como procedimentos de autenticação e gerenciamento da mobilidade implementada dentro do núcleo da rede e dos terminais GSM, o que simplifica a sua implantação. Comparado ao GSM, ele proporciona um significativo aumento nas taxas de transmissão de dados, entre 30 kbps e 40 kbps em uma primeira fase e de 100 kbps a médio prazo.

O GPRS apóia-se no transporte de dados em modo pacote e usa o protocolo IP no nível do núcleo da rede, o que garante compatibilidade máxima com as redes Internet e Intranet. Ele permite o desenvolvimento de novos aplicativos, por exemplo, sobre uma conexão permanente (*always on*), e a cobrança do serviço em função do tráfego de dados transmitidos, ao invés do tempo de conexão como no GSM.

As evoluções necessárias na interface rádio GSM para suportar a transmissão de dados no modo GPRS implica a substituição dos terminais existentes por aparelhos totalmente GPRS ou tipo dual modo GSM/GPRS.

A tecnologia GPRS é comumente denominada de 2,5G, pois é vista como uma transição essencial da transmissão de dados a baixas taxas no modo circuito do GSM 2G para a transmissão de dados em modo pacotes a altas taxas do UMTS 3G. A recente implementação do GPRS nas redes GSM é, para os operadores de telefonia móvel, uma etapa que permitirá a implementação de arquiteturas de núcleo de rede (transporte IP) e de serviços de transmissão de dados em modo pacote a altas taxas, que os qualificará como pré-UMTS ou pré-convergente.

### *2.4.2 A Rede UMTS 3G*

A denominação UMTS refere-se ao padrão celular digital de terceira geração adotado na Europa. As velocidades de transmissão oferecidas pelas redes UMTS atingirão taxas de 2 Mbps sob certas condições, o que é muito superior às obtidas pelas redes de segunda geração.

Essa tecnologia precisa da implantação de novos equipamentos de rádio, as interfaces de rede de acesso UMTS denominadas UTRA (UMTS *Terrestrial Radio Access*). Utiliza nova faixa de freqüência (1.900 MHz a 2.100 MHz) e tecnologia de múltiplo acesso CDMA (*Code Division Multiple Access*), que oferece significativa melhoria em termos de eficiência espectral.

A UTRA usa transporte ATM via rádio e as interfaces para o núcleo da rede são, pelo menos inicialmente, transporte ATM (ATM/AAL2 para a voz e ATM/AAL5 para dados). A seguir, são listadas algumas características de comparação entre o UMTS e o GSM/GPRS.

- A utilização de uma nova rede de rádio adaptada para o transporte convergente de serviços de voz e dados no modo ATM entre o meio rádio e o núcleo da rede (uma evolução para IP é esperada em longo prazo).
- Um núcleo de rede unificado para os serviços de voz e dados, com um transporte em ATM ou IP.
- A introdução progressiva do conceito de VHE (*Virtual Home Environment*) que permite a adaptação dos serviços a qualquer situação de mobilidade.
- Uma separação das camadas de transporte e controle do núcleo de rede, assim como as camadas controle e serviços se comunicando via interfaces padronizadas OSA (*Open Service Architecture*).
- Introdução de novos serviços multimídia IP, com base no protocolo de controle de chamada SIP (*Session Initiation Protocol*).

- Está previsto uma interoperabilidade dos serviços móveis 3G entre inúmeras redes de acesso utilizando os métodos de multiplexação CDMA, TDMA e/ou FDMA.

O sistema móvel de terceira geração UMTS é o primeiro sistema global inteiramente padronizado com uma arquitetura de rede e serviços para uma evolução totalmente IP, serviços multimídia a altas taxas e mobilidade estendida, um transporte unificado e uma separação da rede em camadas comunicando-se por meio de interfaces padronizadas, e interoperabilidade com múltiplas redes de acesso.

A utilização do transporte ATM dentro do subsistema rádio UMTS existente fará com que os operadores UMTS provavelmente direcionem o núcleo da rede para um transporte convergente de voz e dados em ATM, seja para um transporte da voz sobre TDM (reutilização do *backbone* GSM) e de dados sobre IP (reutilização do *backbone* GPRS).

Os experimentos com UMTS ainda estão em fase de testes. Essa tecnologia precisa de novos terminais adaptados para a interface de rádio UTRA e multimodo GSM/GPRS para funcionar com redes 2G nas zonas não cobertas pelo UMTS.

## 2.5 Aspectos desafiadores do acesso banda larga

Nos próximos dez anos, as operadoras de telecomunicações necessitarão atualizar as suas redes para possibilitar aos usuários a acessarem serviços de banda larga. Mas as condições econômicas são ainda incertas para investimentos maciços em redes convergentes, deixando somente facilidade de acesso a ela. No entanto, as tecnologias para acesso à banda larga são bastante variadas para deixar qualquer operadora indecisa, antes de se comprometer por longo prazo.

Diferentes operadoras adotarão diferentes tecnologias em diferentes contextos para diferentes usuários. Alguns desafios envolvem o meio de transporte e outros envolvem equipamento para transmissão e comutação, conforme comentado a seguir.

Durante o ano 2001, surgiu uma nova classe de equipamento que combina as funcionalidades de comutação, roteamento e multiplexação, desprezando-se a fonte ou o destino do serviço de rede. Essas plataformas de acesso adaptáveis têm uma unidade terminal (*headend*) de conexão localizada junto a ponto de presença ou central da operadora. O *headend* está conectado a um ou mais terminais remotos, localizados em uma grande construção compartilhada ou em cabines de rua. Os terminais conectam os assinantes utilizando fio de cobre, fibra ou interface sem fio (*wireless*). O *headend* e os terminais remotos podem ser configurados em uma topologia em anel, árvore ou em barramento.

O meio preferido para prover serviços de acesso em banda larga é a fibra óptica. Mas, até 2003, as operadoras têm instalado poucas fibras em *loop* local. Elas consideram a instalação de fibra em áreas densamente ocupadas por empresas, mas rejeitam em áreas residenciais por ser muito cara.

O emprego econômico depende de muitos fatores, incluindo a competição, demografia em áreas geográficas específicas, estratégia de investimento da operadora (assinantes residenciais ou comerciais) e horizonte do investimento. Um fator crítico é o ambiente de regulação. Com apropriada regulação e com modelo de negócios correto, é possível para uma relação de preço e desempenho, crescer tão rápido quanto diz a lei de Moore. Entretanto, para cenários de médio e curto prazo, as operadoras assumirão pequenas alterações nas condições de regulação.

Muitas operadoras têm testado o espaço livre como uma nova opção para realizar a conectividade em freqüências ópticas nas últimas centenas de metros do assinante. A tecnologia não requer uma licença e pode ser instalada muito rapidamente e custa menos que cabos de fibra. Transmissão por laser pelo ar pode atingir altas velocidades, mas é suscetível à atenuação devido a neblina, neve e chuva. A distância entre o transmissor e o receptor deve ser menor que 200 metros para atingir uma confiabilidade de 99,999% do tempo. As operadoras aplicarão o critério dos "cinco noves" quando a avaliação da tecnologia e os fornecedores de equipamentos estejam aptos a satisfazê-lo.

O transporte das aplicações inclui acesso à banda larga em prédios com múltiplas ocupações, o retorno em *wireless* e redundância com anel de fibra. Uma operadora pode utilizar a tecnologia espaço livre óptico para obter oportunidades de curto prazo para entregar serviços de banda larga a pequenas empresas. Elas podem também usá-la para atender assinantes além do alcance da tradicional tecnologia de acesso por linha física à banda larga devido a problemas geográficos ou de caminho direto.

Uma alternativa para o cabo enterrado é o uso de *wireless*. No entanto, o *loop* local em *wireless* (WLL) é uma tecnologia recente. O desafio inclui a padronização, a disponibilidade do espectro, a faixa de transmissão, e as facilidades de localização da linha. Para aplicações de pequena largura de banda, o *wireless* não compete com a já totalmente depreciada infra-estrutura de cabo de cobre ou coaxial. Para aplicações de maior demanda, ele deve competir com a fibra, o que é geralmente visto como uma grande prova futura. Entretanto, a tecnologia pode ser usada para agrupar rapidamente uma extensa rede a baixo custo e muitas operadoras provavelmente a usarão para preencher as lacunas em suas coberturas ou para atingir grupos particulares de assinantes.

Para muitos mercados, a tecnologia de acesso à banda larga dominante é a xDSLs no par trançado existente. Na Europa e Ásia/Pacífico, a ADSL é particularmente prevalecente. Na América do Norte, *cable modems* são dominantes.

Milhões de pessoas estão agora usando a DSL. A maioria é de assinantes, mas as empresas estão aumentando o uso da ADSL para propiciar conectividade remota aos seus empregados. Com a possibilidade de estar sempre conectado e o plano da remuneração fixa, a ADSL oferece melhor desempenho e economia significativa de custos, quando comparada com o serviço de RDSI, que é pago por minuto de uso.

Empresas e fornecedores de equipamentos devem ainda enfrentar vários problemas: segurança, qualidade de serviço (QoS) e serviços avançados, como videoconferência e voz derivada. Entre os consumidores, o mercado é mais limitado à afluência individual, aos usuários poderosos da Internet e aos teletrabalhadores. Para estender seus atrativos, as operadoras devem oferecer serviços avançados que os usuários julguem úteis.

As operadoras guardarão a xDSL como uma chave para seus negócios por vários anos, porque ela estende a vida da infra-estrutura de cobre existente e propicia uma plataforma flexível variando da ADSL para um terminal lento à DSL simétrico (SDSL) e DSL de muito grande velocidade para terminal rápido.

Desde 1996, operadoras de *cable* na América do Norte têm investido bilhões de dólares para transformar suas redes. Elas têm se movimentado do provimento de sistemas de *broadcasting* de vídeo analógico unidirecional de entretenimento para oferecer sistemas bidirecionais, entregando vídeo digital avançado e serviços de dados de alta velocidade, bem como serviços IP e *on-demand*.

Na América do Norte, as empresas de *cable* têm essencialmente completado as suas atualizações e elas têm estabelecido padrões técnicos para *cable modems* na DOCSIS (*Data Over Cable Service Interface Specification*) e para serviços IP *Cablecomm*.

Entretanto, a transformação ainda não está completa. A largura de banda para *upstream* dos cabos permanece limitada e o cabo é uma fonte de ruído e de distorção do sinal. Rede híbrida utilizando o cabo coaxial e a fibra deve fornecer maior capacidade, tornar-se mais escalável, flexível e confiável para suportar as aplicações que alguns planejadores visam oferecer. Nessa direção, as empresas estão olhando para a multiplexação por divisão de comprimento de onda (DWDM), para *switches gigabitEthernet* e para a tecnologia de recuperação de pacote no anel RPR (*Resilient Packet Ring*). Mas elas ainda têm um longo caminho a seguir para vencer, em relação às empresas e aos consumidores, que têm feito a opção pelo acesso à Internet via *cable* na América do Norte.

Prover acesso para rede convergente representa um grande desafio para as operadoras e fornecedores de equipamento. Ambos devem desenvolver e promulgar uma visão clara do futuro: como e quando eles farão a migração das redes a partir do presente.

Consumidores, empresas e outras agências podem se beneficiar dos serviços que a rede convergente tornará possível. Mas fornecedores de equipamentos de redes e serviços (incluindo *cable* e utilidades) devem trabalhar com as agências reguladoras para eliminar os obstáculos à competição e ao retorno dos investimentos das empresas, que estão inibindo o desenvolvimento e o emprego, não somente das redes, mas também do meio de acesso a elas.

No presente, a indústria está mudando seu caminho para empregar *softswitches* e media *gateways*. Indústria e organizações, como a ISC (*International Softswitch Consortium*), aceitam que uma arquitetura de comutação distribuída deve ser padronizada. Fornecedores têm implementado muitos padrões cobrindo comunicações entre os controladores de media *gateway* ou *softswitch* e a rede de acesso. Entretanto, nenhum consenso da indústria foi atingido acerca de quais padrões serão incorporados ou a priorização desses padrões. Muitos produtos usam protocolos ainda não habilitados para suportar outras ofertas de fornecedores.

Uma advertência permanece: redes de pacote somente funcionarão com potencial total se elas entregarem serviços em pacote a assinantes terminais. Isso requererá uma ampla distribuição de fones residenciais equipados apropriadamente ou PABX baseados em IP. Assinantes são menos prováveis de substituírem seus dispositivos de comunicações em tempo de declínio econômico. Se eles não notarem um valor substancial na mudança de terminais, eles não o farão. Operadoras que estão substituindo centrais de comutação classe 5 devem não somente manter os serviços tradicionais, como correio de voz e serviço de chamada futura, mas também prover novos serviços IP, como o serviço siga-me, priorização de chamada e outros.

## 2.6 Conclusão

Embora as tecnologias de acesso atuais não sejam qualificadas como parte de uma rede convergente, elas influenciarão na rapidez da introdução de detalhes técnicos relacionados com a implementação do núcleo da rede de dados.

As diferentes tecnologias de rede de acesso examinadas neste capítulo são complementares em termos de uso e serviços, cada uma com seu lugar no desenvolvimento efetivo dos serviços IP multimídia de nova geração. Elas representam as várias características que comporão os elementos tecnológicos e modelos econômicos para o desenvolvimento das redes convergentes, entre os quais:

- o nível de maturidade (existência de produtos) e o potencial do mercado que cobrirão em termos de usuários e ambientes;
- o suporte de serviços em tempo real sobre IP e a taxa de transmissão de dados ofertada;
- o suporte à mobilidade e à interoperabilidade de serviços entre diversas redes de acesso;
- a natureza das interfaces de transporte entre a rede de acesso e o núcleo da rede. Este elemento causará impacto na escolha dos operadores para o protocolo de transporte convergente dentro do núcleo da rede.

A xDSL, *Cable Modem* e o WLL com sua elevada capacidade de transmissão são, sem dúvida, impulsionadores para a rede convergente. Os serviços de voz sobre ADSL ou via cabo representam um exemplo operacional de convergência entre redes. O uso do ATM nessas tecnologias não impede o fornecimento de serviços IP. As redes de acesso WLAN, *Cable Modem* e Ethernet óptica associam capacidade de transmissão de serviços de alto tráfego e fluxos IP nativos.

A implementação do GPRS será para as operadoras móveis uma etapa importante, permitindo a implementação de arquiteturas de núcleo de rede (transporte IP) e de serviços de transmissão de dados em modo pacote a altas taxas, qualificando-as como pré-UMTS ou pré-convergente. O sistema móvel de terceira geração UMTS é o primeiro sistema global inteiramente padronizado com uma arquitetura de rede e de serviços convergentes.

Embora ainda não sejam qualificadas como convergentes, as novas tecnologias de acesso PAN com alto tráfego são componentes importantes, pois influenciarão na velocidade de introdução e nos detalhes técnicos dos métodos para a implementação do núcleo da rede convergente, particularmente com relação à escolha do protocolo de transporte.

## Referências

ALCATEL UNIVERSITY. *A 1000 ADSL – Informações gerais*. Brasil, 10/2000.

ALCATEL. *Speed Touch Pro – User's Guide*. França, 2001.

AZZAM, Albert. *High speed cable modems*. McGraw Hill Series on Computer Communications, 1997.

DOCSIS – Data over Cable Service Interface Specifications. *Radio frequency interface specification*; SP-RFI-105-991105, 1999.

FELLOWS, D.; JONES, D. DOCSIS cable modem technology. *IEEE Communications Magazine*, p. 202-209, Mar. 2001.

LIN, Y.; YIN, W.; HUANG, C. An investigation into HFC MAC protocols: mechanisms, implementation, and research issues, *IEEE Communications Surveys*, Third Quarter 2000.

PASTOR, Eduardo Tommy López. *Estudo e avaliação de cable modem-docsis 1.0 sobre Plataforma MMDS para o serviço de videoconferência*. Dissertação de Mestrado em Engenharia Elétrica. Universidade de Brasília, Brasília: abr. 2002.

PASTOR; Eduardo T. L.; ABDALLA Jr., Humberto; MOLINARO, Luis F. R. Evaluation of the cable modem technology DOCSIS 1.0 in an MMDS access network for video conference services. *IEEE Latinamerican Transactions*, Oct. 2003. Disponível em: <www.ewh.ieee.org/reg/9/etrans/>.

# 3

# Camada de transporte

## 3.1 Introdução

A camada de transporte consiste de uma ou mais redes *backbone* às quais as redes de acesso estão conectadas. Os enlaces entre os nós da rede de transporte utilizam principalmente fibra óptica, mas podem se realizar também por meio de sinais de radiofreqüência ou via satélite. A camada de transporte é capaz de lidar com diferentes tipos de tráfego, como conversação de voz, vídeo, dados interativos, etc.

No modelo de arquitetura de redes convergentes, os equipamentos do núcleo da rede são separados em duas funções: uma pertencente à camada de transporte (os *media gateways*) e outra à camada de controle (os servidores de controle de chamada). Portanto, a descrição técnica e funcional dos *media gateways* não pode ser desvinculada da dos servidores de controle de chamada. Por questões de coerência, a descrição do modelo e as características técnicas dos *media gateways* serão abordadas no capítulo 5, que trata da camada de controle. Nesse capítulo, serão discutidas as tecnologias de transmissão e comutação que são utilizadas nas conexões que interligam as redes de acesso ao núcleo da rede.

Inicialmente, é preciso fazer uma distinção dentro da rede de transporte, aqui denominada camada de transporte, entre o nível de transmissão e o nível de comutação. A transmissão corresponde à rede física de enlaces e nós que pertencem a uma área (edifício, cidade, região, país ou continente). A comutação corresponde a certos nós que permitem encaminhar uma comunicação através da rede de transmissão para o seu destino.

Nas arquiteturas tradicionais, um operador possui ou aluga duas redes de transmissão: uma dedicada à comutação de voz e outra à comutação de dados. Um dos objetivos da convergência é fundir essas duas redes em uma única rede. No capítulo 4, serão abordadas as tendências técnicas para a implementação das redes de transporte convergentes.

A multiplexação TDM (*Time Division Multiplexing*), utilizada na maioria das redes atuais, é uma técnica de transmissão adaptada para comutação de circuitos. A rede de comutação de pacotes apóia-se, especialmente na periferia, em uma transmissão TDM que não foi concebida para tal, reduzindo a sua eficiência. A tendência é migrar as redes atuais para uma rede de transmissão única, voltada para a comutação de pacotes.

As redes de comutação são objetos de grandes projetos de implantação. A comutação da voz utiliza largamente a comutação de circuitos. A base de comutadores instalados é enorme e pouco evoluída, atendendo perfeitamente ao serviço atribuído a eles: a telefonia ponto-a-ponto. Por outro lado, a comutação de dados usa técnicas de comutação de pacotes que permite, entre outros, economia da banda passante quando comparada ao uso em uma comutação de circuitos. Ainda, as redes de comutação de pacotes desempenham com eficiência os serviços de consulta à base de dados, transmissão de mensagens, etc.

O emprego das redes de comutação de circuitos como rede de comutação única foi testado como experiência na RDSI, e depois abandonado por limitações técnicas. A tendência atual é desenvolver uma rede única com base na comutação de pacotes, que permita o transporte de qualquer tipo de tráfego: voz, dados, vídeo, etc.

## 3.2 As redes de transporte

A visualização das tecnologias sob o modelo de camadas OSI (*Open System Interconnection*) mostra claramente a separação entre a rede de transmissão e a rede de comutação (Figura 3.1). Normalmente, dentro de uma rede de comunicação é feita uma distinção com relação aos diferentes níveis de serviço geograficamente localizados: a LAN (*Local Area Network*) é restrita a um edifício, residência ou campus; a MAN (*Metropolitan Area Network*) atende um distrito ou cidade; e a WAN (*Wide Area Network*) interliga um país ou continente.

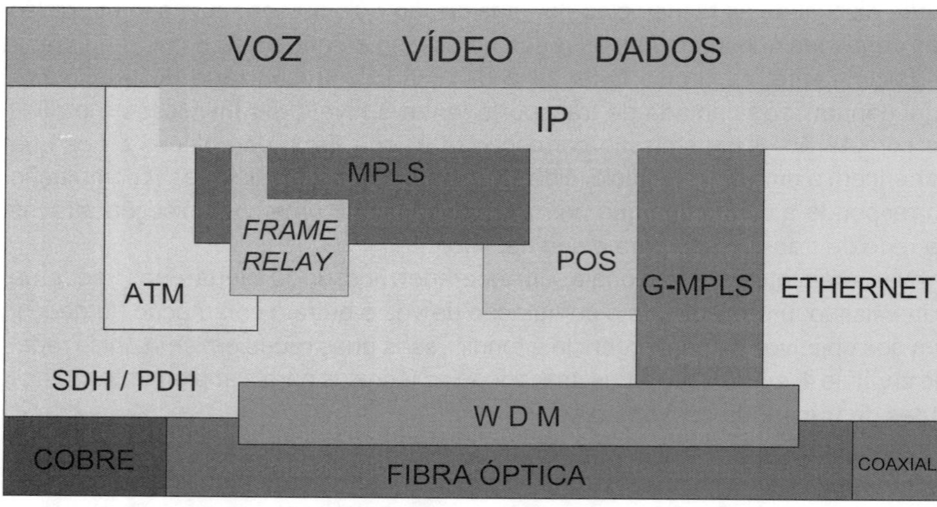


Figura 3.1 Estrutura em camadas nas redes de comunicação

As tecnologias utilizadas em redes locais permitem que computadores troquem informações entre si com taxas que podem alcançar alguns gigabits por segundo, porém, impedem que a rede se espalhe por uma área muito grande. A maioria das tecnologias usadas nas WAN não prevê limitações de distância, mas as WANs operam com taxas muito menores que as das LANs e apresentam um atraso muito maior. Geralmente, a taxa de transmissão de uma WAN encontra-se entre 1,5 Mbps e 155 Mbps.

Há, ainda, outras diferenças entre esses dois tipos de redes. Em tecnologias para redes locais, cada computador recebe um dispositivo, ou placa, que o conecta diretamente à rede. A rede em si não precisa de muita inteligência, ela pode simplesmente depender desses dispositivos para gerar e receber os impulsos elétricos que codificam a informação e enviá-los diretamente ao seu destino. Já nas tecnologias WAN, uma rede geralmente consiste em uma série de computadores denominados *switches* interconectados por uma longa linha de comunicação. Pode-se aumentar o tamanho da rede simplesmente adicionando um novo *switch* e uma nova linha de comunicação. Assim, para inserir um computador à rede basta conectá-lo a um *switch*, que será responsável por rotear os pacotes através da rede.

As MANs cobrem uma cidade e representam um meio-termo entre as LANs e as WANs. As redes de TV a cabo são um exemplo de MAN. Com algumas modificações técnicas no sistema de TV a cabo, as operadoras podem prover serviço de Internet bidirecional utilizando partes ociosas do espectro do sistema. Dessa forma, essas empresas passaram a constituir não somente uma rede de TV a cabo, mas também uma MAN. Uma rede MAN é muito utilizada como forma de permitir que várias redes locais tenham acesso a uma WAN (Figura 3.2).

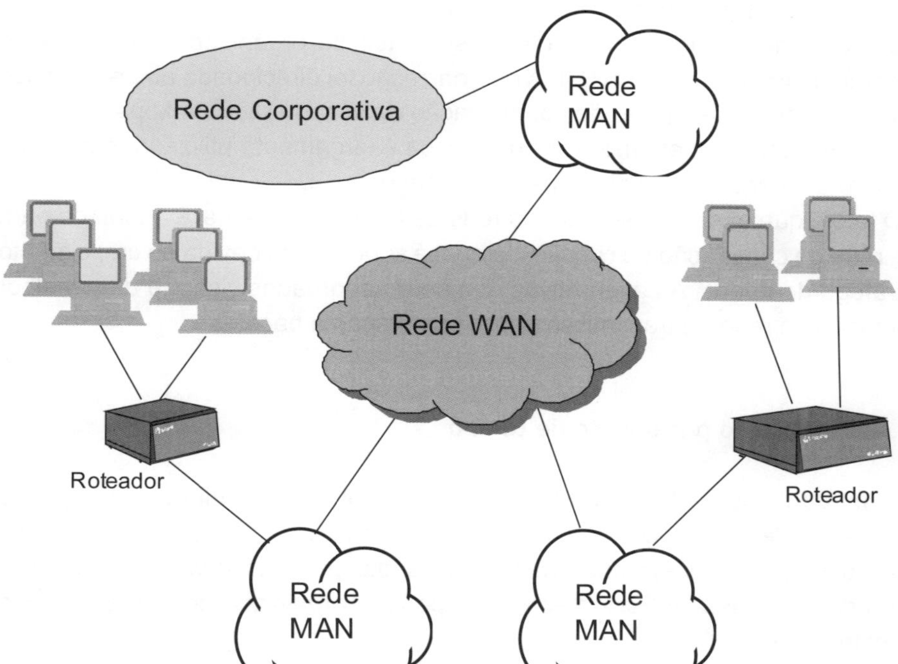


Figura 3.2 Uso de redes MAN para o acesso de redes WAN por redes locais

A técnica TDM é usada nas MAN e WAN. Essa multiplexação trata os fluxos na rede de forma hierárquica. As padronizações usadas nas hierarquias PDH

(*Plesiochronous Digital Hierarchy*) e SDH (*Synchronous Digital Hierarchy*) facilitam a interconexão das redes de transporte das operadoras. A hierarquia PDH permite taxas parciais de 64 kbps a 565 Mbps. A hierarquia SDH oferece taxas de 2 Mbps, nas MANs, e de 10 Gbps, nas WANs. Nota-se também o aparecimento da técnica Ethernet, que permite taxas hierárquicas de 10 Mbps, 100 Mbps, 1 Gbps e 10 Gbps para grandes distâncias.

Com o aparecimento da tecnologia POS (*Packet Over SDH/SONET*), as redes SDH puderam conduzir de maneira isolada o tráfego de circuitos e pacotes. A tecnologia SDH, por sua importância atual na rede de transmissão, não desaparecerá em um curto espaço de tempo.

A técnica WDM (*Wavelenght Division Multiplexing*) multiplexa diferentes comprimentos de onda, o que permite obter taxas de transmissão da ordem de Tbps. Essa técnica é essencial em redes continentais, intercontinentais, nacionais ou regionais. Em geral, os fluxos TDM são multiplexados e associados a um comprimento de onda.

As hierarquias digitais obtidas com a multiplexação TDM estão presentes nas redes de transmissão das operadoras, especialmente na borda da rede. São hierarquias padronizadas resultantes de organizações da área de telecomunicações, como o ITU-T. A padronização foi direcionada ao perfil básico de tráfego para o transporte de comunicação de voz, ou seja, 64 kbps.

Com relação ao meio físico, a fibra óptica é largamente utilizada, mas o par de cobre e o cabo coaxial ainda permanecem em uso.

O fato é que parte da estrutura da rede de transmissão atual é adaptada para uma rede de comutação de circuitos, a qual é subutilizada devido ao crescimento do tráfego de dados. As alternativas que serão abordadas visam a uma melhor adaptação da rede de transmissão para comutação a pacotes.

### 3.3 Multiplexação por divisão de tempo

O mecanismo TDM é usado para dividir, ou compartilhar, o tempo de transmissão de um enlace de comunicação entre vários canais, Figura 3.3, a fim de se conseguir maior eficiência na transmissão e, portanto, melhor utilização da banda de transmissão. Esse mecanismo pode ser realizado de forma síncrona ou assíncrona.

No TDM síncrono, são transmitidos vários canais de informação digital, intercalados no domínio do tempo, com intervalos de tempo fixos. Nesse caso, as taxas de transmissão das linhas de entrada são inferiores às taxas das linhas de saída (Figura 3.4). O sincronismo nesses sistemas se deve ao fato de que todos os relógios de cada dispositivo que fazem parte da rede de transmissão são sincronizados no tempo a partir de um relógio principal.

Os sistemas TDM convencionais empregam um dos sistemas seguintes: *bit-interleaved multiplexing*, *byte-interleaved multiplexing* e controle de enlaces.

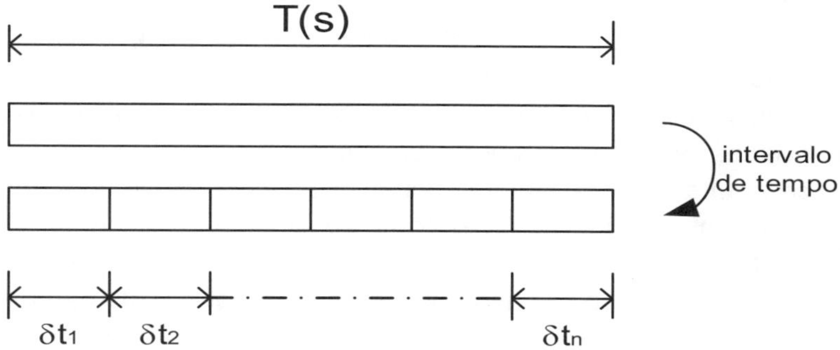


Figura 3.3 Compartilhamento de tempo entre diferentes canais

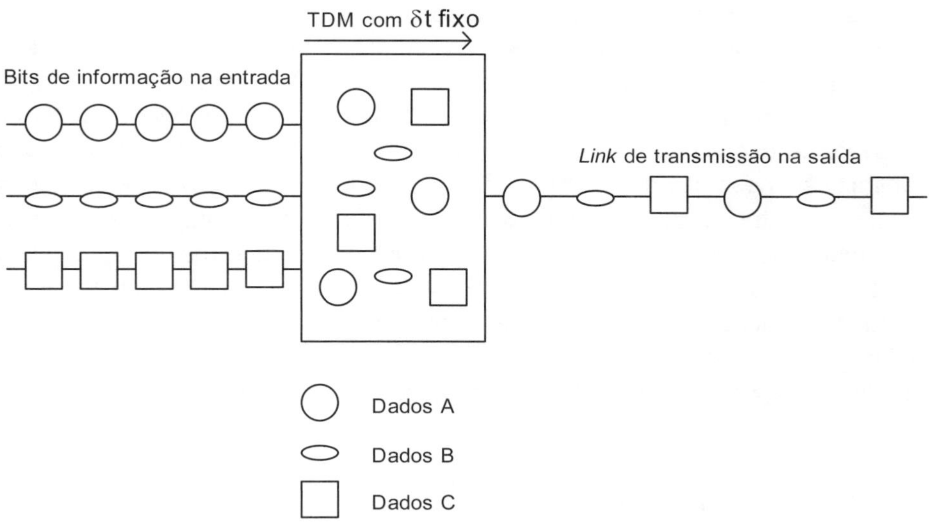


Figura 3.4. Multiplexação por divisão de tempo síncrono

No *bit-interleaved multiplexing*, é feita a reserva de um intervalo de tempo para cada saída do canal agregado. Em cada intervalo de tempo, há um bit de cada um dos canais de entrada sempre na mesma ordem, ou seja, os bits de cada um dos canais de entrada são intercalados ao de saída do mesmo dispositivo. Um canal de sincronismo é incorporado ao sistema a fim de transportar o sinal fixo que será usado no receptor para sincronizar a outra extremidade do enlace de comunicação quando for receber e separar os dados. A largura de banda total do canal é equivalente à soma de todos os canais de entrada menos a banda do canal usado para sincronismo. A desvantagem desse sistema é a de não se adaptar à transmissão de dados em *bytes*.

No *byte-interleaved multiplexing*, a intercalação é feita diretamente nos octetos, que são enviados de forma seqüencial para o canal agregado de alta velocidade. Como no caso anterior, um canal de sincronismo é incorporado ao sistema para transportar o sinal fixo que será usado no receptor para sincronizar a outra extremidade do enlace de comunicação quando for receber e separar os dados. Caso os canais de entrada sejam todos síncronos, a largura de banda total do canal é equivalente à soma de todos os canais de entrada menos a banda do canal usado para sincronismo. Mas, caso os canais de entrada não sejam todos síncronos e sim assíncronos, a largura de banda agregada poderá ser maior, se o tamanho do octeto agregado for menor que o caráter assíncrono. A razão deve-se ao fato de os bits de partida e de parada de cada octeto serem substituídos antes da transmissão por aqueles que o receptor for restituir.

No controle de enlace, uma vez que a transmissão é síncrona, não é necessário o uso de bits de cabeçalho de início e fim, porque os relógios do transmissor e do receptor estão perfeitamente sincronizados graças ao canal de sincronização. Também, não é necessário o uso de um controle de fluxo, porque o transmissor e o receptor funcionam na mesma velocidade de transmissão.

O TDM assíncrono ou estatístico aloca dinamicamente os intervalos de tempo variáveis de acordo com a demanda, ou seja, nem todos os canais precisam transmitir ao mesmo tempo (Figura 3.5). Ao contrário do TDM síncrono em que há *n* canais e *n* intervalos fixos de tempo, no caso estático, há *n* canais, mas somente *k* intervalos de tempo, em que $k < n$. A largura de banda é melhor aproveitada no TDM estatístico (*Statistical TDM – STDM*), pois, caso no TDM um canal não tenha informação para ser enviada, a banda acabará sendo mal-usada. Os multiplexadores estatísticos são ideais para a transmissão de dados assíncronos, mas também poderiam multiplexar os protocolos síncronos.

### *3.3.1 Hierarquia digital plesiócrona*

Na medida em que os usuários finais se tornaram mais dependentes dos meios de comunicações atuais, em particular os usuários da área comercial, ocorreu uma explosão na demanda por serviços de telecomunicação sofisticados. Serviços do tipo videoconferência, acesso remoto a banco de dados e transferência de arquivos multimídia fizeram com que fosse implementada uma rede flexível com alta disponibilidade e de banda virtualmente ilimitada. A complexidade da rede legada, baseada no sistema de transmissão plesiócrono, também conhecido como sistema de *Hierarquia Digital Plesiócrona* (PDH), mostrou que os operadores de redes não eram capazes de suprir essa nova demanda de serviços.

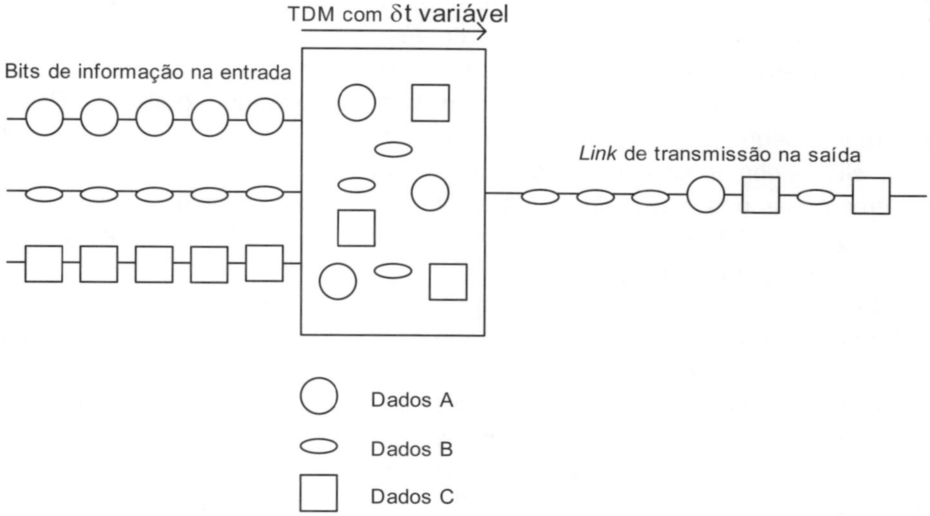


Figura 3.5 Multiplexação por divisão de tempo assíncrono

O PDH evoluiu em resposta a alta demanda por sistemas telefônicos, mas não se adequou à evolução de um sistema altamente eficiente para entrega e gerência de conexões de banda larga. Os sistemas de transmissão em banda larga vieram para eliminar as limitações do PDH. Usando essencialmente a mesma fibra que a usada pela transmissão PDH, uma rede síncrona é capaz de aumentar a banda de transmissão disponível e reduzir a quantidade de equipamentos na rede para efetuar a transmissão dos dados em geral. Essa nova rede de transmissão usa o sistema de *Hierarquia Digital Síncrona* (SDH), que aumenta a flexibilidade da rede para obter um bom desempenho com relação à diversidade de tráfego que for passar por ela.

Visando a proteger o investimento que os operadores realizaram na compra dos antigos equipamentos implementando as funcionalidades do PDH, ambas as tecnologias PDH e SDH são capazes de conviver no mesmo ambiente de rede.

O sistema PDH utiliza o princípio da multiplexação dos canais digitais de voz. Considere o seguinte exemplo: ao invés de se ter 4 canais distintos, cada um deles fazendo parte de um equipamento separado, para transmitir informações de voz na taxa de 2 Mbps, esses canais são agrupados e transmitidos em um único canal que suporte dados em taxas de até 8 Mbps.

Na transmissão do sinal de cada canal com taxa de 2 Mbps, os bits de enchimento são inseridos no final da mensagem de voz transmitida a fim de permitir a recuperação no receptor. Esse processo é conhecido como operação plesiócrona, palavra grega que significa quase-síncrona, e ocorre em todos os canais, cada um gerado de um equipamento diferente do outro antes da multiplexação no canal de 8 Mbps. Esse mecanismo é realizado em cada nível da hierarquia de multiplexação que se encontra no caminho da transmissão do sinal. O uso da operação plesiócrona através dessa hierarquia levou a adoção do termo hierarquia digital plesiócrona ou PDH, Figura 3.6.

O problema da flexibilidade de uma rede que implementa o sistema PDH é ilustrado a seguir, supondo uma transmissão de dados de um provedor de rede a um cliente comercial, com o uso de uma linha dedicada de 2 Mbps. Caso esse sistema passe nas proximidades do estabelecimento do cliente, a operação de lhe prover os 2 Mbps seria simples, mas não suficiente. Entretanto, na prática, a situação é um pouco complicada.

Considere um canal de transmissão de 140 Mbps transportando vários canais, entre eles o canal de 2 Mbps mencionado. O uso dos bits de justificação a cada nível do sistema PDH significa identificar a localização exata do pacote contendo a informação do cliente, o que tornaria essa identificação impossível. Para poder acessar esse canal de 2 Mbps, o canal de 140 Mpbs tem de ser completamente demultiplexado, ou seja, separado em canais ou linhas com valores mais próximos de 2 Mbps. Uma vez que a linha de 2 Mbps for identificada e extraída, os canais devem ser multiplexados de volta para os 140 Mbps (4º nível) originais, como pode ser observado na Figura 3.6.

Um outro problema ocorre na camada de controle dos equipamentos utilizados na implementação desse sistema. No seu caminho através da rede, uma linha dedicada de 2 Mbps pode encontrar várias rotas de transmissão, com vários equipamentos distintos implementando o PDH, antes de chegar até o cliente. O único meio de saber qual é a rota da linha de 2 Mbps, é fazer uma boa interconexão entre os equipamentos. No entanto, já que o número de interconexões aumenta com o crescimento da rede, a complexidade de se manter um bom rastreamento da linha acaba gerando erros na recepção dos dados.

### *3.3.2 Hierarquia digital síncrona*

As técnicas digitais tornaram as redes de comunicação mais complexas a partir do início dos anos 1980. A demanda das grandes operadoras de telecomunicações e de seus usuários pelas vantagens dessas redes aumentou de tal forma que não poderia ser atendida com os padrões de transmissão existentes. Naquele momento, estava difundida a utilização da técnica de multiplexação quase-síncrona ou PDH.

A partir dessa época, foi largamente aceito que o novo método de multiplexação deveria ser síncrono e tendo como base a interpolação de bytes e não de bits como no PDH. Surgiram, então, o SDH (*Synchronous Digital Hierarchy*) e o SONET (*Synchronous Optical Network*). Esses métodos de multiplexação propiciam o mesmo nível de flexibilidade de comutação de taxas primárias, mais opções de gerenciamento, controle da rede centralizado e atendimento de novos serviços. O SDH melhorou o desempenho e reduziu custo das redes de comunicação que utilizam fibras ópticas, resultando em novas aplicações, introdução de novos equipamentos e gerenciamento por sistemas de operação, com uma força nunca antes vista nas redes de transporte.

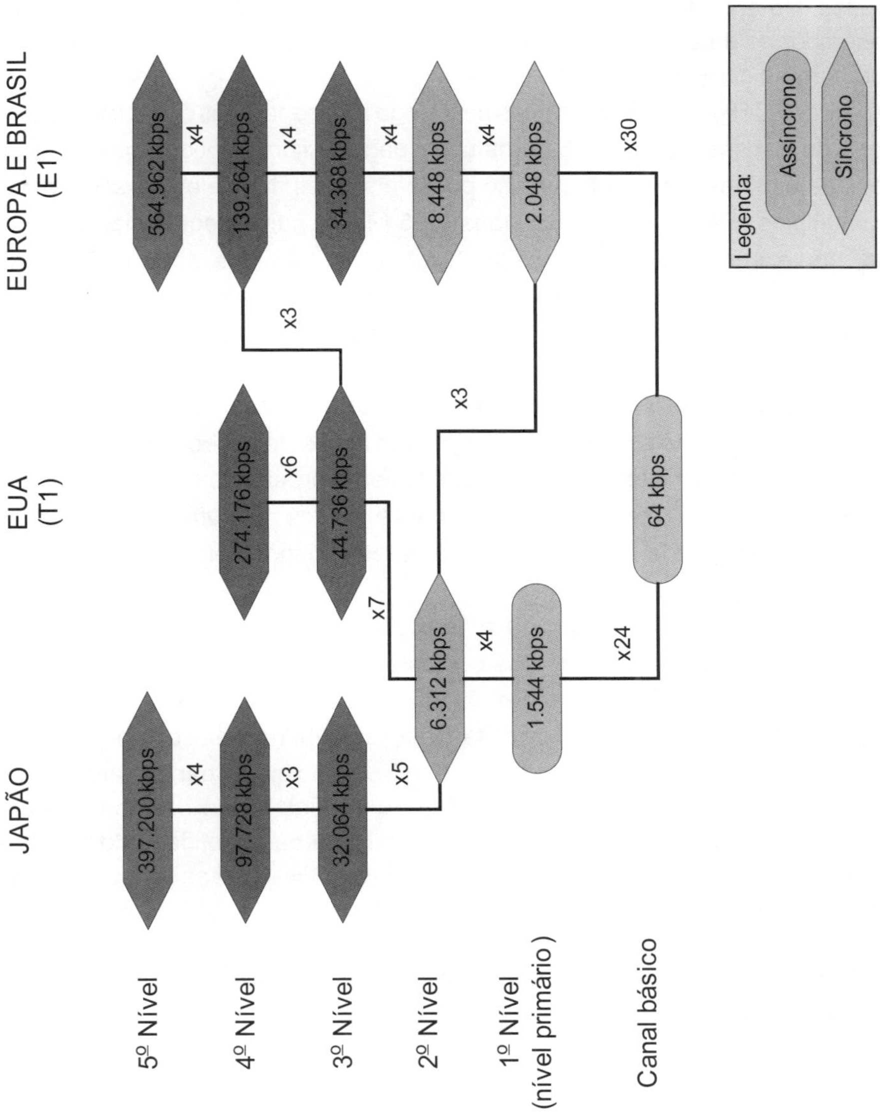


Figura 3.6 Hierarquia digital plesiócrona

No padrão SDH original, foram definidas as taxas de 1,5 Mbps, 2 Mbps, 6 Mbps, 34 Mbps, 45 Mbps e 140 Mbps dentro da taxa de transmissão básica de 155,52 Mbps. Esta taxa foi escolhida para permitir o transporte da unidade básica de transmissão de 51,84 Mbps do padrão americano SONET. Dessa forma, as tecnologias SDH e SONET são compatíveis, sendo possível o tráfego de dados entre elas. No entanto, em geral, não é possível o gerenciamento de alarmes e de desempenho de uma tecnologia pela outra, mas apenas em alguns casos de acordo com as características dos fornecedores.

O padrão SDH definiu as interfaces de tráfego independentes dos fornecedores e a taxa de transmissão de 155 Mbps tanto para as fibras ópticas como para o cobre. No caso das fibras ópticas, são possíveis taxas mais elevadas, definidas como múltiplos inteiros de 155,52 Mbps (155 Mbps) numa seqüência de n × 4, dando, por exemplo, 622,08 Mbps (622 Mbps) e 2.488,32 Mbps (2,5 Gbps). Para atender o crescimento da rede e a demanda por serviços de banda larga, a multiplexação continua limitada pela tecnologia e não pela falta de padrões, como foi o caso do PDH.

Em cada taxa de transmissão no SDH, parte dos bits é associada a cabeçalhos (*overheads*) e o restante a dados (*payload*). Tanto a área de cabeçalho como a área de dados pode ser completamente ou parcialmente preenchida. Taxas inferiores a 155 Mbps podem ser atendidas usando uma interface com uma área de dados parcialmente preenchida. Interfaces são, às vezes, disponíveis em baixas taxas síncronas para aplicações de acesso.

A introdução do SDH propiciou a redução dos custos operacionais e o aumento das receitas. A redução dos custos pôde ser atingida por meio de um melhor gerenciamento das operações de rede e da introdução de equipamentos mais confiáveis. O aumento da receita pôde ser obtido pela combinação do crescimento da demanda por melhores serviços, incluindo banda larga, e de melhor atendimento, com maior flexibilidade e confiabilidade das redes. Para serviços de banda larga tipicamente em ATM, existe uma quantidade de técnicas para roteamento de alta qualidade sobre redes PDH. Mas as características do SDH permitem realizar essa função de forma mais adequada, porque oferece melhor qualidade de transmissão, enorme flexibilidade de roteamento e apoio para facilidades como restabelecimento de rotas de comunicação. O gerenciamento de recursos de uma rede envolve algumas operações como as seguintes:

- proteção, para recuperação do circuito em milissegundos;
- restauração, para recuperação de circuito em segundos ou minutos;
- aprovisionamento, para alocação de recursos para as rotas preferidas;
- consolidação ou centralização do tráfego de rotas não-ocupadas em poucas rotas, com o intuito de reduzir a perda de capacidade de tráfego;
- seleção, ou classificação de diferentes tipos de tráfego de dados misturados em destinações separadas para cada tipo de tráfego.

No processo de multiplexação, os dados são colocados dentro de espaços virtuais (VC – *Virtual Container*) de baixa e de alta ordem, sendo que em cada VC estão incluídas funções de cabeçalho para gerenciamento e monitoramento de erros. A transmissão é então atendida pela ligação de camadas de cabeçalho. Essas funções em camadas no SDH, tanto para tráfego como para gerenciamento, adaptam-se melhor ao conceito de camadas para redes de serviço que os padrões PDH de transmissão orientada. As camadas de transporte do SDH são as seguintes:

- camada do meio físico – PH (fibra óptica e componentes ópticos);
- camada de seção de regeneração – RS;
- camada de seção de multiplexação – MS;
- camada de via de ordem superior – HO (VC-3 e VC-4);
- camada de via de ordem inferior – LO (VC-12).

### *3.3.3 Quadro SDH*

O quadro SDH, também denominado STM-1 (*Syncronous Transfer Module*), trafega a uma taxa de transmissão básica de 155,52 Mbps e é repetido a cada 125 μs. Sinais com taxas mais elevadas são múltiplos inteiros dessa taxa básica:

- STM-4: 622,08 Mbps = 4 × 155,52 Mbps;
- STM-16: 2.488,32 Mbps = 4 × 622,08 Mbps;
- STM-64: 9.953,28 Mbps = 4 × 2.488,32 Mbps.

O formato do quadro de um sinal STM-1, mostrado na Figura 3.7, é dividido em duas áreas principais: cabeçalho e dados. O cabeçalho (*overhead*) possui parte das informações auxiliares necessárias para a execução de várias funções, como gestão do quadro síncrono, supervisão, comutação de proteção, manutenção, entre outras. O cabeçalho é composto da seção de regeneração e da seção de multiplexação.

Para atender uma grande variedade de operações, o SDH inclui uma camada de gerenciamento na qual informações são transportadas dentro de um intervalo de tempo (*time slot*) de um canal dedicado de comunicação de dados (*DCC – Data Communication Channel*). Essas informações possuem um padrão para a estrutura das mensagens de gerenciamento de rede, independentemente do fornecedor ou do operador. No entanto, não existe nenhum acordo firmado na definição dessa estrutura de mensagens a ser transportada e, dessa forma, não existe nenhum entrelaçamento dos canais de gerenciamento entre os fornecedores de equipamentos da interface SDH.

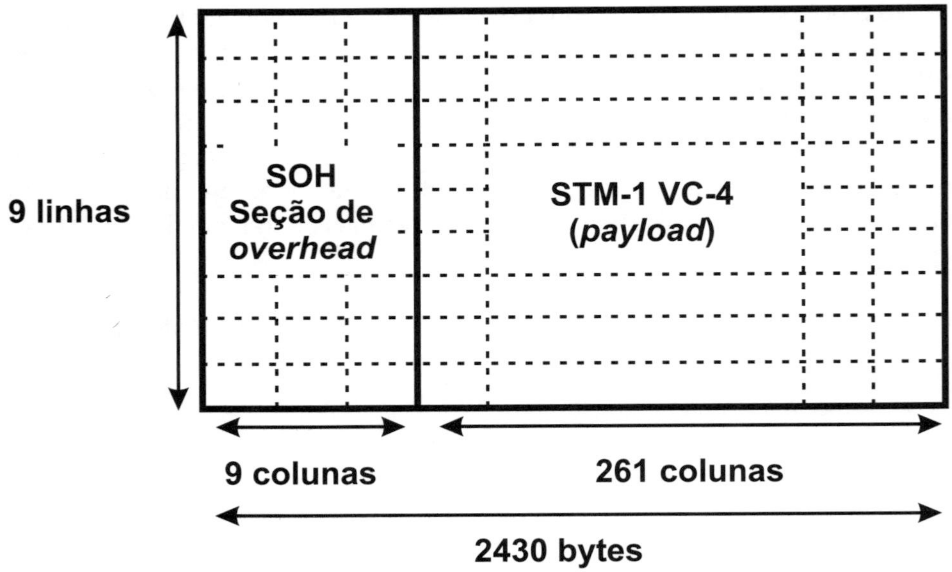


Figura 3.7 Formato do quadro STM-1

A área de dados (*payload*) é a estrutura na qual são alocadas as informações transportadas e roteadas através de uma rede SDH. O bloco de dados possui a estrutura numérica que os multiplexadores constroem a partir dos fluxos tributários. A alocação de tais estruturas pode flutuar entre determinados limites no interior de duas submatrizes consecutivas da área de dados, sendo as variações de alocação assinaladas algumas em posição fixa e outras em posição individualizável no interior da própria estrutura por meio dos ponteiros. A estrutura numérica do bloco de dados é composta de: contêineres virtuais (VC); unidades tributárias (TU); grupo de unidades tributárias (TUG); unidades administrativas (AU); e grupo de unidades administrativas (AUG).

As estruturas numéricas VCs permitem o mapeamento de taxas de transmissão de 140 Mbps, 34 Mbps e 2 Mbps, as taxas de transmissão possíveis dentro de um quadro STM-1. Taxas menores são possíveis através dos terminais de multiplexação.

A mais importante característica dos equipamentos SDH é o protocolo de comutação automática de proteção (APS) para a proteção contra falhas nos nós e nas fibras. O APS fornece proteção contra fibras rompidas por meio do redirecionamento automático do tráfego afetado pela falha para rotas alternativas. Existem dois tipos de mecanismos de proteção em uso: 1 + 1 e 1:1. Na proteção 1 + 1, o sinal SDH é transmitido através de dois caminhos diferentes que não se encontram. O nó destino decide qual sinal receber com base nos indicadores de falhas que são fornecidos pela subcamada de seção de multiplexação. Na proteção 1:1, dois caminhos diferentes são também usados, mas a diferença é que o sinal SDH é transmitido apenas em um único caminho, denominado caminho útil. O outro caminho, o caminho de proteção, fica desocupado durante a operação normal, mas também pode ser usado para o tráfego desprotegido, ou seja, tráfego extra, o qual pode ser interrompido quando o caminho de proteção é necessário para o tráfego normal.

A implantação da fibra óptica através da rede e a adoção de uma rede composta por equipamentos SDH fazem que a monitoração e a manutenção fim-a-fim da integridade da rede sejam possíveis. Essa capacidade de gerenciar uma tal rede permite uma identificação imediata do local onde acontece falha no nó e enlace da rede. Assim, haverá transparência de um ponto ao outro da rede para o usuário final, graças à possibilidade de se mudar a rota no caso de um equipamento sofrer problemas de funcionamento ou um enlace ter se rompido. Tais falhas não irão interromper os serviços, permitindo aos operadores da rede terem maior disponibilidade desses serviços, e sempre garantindo altos níveis de *performance*.

Os operadores de redes têm utilizado os equipamentos de transmissão síncrona devido ao seu rendimento em termos de qualidade da rede e redução dos custos operacionais de manutenção quando comparado com os sistemas PDH. O SDH eliminou a complexidade da rede que restringia o surgimento de novos serviços. Assim, uma verdadeira rede global de comunicação vai possibilitar a seus usuários a oferta de novos serviços multimídia que requerem maior disponibilidade, flexibilidade e rapidez de transmissão, em qualquer lugar e a qualquer momento.

## 3.4 Técnicas de comutação a pacotes

Apesar de a RTFC (*Rede de Telefonia Fixa Comutada*) ter sido originalmente projetada para a comunicação de voz, há algum tempo ela vem sendo usada para a transmissão de dados. A RTFC apresenta uma ótima solução para ligações telefônicas convencionais, que exigem um canal dedicado. No entanto, ao se usá-la para tratar dados surgiram alguns problemas. Um dos principais é o fato de uma conexão de dados, na maioria das vezes, permanecer ociosa na maior parte do tempo de utilização. Isso fica claro ao se analisar um acesso a uma *home page*: o usuário, ao requisitar o acesso, recebe os dados que a compõe em questão de segundos e passa às vezes vários minutos lendo as informações recebidas sem realizar uma nova requisição de dados, deixando o canal sem qualquer tipo de tráfego.

Esse problema caracteriza que o uso de um canal dedicado para conexões de dados não é uma solução apropriada, pois seria muito mais eficiente se essa mesma conexão pudesse ser usada por outros usuários enquanto se encontra ociosa. Tendo em vista esse fato, e ainda a limitação de velocidade de transmissão de dados imposta pelas linhas de cobre que formam a rede de acesso telefônica atual, foi concebido um novo conceito de redes: a rede comutada a pacotes.

O TDM não precisa de funções complexas para controle de tráfego e não permite a maximização do uso da largura de banda. Os usuários têm intervalos fixos de tempo, sendo que, dessa forma, a qualidade do serviço é determínistica e um usuário não pode afetar o desempenho da transmissão de outro usuário. Entretanto, certas aplicações, tais como WWW (*World Wide Web*) e FTP (*File Transfer Protocol*), muito comuns na Internet, precisam de largura de banda variável durante a sua transmissão. Aplicações como essas são do tipo *bursty* (tráfego em rajadas). No TDM, *slots* de tempo podem ser alocados à conexão ainda que o usuário não esteja fazendo uso deles. Essa característica faz do TDM uma tecnologia inadequada à transmissão de tráfego *bursty*, embora adequada à transmissão para tráfego de voz.

A rede comutada a pacotes foi especialmente projetada para tratar dados. Os dados são agrupados em pequenos blocos, ou pacotes, para serem transmitidos pela rede. Os pacotes são entregues para transmissão de uma forma aleatória e, dessa maneira, a largura de banda é utilizada sob demanda, buscando-se, assim, um uso mais eficiente. Isso é diferente da rede de comutação de circuitos, na qual os intervalos de transmissão são predefinidos para cada conexão. O uso aleatório da largura de banda em busca da eficiência introduz na rede de pacotes maiores complexidades no controle do tráfego. Cada pacote possui uma parte da informação original e mais informações de controle, como o endereço de destino e o endereço de origem. Os pacotes são entregues ao primeiro nó da rede, que irá tratá-los, verificar as informações de controle e enviá-los para o próximo nó. Esse processo é repetido até que cada pacote seja corretamente entregue ao seu destino, onde será então reconstituída a informação original.

Essa arquitetura apresenta inúmeras vantagens quando comparada à rede comutada a circuitos. A primeira vantagem é que uma conexão entre dois nós pode ser usada por vários pacotes de diferentes destinos e origens. Ao chegar em cada nó, os pacotes são enfileirados para análise posterior e liberados o mais rápido possível, ou seja, um caminho não será exclusivo de apenas uma ligação, podendo ser compartilhado por qualquer número de usuários. Dessa forma, ao contrário da comutação a circuito, uma conexão nunca é negada ou bloqueada no caso de a rede estar sobrecarregada entretanto. No caso da comutação a pacote, pode ocorrer um atraso na entrega da informação devido à formação de grandes filas nos nós. Nas aplicações mais utilizadas, esse atraso não causa desconforto ao usuário.

Quando uma rede comutada a pacotes precisa transportar uma informação que seja maior que o tamanho máximo de pacote que ela suporta, ela divide a informação em vários pacotes e os envia pela rede um de cada vez. A rede irá então tratá-los e decidir para que nós da rede eles devem se dirigir até que cheguem ao seu destino final. Basicamente, hoje existem duas técnicas de realizar esse envio: a do datagrama e a do circuito virtual.

Na técnica do datagrama, todos os pacotes são enviados pela rede independentemente uns dos outros, ou seja, um pacote, uma vez enviado, não possui mais ligação com os demais pacotes que completam a informação. Pacotes que constituem uma mesma mensagem podem seguir diferentes caminhos na rede, pois são processados individualmente e o seu próximo salto é determinado em cada um dos nós com base em informações de tráfego e falhas na rede, entre outras, enviadas pelos nós vizinhos. Uma vez recebidos todos os pacotes, a mensagem é reconstituída no último nó antes do destino ou no próprio destino, dependendo das características da rede. Cabe a ele detectar a perda de um dos pacotes e a solicitação do reenvio da parte perdida. Nessa técnica, cada pacote é denominado de datagrama.

Como exemplo, considere a Figura 3.8, em que pacotes partindo do usuário 1 podem tomar dois ou mais diferentes caminhos para alcançar o usuário 5. Fato semelhante ocorre com os pacotes indo do usuário 4 para o usuário 2. Assim, como cada nó da rede realiza decisões de roteamento para cada pacote, independentemente do fluxo ao qual o pacote pertence, técnicas de engenharia de tráfego, responsáveis por determinar a melhor rota a ser tomada por cada datagrama, tornam-se muito mais complexas nas redes comutadas a pacotes do que nas redes comutadas a circuito.

Na outra técnica de comutação a pacotes, denominada circuito virtual, antes de qualquer pacote ser entregue à rede há a definição de um caminho da origem até o destino por onde todos os pacotes irão passar. Assim, uma vez que os pacotes são enviados, todos eles irão percorrer os mesmos nós da rede e nenhuma decisão de roteamento será feita durante esse caminho (Figura 3.9). Cada um dos pacotes contém os dados que devem levar até o destino e as informações sobre o caminho a ser percorrido.

Em razão de a rota ser fixada antes da transmissão de dados começar e existir durante todo o tempo de transmissão, essa técnica se assemelha à usada pelas redes comutadas a circuitos, daí o nome circuito virtual. Porém, no caso da técnica de circuitos virtuais, não há a ocorrência de canais dedicados, ou seja, em um mesmo enlace da rede podem estar trafegando inúmeros circuitos virtuais, ao contrário das redes comutadas a circuitos.

Na técnica de circuito virtual, realizando-se as decisões de roteamento antes do envio dos pacotes, a entrega destes é muito mais rápida. Outra vantagem da utilização dessa técnica é a capacidade de se realizar engenharia de tráfego, como no caso das redes comutadas a circuitos, em conjunto com a otimização do uso dos canais, característica da técnica do datagrama. Porém, uma desvantagem do uso de circuitos virtuais aparece quando há uma mudança na topologia da rede. Ao contrário da técnica do datagrama, a qual automaticamente cria novas rotas para os pacotes no caso de falha em um dos nós, na técnica dos circuitos virtuais, há a interrupção do fluxo de pacotes no nó problemático. Assim, o re-roteamento dos pacotes depende drasticamente de técnicas de engenharia de tráfego.

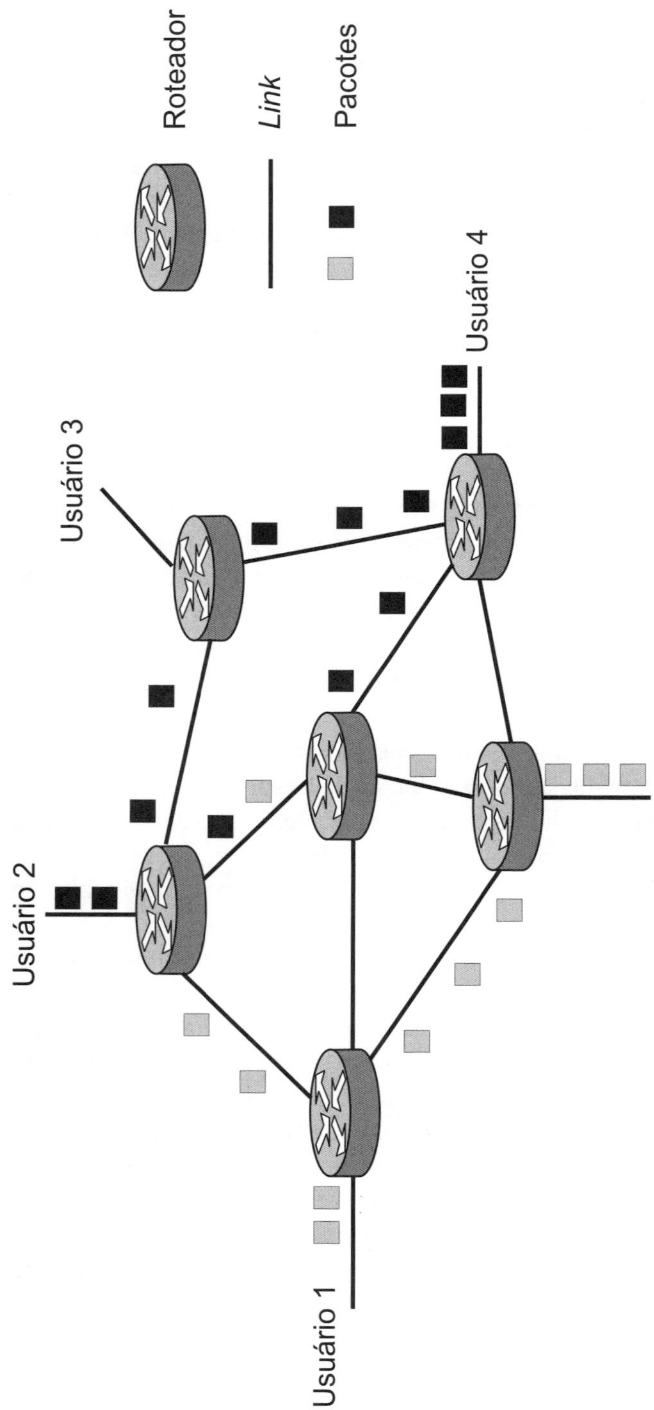


Figura 3.8 Técnica do datagrama na comutação a pacotes

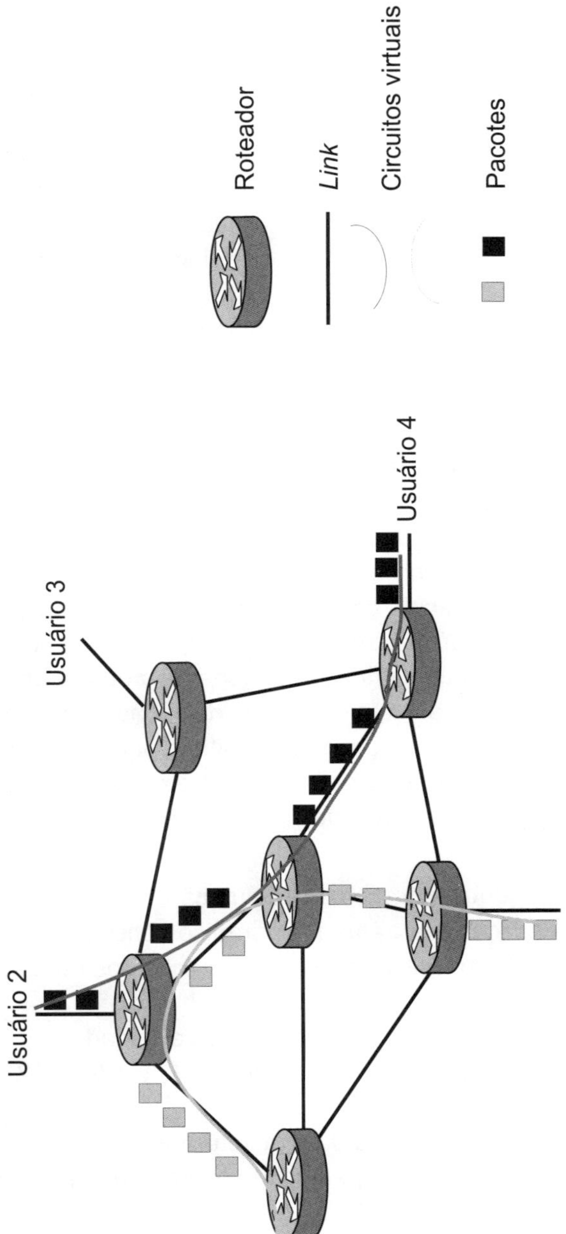


Figura 3.9 Técnica do circuito virtual na comutação a pacotes

### 3.4.1 Modo de transferência assíncrono

O ATM é um conjunto de padrões de interfaces e de sinalização definido pela ITU-T. O ATM Fórum é uma organização voluntária internacional composta por fornecedores, provedores de serviço, organizações de pesquisa e usuários. Desde a sua fundação em 1991, esse fórum vem desempenhando um papel central no desenvolvimento dessa tecnologia. Sua finalidade é a de acelerar o uso dos produtos e serviços ATM por meio da rápida convergência das especificações de interoperabilidade, promover a cooperação entre as indústrias e outras atividades. Acordos entre fornecedores da tecnologia ATM também têm esse objetivo.

Ao contrário da comutação por circuito, ATM é uma tecnologia de multiplexação e de comutação por células de alto desempenho, que utiliza pacotes de tamanho fixo para o transporte de diferentes tipos de tráfego. Ela pode ser vista como uma evolução da comutação por pacote. Assim como as tecnologias X.25, *Frame Relay* e TCP/IP, ATM integrou as funcionalidades de multiplexação e comutação, sendo bem adequada para o tráfego variável de dados.

A tecnologia ATM foi implementada em uma grande faixa de dispositivos de rede, tais como *hubs* Ethernet e *Token-ring* e *switches*, que atuam no núcleo e na borda da rede. ATM pode ser oferecida como um serviço de usuário final pelos provedores de serviço ou como infra-estrutura de rede para este e outros serviços. O serviço mais básico é o circuito virtual, uma conexão ponto-a-ponto sem banda dedicada, mas com as pontas finais e as rotas definidas. A banda é alocada sob demanda à medida que os usuários tenham tráfego para transmitir. O padrão ATM define várias classes de serviço para satisfazer às diferentes necessidades das aplicações e propiciou os seguintes benefícios:

- alto desempenho através de equipamentos de comutação;
- banda de transmissão dinâmica para tráfego esporádico satisfazendo as necessidades das aplicações e possibilitando alta utilização dos recursos da rede;
- possibilidade de crescimento do tamanho da rede e da velocidade;
- arquitetura comum para redes LAN (*Local Area Network*) e WAN (*Wide Area Network*);
- oportunidades para simplificação por meio da arquitetura VC;
- cumprimento dos padrões internacionais, permitindo a operação de vários fornecedores.

Na tecnologia ATM, todas as informações são transportadas em células de comprimento fixo de 53 bytes, sendo 48 bytes de dados e 5 bytes de cabeçalho (Figura 3.10). Esta célula é a menor unidade de informação padrão em uma rede ATM. O tamanho fixo da célula garante que as informações com tempo crítico, como voz e vídeo, não sejam afetadas por longos quadros ou pacotes.

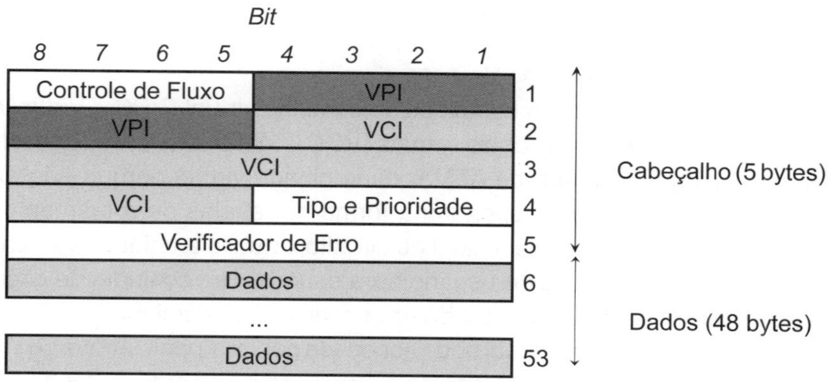


Figura 3.10 Formato da célula ATM

O cabeçalho foi projetado para permitir o direcionamento da célula ao longo da rede e para transportar informações como o tipo dos dados da célula, os identificadores de circuitos virtuais, além de verificar os erros de cabeçalho.

Em comparação com sistemas síncronos de transmissão, nos quais os pacotes de dados possuem posições fixas no tempo, as células ATM em trânsito pela rede não possuem uma posição predeterminada na cadeia de células. Dessa forma, a largura de banda necessária é obtida pelo número correspondente de células por unidade de tempo, tornando o sistema muito flexível.

As células são encaminhadas ao longo da rede a partir das informações contidas nos campos VCI (*Virtual Channel Identifier*), de 16 bits, e VPI (*Virtual Path Identifier*), de 8 bits, presentes no cabeçalho das células. O campo VCI possui parte das instruções de endereçamento, sendo que as células pertencentes a um mesmo canal virtual terão o mesmo VCI. Cada um desse campos indica um caminho entre os comutadores ou entre um comutador e um terminal de usuário, e o conjunto de VCIs identifica um caminho dentro da rede. O campo VPI possui a parte restante das instruções de endereçamento, com uma prioridade maior que a do VCI. O VPI engloba vários canais virtuais permitindo o rápido direcionamento das células através das redes com equipamentos ATM de conexão cruzada, que são capazes de comutar fluxos de células em várias direções de acordo com o especificado no VPI.

Os campos VPI e VCI – definidos nos comutadores ATM assim que uma conexão é estabelecida – identificam todas as células pertencentes a uma dada conexão. Quando uma conexão é encerrada, os valores desses campos são disponibilizados à rede para que possam ser novamente utilizados. Os comutadores são os responsáveis pela comutação de células a partir da instrução de endereçamento.

ATM é uma conexão orientada que permite a organização dos diferentes fluxos de informações, o que possibilita ao usuário especificar as necessidades requeridas e à rede alocar os recursos com base nessas necessidades. A multiplexação de múltiplos fluxos de informações entre *switches* da rede, combinado com a habilidade de envio do fluxo de informações para diferentes destinos, permite a redução de custos pela diminuição de interfaces e menor complexidade para a construção da rede.

Os padrões ATM definem as conexões de caminho virtual (*VPC – Virtual Path Connection*) e as conexões de canais virtuais (*VCC – Virtual Channel Connection*). A conexão ao longo de uma rede ATM é denominada virtual porque não existe fisicamente, estando presente apenas na forma de tabelas de roteamento nos *switches*. Uma conexão de canal virtual ou circuito virtual é a unidade básica que transporta um fluxo de células de usuário para usuário. Um conjunto de circuitos virtuais pode ser empacotado dentro de uma conexão de caminho virtual.

Uma conexão de caminho virtual pode ser criada ponto-a-ponto através da rede. Neste caso, todas as células pertencentes a circuitos virtuais empacotados dentro de um dado caminho virtual são roteadas da mesma forma, permitindo uma rápida recuperação no caso de falhas. Uma rede ATM também utiliza internamente os caminhos virtuais com o propósito de empacotar circuitos virtuais entre *switches*. Dois *switches* ATM podem ter muitas conexões de canais virtuais diferentes entre eles, pertencendo a diferentes usuários, empacotados dentro de uma conexão de caminho virtual servindo como um entroncamento virtual. Isso pode ser tratado como uma única entidade de múltiplos caminhos virtuais intermediários se conectando entre os *switches* de circuitos virtuais.

Os circuitos virtuais podem ser configurados de forma estática – os circuitos virtuais permanentes (*PVC – Permanent Virtual Circuit*) – ou dinamicamente controlados por sinalização – os circuitos virtuais comutados (*SVC – Switched Virtual Circuit*). Estas duas configurações permitem a conexão ponto-a-ponto ou ponto-a-multiponto. Os SVCs são os modos de operação preferidos porque eles podem ser dinamicamente construídos, minimizando assim a complexidade de reconfiguração.

### *3.4.2 O protocolo TCP/IP*

TCP/IP é um grupo de protocolos que funcionam conjuntamente para estabelecer a comunicação e a transferência de dados entre dois ou mais computadores conectados em rede. O TCP (*Transmission Control Protocol*) controla a transmissão dos dados, assegurando que os dados enviados por um computador cheguem integralmente ao destino. O TCP é a biblioteca de rotinas instalada nos computadores de origem e de destino que as aplicações como HTTP (*Hyper Text Transmission Protocol*), Mail, Telnet, entre outras, utilizam para o transporte de dados. Para melhor gerenciar a transmissão, o TCP segmenta os dados a serem transmitidos em blocos menores denominados pacotes ou datagramas. Utilizando essa estrutura, o TCP é capaz de verificar se os pacotes chegam corretamente ao destino ou se houve perda de dados durante a transmissão, retransmitindo o pacote caso necessário. É capaz também de reconstituir os dados originais, reagrupando os pacotes na estação de destino.

Enquanto o TCP trata da segurança, do envio e do recebimento dos pacotes, o IP (*Internet Protocol*) é responsável pela transmissão em si, realizando o serviço de roteamento, ou seja, conduzindo os dados para os endereços corretos. Ao contrário do TCP, o IP é um protocolo não-orientado à conexão, o que significa que não há nenhuma verificação de erro na transferência, ele apenas roteia os pacotes pela rede. Na verdade, os dois protocolos completam-se: o IP identifica os endereços e assegura que os dados sejam enviados através do meio físico, o TCP, por sua vez, verifica se os dados enviados foram transmitidos corretamente.

O IP é um protocolo fundamentado na comutação por pacotes (*packet switching*), sendo a base do sistema de comunicação da Internet. É responsável pela comunicação entre máquinas em uma rede TCP/IP, fornecendo aos elementos da rede a capacidade de enviar e receber mensagens de um ponto a outro. É também responsável pela comunicação inter-redes realizando a função de roteamento, que consiste no transporte de mensagens entre redes e na decisão de qual rota uma mensagem deve seguir através da estrutura de rede para chegar ao destino.

O IP possibilita a atribuição de um endereçamento independentemente daquele já existente em níveis inferiores e da própria topologia da rede utilizada. No caso de existir endereçamento nos níveis inferiores, é realizado um mapeamento para possibilitar a conversão de um endereço IP em um endereço de nível inferior, de modo a permitir o envio de mensagens entre máquinas dentro da mesma rede. No caso do envio de mensagens entre máquinas situadas em redes distintas, o IP utiliza a função de roteamento, executada pelo elemento roteador, de forma que as mensagens sejam direcionadas para os destinos finais ou outros roteadores.

As redes interligadas podem ser locais, geograficamente distribuídas, de longa distância com comutação por pacotes ou circuitos ponto-a-ponto. A principal característica de um roteador é a existência de mais de uma interface de rede, sendo que cada uma tem o seu próprio endereço. A função de roteamento pode ser realizada por um equipamento específico ou por um computador com mais de uma interface de rede. O elemento da arquitetura TCP/IP que é apenas a origem ou o destino de um pacote IP é denominado *host*.

### *3.4.3. Endereçamento IP*

O endereço IP é um identificador único de interface de rede de um equipamento (*host*). Esse endereço é composto de 4 octetos (4 bytes ou 32 bits) e possui uma parte para a identificação da rede (*netid*) na qual a interface está conectada e outra parte para a identificação do equipamento (*hostid*) dentro dessa rede. Como exemplo, o endereço IP 11010000 11110101 0011100 10100011 pode ser representado na base decimal por quatro números separados por um ponto como 208.245.28.63.

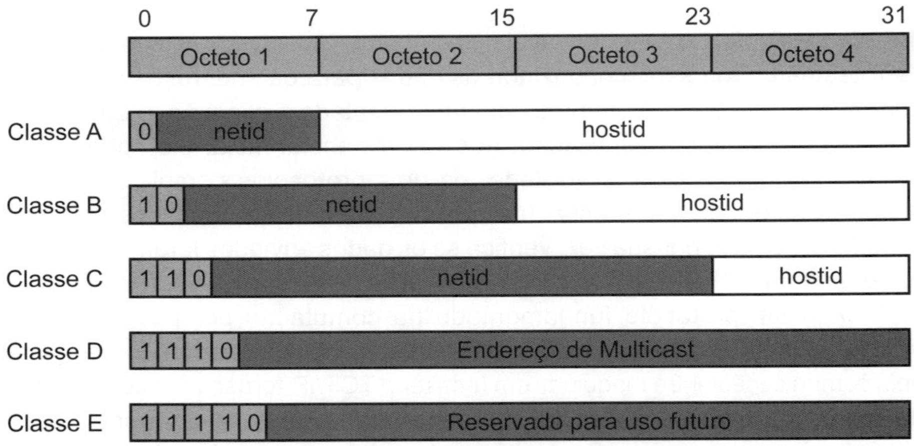


Figura 3.11 Formatos das classes do endereçamento IP

A divisão do endereçamento IP em rede e estação é feita por meio de classes. As classes originalmente utilizadas na Internet são A, B, C, D e E (Figura 3.11). Os endereços de classe A possuem 1 byte para a identificação da rede e 3 bytes para a identificação da estação, sendo possível endereçar até 256 redes com $2^{24}$ estações por rede. O endereçamento de classe B utiliza 2 bytes para a identificação da rede e 2 bytes para a identificação da estação, sendo possível endereçar até $2^{16}$ redes com $2^{16}$ estações por rede. Na classe C, os endereços têm 3 bytes para a identificação da rede e 1 byte para a identificação da estação. A classe D é uma classe especial para identificar endereços de grupos (*multicast*) e a classe E é reservada.

Na prática, como é necessária a distinção entre as classes, é realizada a designação nos primeiros bits do primeiro octeto para definir as classes. Assim, é possível comportar uma pequena quantidade de redes com muitas estações (classe A) e uma grande quantidade de redes com poucas estações (classe C). Em resumo, essa alocação de faixas de IPs é a seguinte:

- Classe A é capaz de endereçar 128 redes diferentes, cada uma com até 16.777.216 estações. É identificada pelo primeiro número entre 1 e 126 (por exemplo: **122**.156.34.25).
- Classe B é capaz de endereçar 16.284 redes diferentes, cada uma com até 65.536 estações. É identificada pelo primeiro número entre 128 e 191 (por exemplo: **186**.125.78.44).
- Classe C é capaz de endereçar 2.097.152 redes diferentes, cada uma com até 256 estações. É identificada pelo primeiro número entre 192 e 223 (por exemplo: **200**.199.56.34).

As máquinas com mais de uma interface de rede (caso dos roteadores ou máquinas interligadas a mais de uma rede, mas que não efetuam a função de roteamento) possuem um endereço IP para cada interface, e podem ser identificadas por qualquer um de seus endereços IP de modo independente. Assim, um endereço IP identifica não uma máquina, mas uma conexão à rede. Alguns endereços são reservados para funções especiais, como:

- Endereço da rede. Identifica a própria rede e não uma interface de rede especificamente, representado por todos os bits de *hostid* com o valor igual a zero.
- Endereço de *broadcast*. Identifica todas as máquinas na rede específica, representado por todos os bits de *hostid* com o valor igual a um. Desta forma, para cada rede A, B ou C, o primeiro endereço e o último são reservados e não podem ser usados por interfaces de rede.
- Endereço de *broadcast* limitado. Identifica um *broadcast* na própria rede, sem especificar a que rede pertence. Representado por todos os bits do endereço iguais a um (255.255.255.255).
- Endereço de *loopback*. Identifica a própria máquina, sendo utilizado para teste interno, ou seja, para teste de comunicação entre a placa e a rede, no qual a máquina envia uma mensagem e roteia para ela mesma, ficando a mensagem no nível IP, sem ser enviada à rede. Esse endereço é o 127.0.0.1 e permite a comunicação entre aplicações situadas na mesma máquina. Por isso, entre os endereços de classe A e B, não é utilizado o endereço 127.

A Figura 3.12 mostra exemplos de endereçamento de máquinas situadas na mesma rede. Como o endereço começa por 200 (ou seja, os três primeiros bits são 110), ele pertence à classe C. Por isso, os três primeiros bytes do endereço identificam a rede. Nessa figura, ambas as estações têm o endereço começando por 200.196.150, então elas estão na mesma rede. A Figura 3.13 mostra as estações em redes distintas, que são interligadas diretamente por um roteador entre elas.

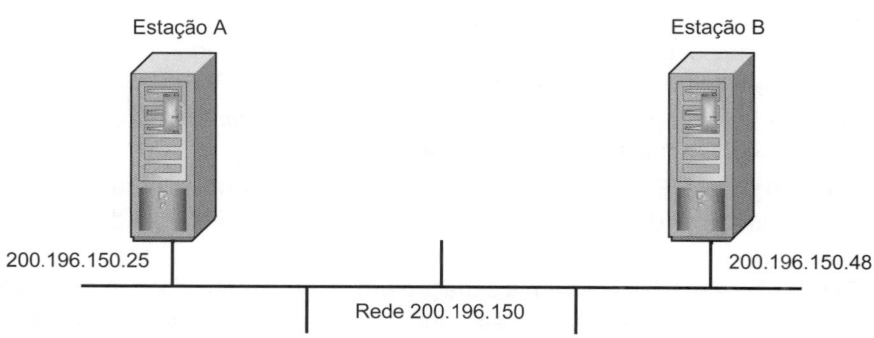


Figura 3.12 Conectividade de duas estações na mesma rede

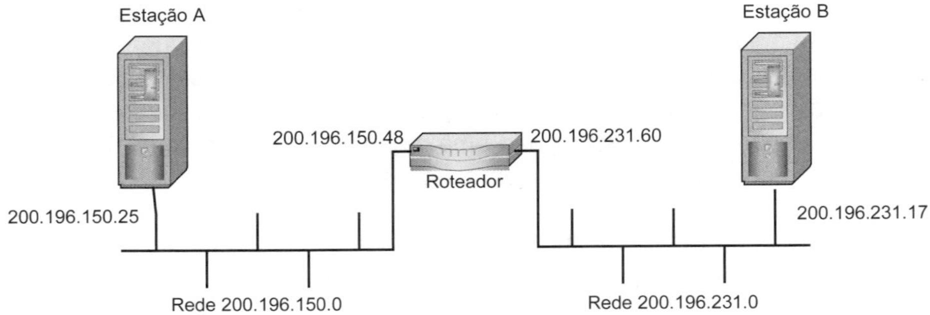


Figura 3.13 Conectividade de duas estações em redes diferentes

### 3.4.3.1 Roteamento IP

O roteamento IP é realizado quando um pacote precisa ser enviado para uma estação situada numa rede diferente que a de origem. Um roteador envia o pacote para outro roteador no caminho de destino, e assim sucessivamente, até que o pacote chegue ao destino final. Esse mecanismo é denominado *next-hop routing*, já que um pacote é sempre enviado para o próximo roteador no caminho.

Nesse tipo de roteamento, não há necessidade de cada roteador conhecer a rota completa até o destino, mas apenas o próximo roteador para o qual deve enviar a mensagem. A decisão de roteamento tem como base uma tabela de rotas que é parte integrante de qualquer protocolo IP. Essa tabela relaciona cada rede destino ao roteador para onde o pacote deve ser enviado. No caso de uma rede possuir mais de um roteador, o roteamento decide para qual deles deve enviar o pacote IP.

É importante ressaltar que o pacote IP a ser roteado é endereçado fisicamente ao roteador (endereço MAC), mas logicamente (endereçamento IP) à estação destino. Dessa forma, quando o roteador recebe um pacote que não é endereçado a ele, tenta roteá-lo.

O envio de pacotes de uma rede para outra rede deve seguir os seguintes passos:

1. Determinar que a estação destino está em outra rede e, por isso, deve-se enviar a mensagem para um roteador;
2. Determinar, por meio da tabela de rotas da estação de origem, qual roteador é o correto para se enviar a mensagem;
3. Descobrir, por meio do protocolo ARP (*Address Resolution Protocol*), qual o endereço MAC (*Media Access Control*) do roteador;
4. Enviar o pacote IP com o endereço de nível de rede apontado para o roteador e o endereço IP dentro do pacote endereçado para a estação destino.

As Figuras 3.14 e 3.15 mostram a situação em que um roteamento é realizado somente por um roteador. Caso houvesse mais de um roteador a ser atravessado, o primeiro roteador procederia de forma idêntica à Estação A, ou seja, determinaria a rota correta e enviaria a mensagem para o próximo roteador. A Figura 3.16 mostra um diagrama de rede com mais de um roteador. Observa-se que não há necessidade de correlação entre os endereços utilizados nas redes adjacentes, pois o roteamento decide a rota dos pacotes nos roteadores. Nesse diagrama existem 6 redes, identificadas por 200.196.231.0, 210.28.84.0, 200.56.68.0, 198.28.44.0, 200.45.62.0 e 10.1.1.0.

As tabelas de rotas de cada roteador são diferentes umas das outras. Nas tabelas, existem rotas diretas, que são informações redundantes para identificar a capacidade de acessar a própria rede na qual os roteadores estão conectados. Esse tipo de rota, apesar de parecer redundante, é útil para mostrar as rotas diretas para as redes conectadas diretamente no roteador. Outra informação importante é a existência de uma rota padrão (*default*), que é utilizada durante a decisão de roteamento caso não exista uma rota específica para a rede-destino da mensagem IP. A rota padrão pode ser considerada como um resumo de diversas rotas encaminhadas pelo roteador. Sem a utilização da rota padrão, a tabela de rotas precisaria possuir uma linha para cada rede que pudesse ser endereçada, o que seria impossível no caso da Internet.

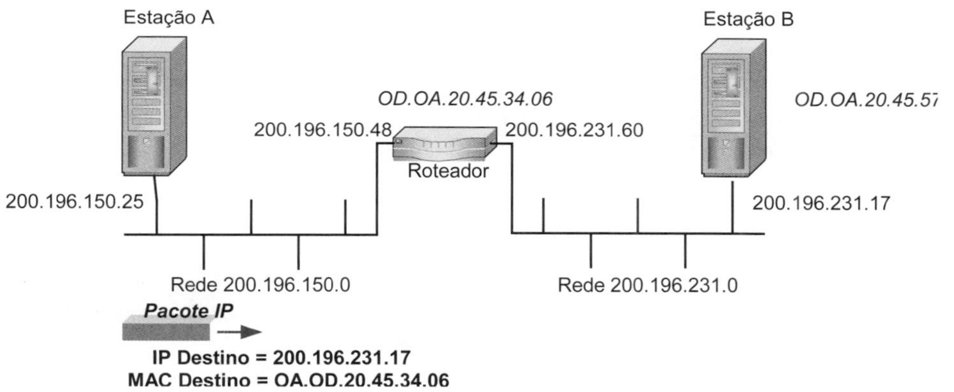


Figura 3.14 Envio do pacote IP da estação origem para o roteador

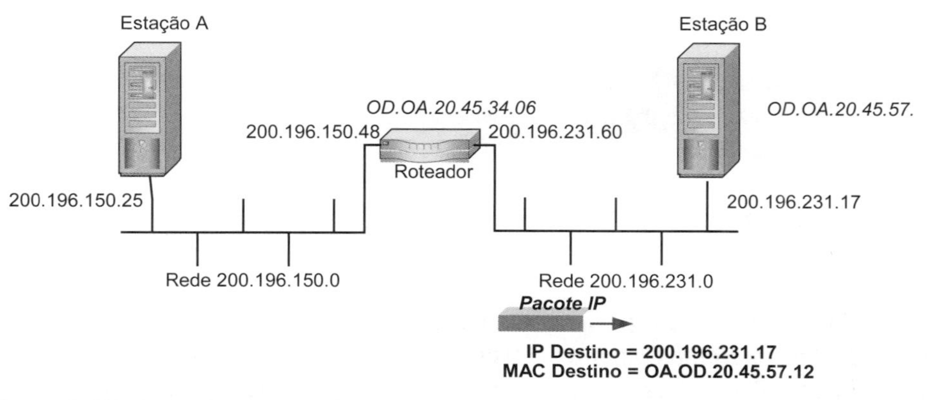


Figura 3.15 Envio do pacote IP do roteador para a estação-destino

A alimentação das informações na tabela de rotas pode ser de modo estático, de modo dinâmico ou de ambos os modos simultaneamente. No caso estático, as rotas são preenchidas manualmente, geralmente na configuração inicial da máquina. Por exemplo, uma ou mais rotas padrão configuradas manualmente nas estações e roteadores, rotas adicionais estáticas configuradas manualmente endereçando redes específicas. No caso dinâmico, protocolos como RIP, RIP2, OSPF ou BGP4 são responsáveis pela aquisição de informações sobre a topologia da rede e a publicação de rotas na tabela de rotas dos roteadores envolvidos.

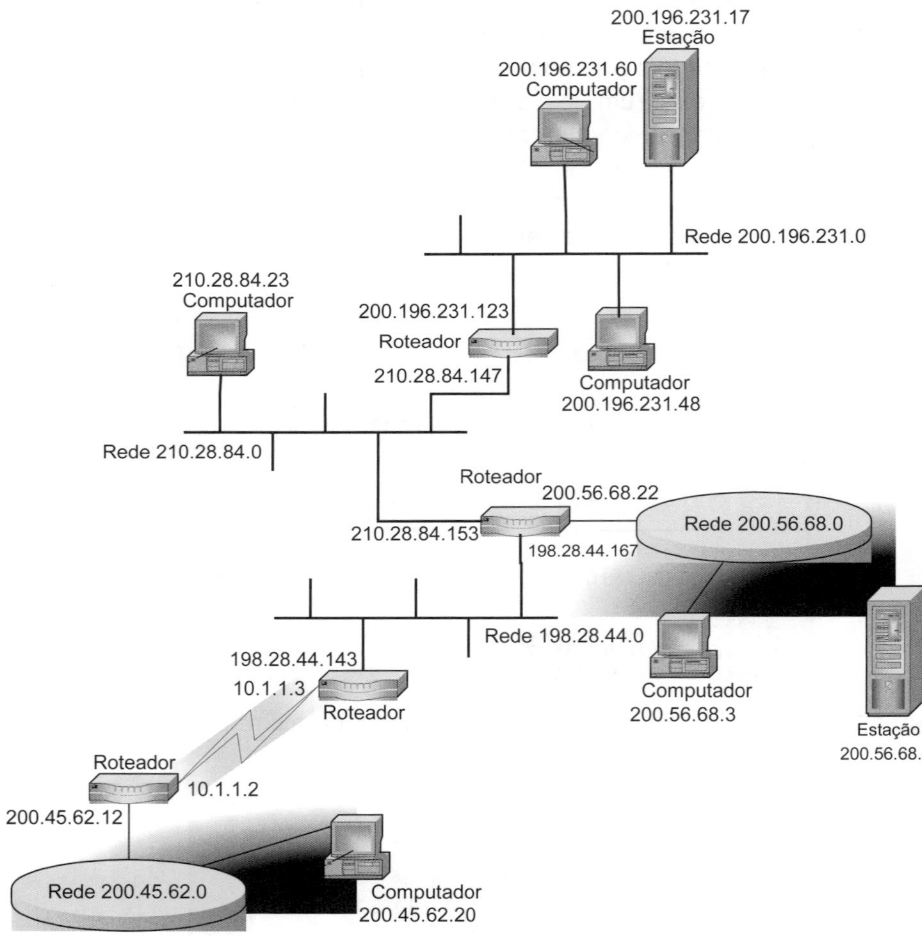


Figura 3.16 Roteamento IP em uma rede com mais de um roteador

Existem dois serviços para o roteamento IP utilizado na Internet: DNS e DHCP. O DNS (*Domain Name System*) é o sistema que mapeia nomes de estações (*hosts*) em números IP ou outros valores. Os nomes da Internet são divididos em domínios (*domains*), e o gerenciamento desses nomes é de responsabilidade de sistemas dentro de cada domínio. O DHCP (*Dynamic Host Configuration Protocol*) é usado pelas estações para obter informações de configuração inicial, como o endereço IP, a máscara da sub-rede, e a rota padrão (*default gateway*). Como cada estação precisa de um endereço para se comunicar dentro de uma rede IP, o DHCP facilita a configuração de cada estação dentro da rede. Caso uma estação seja instalada em uma sub-rede diferente, precisará utilizar um endereço diferente do qual estava usando, e o DHCP permite que a estação escolha um endereço IP automaticamente dentro da nova sub-rede.

### 3.4.3.2 Pacote IP

O pacote IP é a unidade básica de transmissão no IP. Nesse pacote, são colocadas as informações importantes para o seu envio até o destino. A Figura 3.17 detalha o formato do pacote IP versão 4.

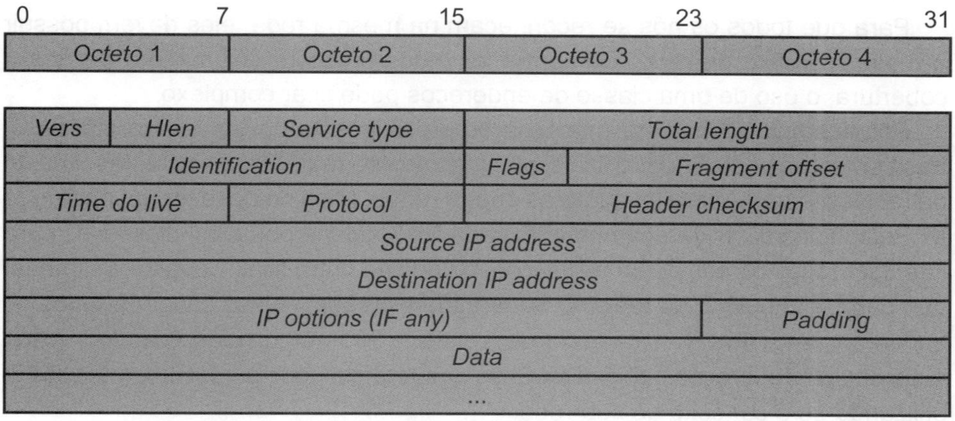


Figura 3.17 Descrição de um pacote IP

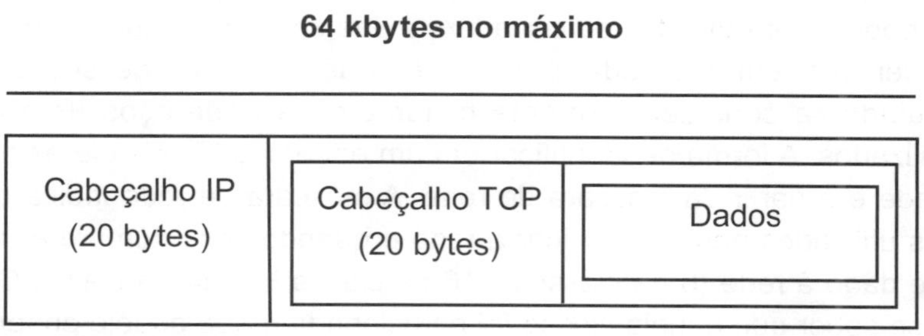


Figura 3.18 Pacote IP

Um pacote IP pode ter um tamanho máximo de 64 kbytes (Figura 3.18), mas o nível de rede geralmente tem um tamanho máximo menor que 64 kbytes. Por exemplo, uma rede Ethernet pode transmitir uma mensagem de até 1,5 kbytes, denominada MTU (*Maximum Transmission Unit*) para esse tipo de rede. A camada IP deve então ser capaz de dividir um pacote maior que 1.500 bytes em diversos fragmentos de até 1.500 bytes cada um. A fragmentação do pacote pode ocorrer na máquina origem ou em algum roteador que possua uma rede com MTU menor que o tamanho do pacote sendo roteado. Durante o percurso até o destino, um fragmento pode ser novamente segmentado se o MTU da rede seguinte for ainda menor que o tamanho do fragmento. A remontagem do pacote somente é realizada pela máquina destino, com base nas informações de *Fragment Offset* e bit MF (*Multi Field*). A perda de um fragmento inutiliza o pacote inteiro.

### 3.4.3.3 Sub-redes e tradução de endereços

Para que todos os nós se reconheçam na mesma rede, eles devem possuir o mesmo prefixo de rede. Conforme as redes crescem em número de nós e cobertura, o uso de uma classe de endereços pode ficar complexo.

Por exemplo, considere que uma empresa possui um endereço classe C. Essa empresa possui quatro filiais, em uma mesma região, mas distantes uma da outra. Nesse caso, para interligar as quatro redes, cada nó deve ter um endereço IP. Pela lógica do endereçamento IP, cada filial poderia possuir 4 classes C para interligar todos os nós de uma filial com os nós de outra filial. Considere também que cada filial possui no máximo 50 terminais ou nós. Nesse caso, de todos os endereços disponíveis em cada classe, somente 50 serão usados, ficando ociosos mais de 200 endereços por classe. Esse desperdício pode ser facilmente evitado utilizando-se o conceito de sub-rede.

Uma sub-rede é simplesmente um subconjunto de uma classe de endereço. A sub-rede é construída a partir de uma divisão dos bits destinados para numerar os nós, em uma lógica predefinida de tal forma que se definem intervalos de endereços dentro de uma mesma classe que são identificados univocamente para uma sub-rede. No caso da empresa com as quatro filiais, os últimos 8 bits podem ser definidos de certa forma que se formem quatro conjuntos de 64 endereços, em que cada filial faria uso de um grupo desses endereços, diminuindo-se consideravelmente o número de endereços IP ociosos ou subutilizados. A forma de identificar em um endereço IP que ele está em uma sub-rede é a partir da mascára de rede. A máscara de rede indica o número de bits utilizados para especificar a rede e quando esse número é maior que aquele dado à rede (8 na classe A, 16 na classe B e 24 na classe C). Então, pode-se saber que aquela classe foi particionada e que aquele endereço está um uma sub-rede.

A tradução de endereços, conhecida como NAT (*Network Address Translation*), é um procedimento que também tem como filosofia a economia de endereços IP. Com a carência potencial de endereços IP na Internet, fenômeno totalmente possível e que já está acontecendo, esse procedimento estabelece que a partir de um único endereço IP válido (por válido entende-se um endereço IP que é público e totalmente funcional na Internet) possam ser feitas traduções e mapeamentos que componham um conjunto de endereços IP privados dependentes de um conjunto menor de endereços IP públicos. Os endereços IP privados não são aceitos na Internet pública e, para facilidade, em cada classe foram definidos três grupos de endereços privados, como mostrado na Tabela 3.1.

Tabela 3.1 Endereços IP privados

| Classe | Endereço privado |
|---|---|
| A | 10.0.0.0 |
| B | 172.16.0.0 |
| C | 192.168.0.0 |

A idéia básica do NAT é dar a cada usuário um único endereço IP para tráfego na Internet. Nas instalações do usuário, cada computador recebe um endereço IP de tráfego interno. Quando um pacote vindo de um computador interno precisa acessar o mundo externo, o endereço-origem do pacote é traduzido para o único endereço IP de tráfego Internet que o usuário possui e o pacote é enviado para o mundo externo. A correspondência da tradução é controlada internamente, de tal forma que para o mundo externo, os endereços da rede interna daquele usuário são totalmente inexistentes, sendo todos referenciados a partir de um único endereço público. Quando chegam pacotes do mundo externo para um computador da rede interna, o endereço destino daquele pacote deve ser novamente traduzido para que possa ser entregue ao seu destinatário. Então, é necessário um processo reverso, o qual é possível a partir de um procedimento de armazenagem dos mapeamentos de endereços para este processo. A Figura 3.19 mostra um exemplo do funcionamento do NAT.

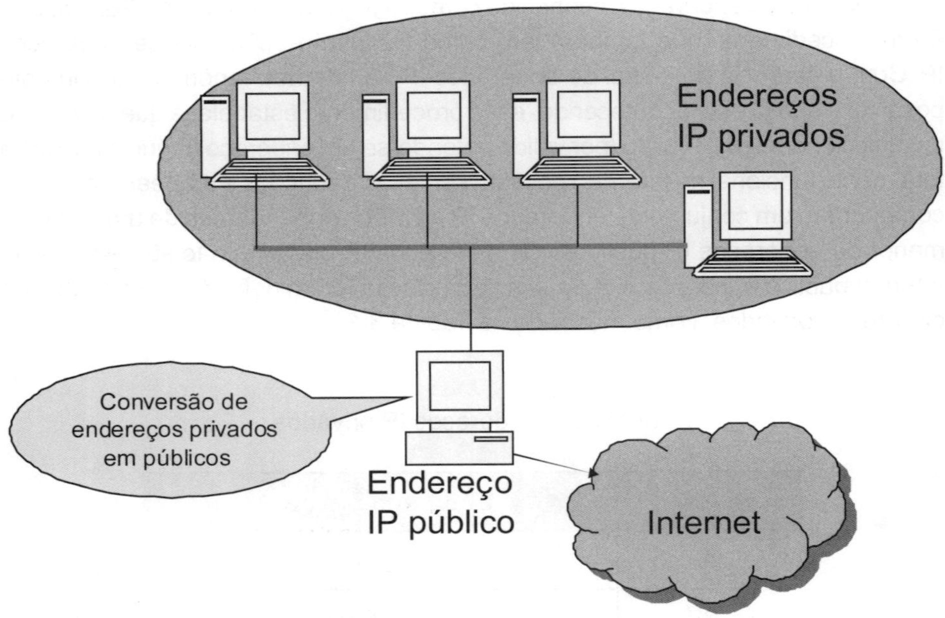


Figura 3.19 Funcionamento do NAT

### 3.4.3.4 Versões do protocolo IP

Para resolver as limitações do protocolo IP versão 4 (IPv4), está sendo desenvolvida uma nova versão do TCP/IP, o IPv6 ou IPSec. A segurança é um pré-requisito nesse novo protocolo. O IPSec oferecerá serviços de autenticação de usuários e a garantia de confidencialidade e de integridade dos dados por meio de criptografia.

O IPSec também está sendo projetado para resolver a questão dos endereços IP, pois o novo tamanho do campo de endereços passa para 16 octetos (16 bytes ou 128 bits), o que permitirá a expansão da Internet. Em virtude da imensa base instalada de estações (*hosts*) e roteadores compatíveis com o IPv4, o IPv6 está sendo desenvolvido de forma que seja possível uma migração gradual para o novo protocolo.

## 3.5 Desempenho das redes de pacotes

Hoje, diversas aplicações disponíveis aos usuários são do tipo multimídia em tempo real. Para o encaminhamento dessas aplicações, parâmetros de desempenho da rede devem ser relacionados à taxa de transmissão de dados. Na Internet, os vários saltos (*hops*) ou pontos de interligação entre redes influenciam no desempenho geral da rede. Para uma conexão entre um transmissor e um receptor em localidades diferentes da rede, o desempenho será influenciado pela soma dos atrasos entre saltos e pelo processamento da informação dos dados a serem encaminhados em cada nó.

Com o surgimento do grupo IETF (*Internet Engineering Task Force*), o termo chave era "IP sobre tudo" caracterizando a capacidade do protocolo IP de operar praticamente sobre qualquer meio de transmissão, com comunicação através de qualquer plataforma pública ou privada. O crescimento da Internet nos anos recentes fez surgir em grande número novas aplicações multimídia. Em função da limitação de banda de transmissão e outros fatores ligados à latência no processamento dos dados, a Internet não garante a correta entrega de dados nos novos serviços emergentes. Isso diminui o atendimento das necessidades operacionais de aplicações em tempo real através dessa rede. A *Qualidade de Serviço* (QoS) pode ser definida como sendo a capacidade da rede em prover serviços de encaminhamento de dados de forma eficiente, consistente e previsível. A QoS utiliza uma variedade de protocolos da Internet e também protocolos complementares, a fim de melhorar a entrega de dados fim-a-fim. A seguir, serão descritas várias arquiteturas nas quais esses protocolos terão de interagir com a gerência de política de qualidade de serviço (*SLA – Service Level Agreement*) para garantir a conformidade da QoS requerida por determinada aplicação IP.

As redes de comunicação que utilizam o protocolo IP provêm a entrega de dados da forma conhecida como *best-effort*, sem garantia de QoS. Com o aumento do tráfego de voz, vídeo e áudio em tempo real, essas redes não conseguem garantir a entrega de dados com a qualidade requerida pelos serviços correspondentes. Portanto, novas formas de se prover tais qualidades de serviço têm de ser encontradas, por meio de uma pesquisa intensiva por novos protocolos de QoS.

O IETF foi o propulsor de alguns dos protocolos atualmente utilizados na Internet para garantir a QoS em aplicações IP fim-a-fim. Diversos componentes físicos e lógicos conectados à rede, como roteadores, *switches*, cabos, etc., fazem com que fenômenos de degradação se incorporem na transmissão e recepção dos dados que se deseja transferir entre os usuários, independentemente da distância entre eles. Esses fenômenos, como atraso, variação de atraso (*jitter*), latência e perda de pacotes, foram devidamente estudados pelo IETF a fim de reduzir seus valores numéricos para aplicativos altamente sensíveis.

O desempenho é determinado pelas necessidades relativas à qualidade de serviço para esse efeito e a baixa carga na rede. Aplicações sensíveis exigem uma garantia mínima para vazão dos seus dados, baixo atraso e *jitter* (variação de atraso), mas podendo tolerar ligeiras variações de taxa de erros e perdas. No caso do vídeo, a perda de alguns quadros não é considerada crítica para a recepção do mesmo pelo usuário. O áudio, por outro lado, pode vir a causar certo desconforto quando sofrer um atraso que quebre a seqüência dos sons a serem recebidos. Por outro lado, aplicativos do tipo e-mail, transferência de arquivos (FTP) e aplicações Web são mais tolerantes a erros e não precisam de garantias de atraso. Mesmo assim, o usuário sempre exigirá melhorias do desempenho das transmissões e recepções de suas aplicações, sejam elas de natureza crítica ou não.

### *3.5.1 Métricas para avaliação de desempenho*

As medidas de desempenho descrevem as características do estado da rede durante sua operação. Essas medidas podem ser obtidas por técnicas de medição intrusivas, que consistem na injeção de pacotes de controle na rede, ou não-intrusivas, em que são apenas observados os pacotes que trafegam pela rede. A seguir serão descritas as medidas de desempenho estimadas a partir das técnicas intrusivas. No entanto, algumas dessas métricas podem também ser estimadas na forma passiva de medição pelo uso de *softwares* de medição e desempenho da rede.

- **Atraso**

As métricas relacionadas ao atraso em redes estimam o tempo que leva para um pacote sair de sua origem e chegar ao seu destino. No entanto, diversos problemas devem ser considerados para se estimar esse parâmetro, como falta de sincronia e diferentes taxas de crescimento dos relógios do transmissor e receptor. A seguir, serão definidas algumas métricas que avaliam o retardo sofrido por pacotes na rede.

**Atraso fim-a-fim:** é o tempo que um pacote leva do emissor ao receptor. Essa métrica possui vários problemas para ser estimada devido às diferenças dos relógios do transmissor e receptor. O problema pode ser solucionado se forem usados equipamentos de sincronização dos relógios. Porém, esses equipamentos nem sempre estão disponíveis. A Figura 3.20 ilustra o atraso fim-a-fim.

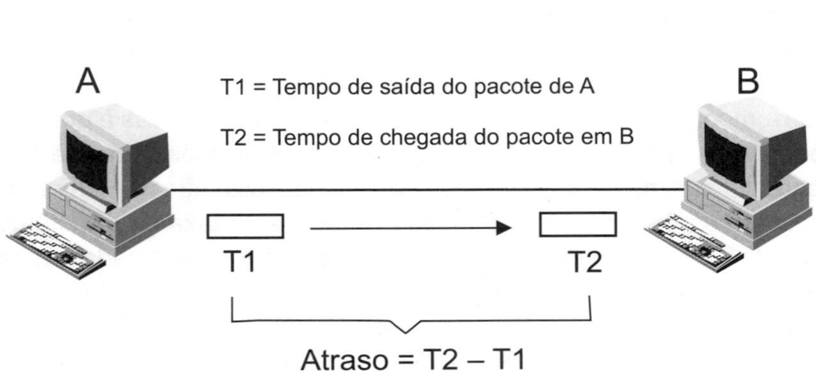


Figura 3.20 Atraso fim-a-fim

**Atraso de ida e volta:** é o tempo que um pacote leva para ser enviado a um receptor e devolvido ao emissor (*RTT – Round Trip Time*). Nesse caso, sem o problema de sincronia dos relógios, o parâmetro fica muito mais simples de ser obtido. Algumas considerações devem ser feitas, por exemplo, a precisão mínima de leitura do relógio no sistema operacional. O atraso sofrido pelos pacotes na ida pode ser completamente distinto do retardo durante o retorno, e a existência dessa diferença não pode ser estimada por meio dessa medida. Ferramentas, como PING, estão disponíveis para estimar essa métrica.

## ➢ Variação de atraso (*jitter*)

O *jitter* é o intervalo entre a chegada de dois pacotes consecutivos em relação ao intervalo de sua transmissão. Diferente do atraso fim-a-fim, se os instantes de envio forem conhecidos ou o intervalo entre eles for constante, essa métrica não possui problemas para ser estimada entre máquinas com relógios não-sincronizados.

A variação do atraso ou *jitter* (*Instantaneous Packet Delay Variation*) é formalmente definida pelo grupo de trabalho do IPPM (*IP Performance Metrics*) pelo *Draft* "*Instantaneous Packet Delay Variation Metric for IPPM*". Ele é baseado na medição do atraso fim-a-fim e é definido para pares consecutivos de pacotes. A medição de um único *jitter* requer dois pacotes. Supondo que Di seja o atraso do i-ésimo pacote, então o *jitter* do par de pacotes é definido com Di – D(i–1). A Figura 3.21 dá uma noção visual desse conceito. O *jitter* é percebido, por exemplo, quando fluxos de voz ou vídeo são transmitidos em uma rede e os pacotes não chegam ao seu destino dentro da ordem sucessiva ou em uma determinada cadência, ou seja, eles variam em termos de tempo de atraso. Essa distorção é particularmente prejudicial ao tráfego multimídia, fazendo com que o sinal de áudio ou vídeo tenha uma qualidade distorcida ou fragmentada na recepção.

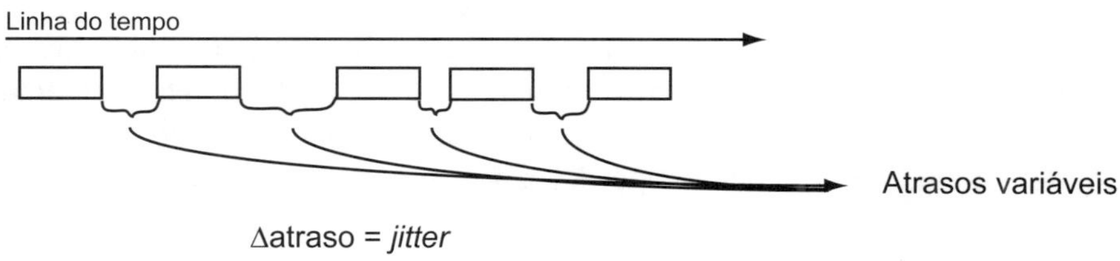


Figura 3.21 Variação de atraso (*jitter*)

## ➢ Perda de pacotes

A sensibilidade das aplicações em relação ao número de pacotes perdidos motiva o estudo dessa métrica. Obviamente, todas as aplicações são sensíveis à perda de pacotes. Estes são recuperados via retransmissão. Entretanto, aplicações como as de transmissão de vídeo e voz em tempo real não permitem que haja retransmissão, tornando essas aplicações particularmente sensíveis a perdas. Portanto, é importante conhecer as características de perda e estudar o desempenho dos algoritmos de recuperação de pacotes. Dependendo do processo de perda presente na rede, mecanismos como a redução na qualidade do vídeo ou algoritmos de recuperação de perdas podem ser aplicados para melhorar a qualidade do serviço. A escolha dos mecanismos de recuperação depende do processo de perda na rede. Esse processo pode ser estimado com base no número total de pacotes perdidos dividido pelo total de pacotes enviados. Essa métrica pode ser estimada a partir de várias ferramentas de medição intrusiva. Porém, não só a média, mas também outros detalhes sobre o processo de perda devem ser levados em consideração, como o impacto nas aplicações quando perdas ocorrem em rajadas, quando ocorrem distribuídas ao longo da coleta e a distribuição do número de pacotes entregues corretamente em seqüência ao destino, entre duas rajadas de perda, são também importantes.

A taxa percentual de perdas de pacotes é calculada da seguinte forma:

$$\text{Taxa de perdas} = \frac{\text{Número de pacotes perdidos}}{\text{Número total de pacotes recebidos}} \times 100$$

## ➢ Largura de banda e vazão

Largura de banda é uma medida de capacidade de transmissão de dados, normalmente expressa em kilobits por segundo (*kbps*) ou megabits por segundo (*Mbps*). A largura de banda indica a capacidade máxima de transmissão teórica de uma conexão.

Entretanto, na medida em que a taxa de transmissão utilizada se aproxima da largura de banda teórica máxima, fatores negativos como atraso na transmissão das informações podem causar deterioração na qualidade. A largura de banda de uma rede pode ser vista como um tubo que transfere dados. Quanto maior o diâmetro do tubo, mais dados podem ser enviados através dele simultaneamente. A vazão é o montante de tráfego de dados movidos de um nó da rede para outro em um determinado período de tempo. A vazão também é expressa em kbps ou Mbps.

## ➢ Ferramentas de medição

São várias as ferramentas de medição disponíveis em domínio público. A ferramenta Traceroute usa pacotes ICMP para medir o atraso de ida e volta e o caminho percorrido pelos pacotes. Pacotes ICMP são usados também pelas ferramentas Ping e Bing para estimar o atraso de ida e volta e a fração de perda de pacotes.

As ferramentas Pchar e Pathchar usam, além de pacotes ICMP, pacotes UDP para estimar a capacidade de transmissão dos enlaces ao longo do caminho, vazão, atraso de ida e volta e fração de perda. Para isso, pacotes de tamanhos variados são gerados pelas ferramentas. A ferramenta Clink usa a mesma técnica para estimar a capacidade de transmissão dos enlaces ao longo do caminho e o atraso de ida e volta.

O conjunto de ferramentas Bprobe, Cprobe e Sprobe usa o conceito de pares de pacotes para calcular suas métricas. As ferramentas Bprobe e Cprobe usam pacotes ICMP para calcular a capacidade de transmissão do enlace no gargalo e a utilização, respectivamente, enquanto que a ferramenta Sprobe usa pacotes UDP para estimar a capacidade de transmissão do gargalo. O método de pares de pacotes é também usado pelas ferramentas Netest e Nettimer para estimar a capacidade de transmissão do gargalo. O Netest estima ainda a capacidade disponível, atraso de ida e volta, e fração de perda.

A variação do método de pares de pacotes, o trem de pacotes, é usado pelas ferramentas Pathrate e Pipechar para estimar a capacidade de transmissão de gargalo. O Pipechar também estima a capacidade disponível, atraso de ida e volta e fração de perda.

A ferramenta Treno usa pacotes UDP e ICMP para simular o funcionamento do TCP e estimar métricas como: capacidade de transmissão de gargalo e capacidade disponível.

A ferramenta Iperf faz uso de pacotes UDP e TCP para estimar as métricas *jitter*, fração de perda e capacidade disponível.

A feramenta MGEN (*Multi-GENerator*) pelos módulos mgen para a geração de tráfego, drec para a recepção do tráfego na estação remota e o mcalc para geração das informações a partir do arquivo de saída gerado pelo drec. Esta ferramenta permite a geração controlada de tráfego UDP, sendo possível a geração de um ou mais fluxos unicast ou multicast com a taxa de bits desejada. A ferramenta permite também controlar o tempo do experimento e a variação do tamanho do pacote UDP utilizado. Em conjunto com TRPR (*Tcpdump Rate Plot Real-time*) ela pode ser empregada para a medição do atraso, da variação do atraso e da taxa de perda de pacotes.

Algumas ferramentas exigem equipamentos específicos para fazer as estimativas corretamente. Uma delas é a MGEN, que para estimar o atraso dos pacotes em um sentido requer o uso de equipamentos para sincronização dos relógios (*NTP – Network Time Protocol*). Esta ferramenta ainda estima a fração de perda dos pacotes experimentada na medição, a vazão e o *jitter* quando utilizada em conjunto com outras ferramentas como a TRPR.

### *3.5.2 Serviço integrado*

O serviço integrado (*IntServ – Integrated Service*) é um mecanismo para prover qualidade de serviço proposto pelo IETF e tem como principal característica a reserva de recursos através da rede. A idéia é ter os recursos, como a taxa de transmissão, sendo gerenciados por uma entidade para atender aos requisitos da aplicação relativos ao tráfego. O controle de admissão e a reserva de recursos são os principais conceitos desse serviço. Em adição ao serviço de melhor esforço (*BE – Best-Effort service*), a arquitetura de serviço integrado propõe duas outras classes: o serviço garantido e o serviço à carga controlada.

No caso do serviço de melhor esforço, a rede fará a entrega dos pacotes ao destino da melhor forma possível, mas sem garantia de serviço e reserva de recursos. O encaminhamento dos pacotes é igual para todas as aplicações sejam elas de alta prioridade ou não. Isso significa que todas as aplicações recebem o mesmo tipo de serviço por meio de enfileiramento FIFO (*First-In First-Out*), sem discriminação.

O serviço garantido é orientado a aplicações sensíveis ao atraso. O serviço é garantido porque parte da taxa de transmissão é reservada, entre outros recursos. Desse modo, garante-se que o atraso entre os nós da rede seja mínimo, sem perda de pacotes para uma transmissão fim-a-fim.

O serviço à carga controlada de certa forma enquadra-se entre o de melhor esforço e o de serviço garantido. Ele é mais eficiente em comparação ao de melhor esforço, mas não consegue prover os parâmetros que garantem uma alocação estrita dos recursos disponíveis para a perfeita transmissão da aplicação, como no serviço garantido. O serviço à carga controlada é orientado a aplicações que requerem atrasos do tipo probabilístico em cada nó da rede. Infelizmente, quando a rede se torna congestionada, ele se aproxima do serviço de melhor esforço.

Para que a aplicação possa anunciar o seu requerimento de QoS através dos nós da rede, um mecanismo de sinalização é requerido. O grupo IntServ do IETF recomenda o RSVP (*Resource Reservation Protocol*) como o protocolo de sinalização para a reserva de recursos do IntServ na rede Internet. A função principal do RSVP é ativar o pedido de reserva de recursos em roteadores da rede entre dois usuários, a fim de prover o pedido de QoS para as aplicações. Para isso, é necessário que todos os elementos da rede tenham o protocolo RSVP implementado, o que possibilita a sinalização efetiva e garantida durante o pedido de alocação dos recursos e posterior transmissão dos dados fim-a-fim.

O funcionamento da sinalização RSVP é descrito da seguinte maneira (Figura 3.22): o usuário de origem determina a taxa de transmissão, o atraso e o *jitter* para o tráfego a ser encaminhado. O protocolo RSVP envia uma mensagem PATH (que deixa um estado *path state* em cada nó onde for passar) do endereço de origem para o endereço de destino, contendo uma especificação de tráfego (*TSpec*) que caracteriza o tipo de informação que o usuário for gerar. O TSpec é usado pelos nós intermediários (roteadores ou *switchers*), no caminho entre origem e destino, a fim de saber quais recursos são necessários para a informação do usuário. Cada roteador tendo o protocolo RSVP ativado estabelece um estado de caminho, que inclui o endereço prévio de origem da mensagem PATH.

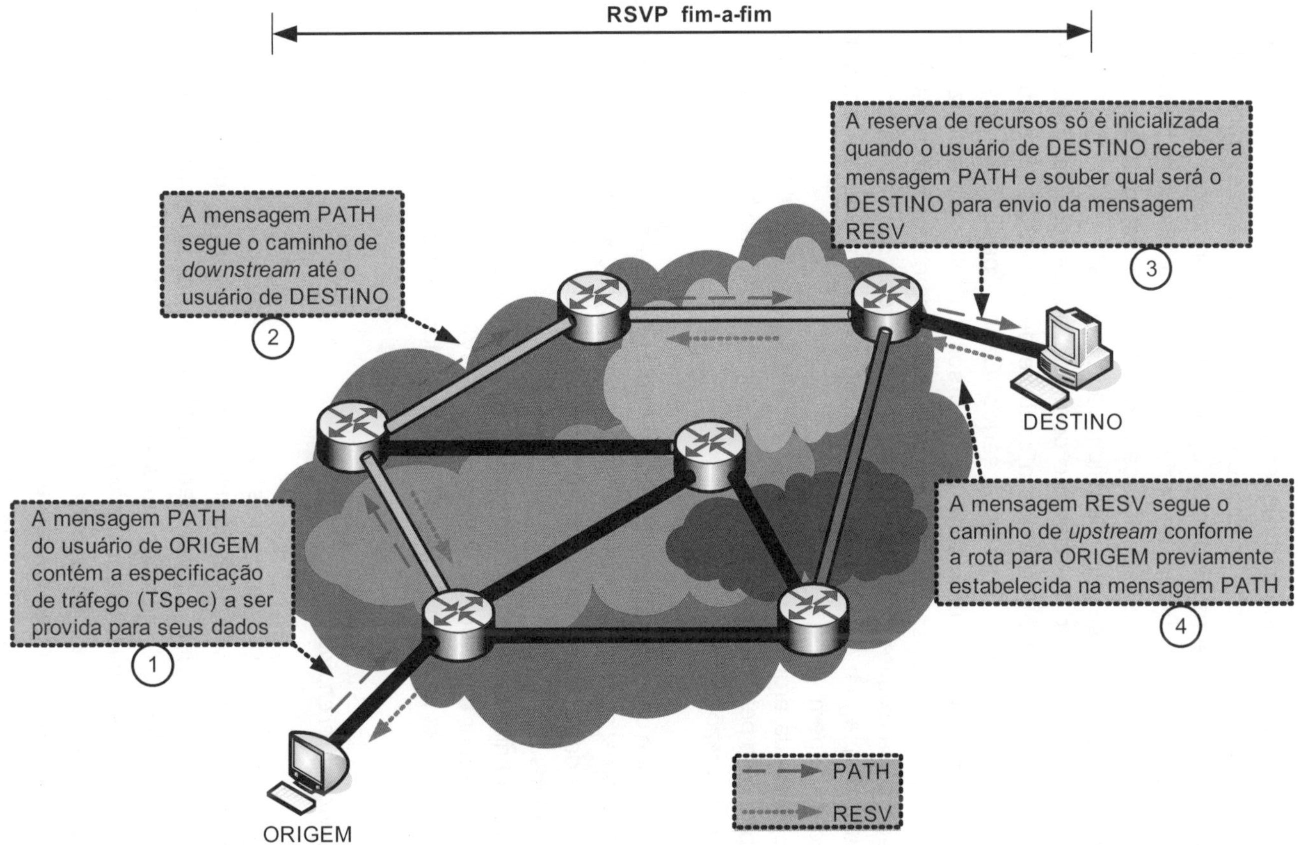


Figura 3.22 Sinalização do RSVP

Para se fazer reserva de alocação de recursos, os roteadores enviam a mensagem RESV, que contém uma especificação de requerimento (*RSpec*), em sentido contrário ao da rota de transmissão, ou seja, para o roteador anterior a ele, que depois fará o mesmo até chegar ao endereço de origem. Essa mensagem indica o tipo de serviço integrado requerido, que pode ser de carga controlada ou garantida, e a especificação do filtro que caracteriza os pacotes para os quais a reserva de recursos tenha sido feita, como o tipo de protocolo de transporte usado pela aplicação e o número da porta em que deverá receber e transmitir os dados. Juntos, o RSpec e a especificação do filtro representam a descrição de fluxo que cada roteador usa para identificar cada reserva.

Quando cada roteador no caminho contrário ao da rota de transmissão receber a mensagem RESV, ele usa o controle de admissão para autenticar o pedido e alocar os recursos necessários. Caso o pedido não possa ser disponibilizado, devido a uma falta de recursos ou falha na autorização, o roteador envia uma mensagem de erro de volta ao roteador que encaminhou a mensagem. Se existirem recursos disponíveis no roteador, o mesmo enviará uma outra mensagem RESV para o roteador anterior a ele, até chegar ao endereço de origem.

O problema da arquitetura IntServ/RSVP é a sua escalabilidade, ou seja, o modelo proposto pelo grupo IntServ do IETF não funciona tão bem no núcleo da Internet, pelas razões a seguir.

- Um grande cabeçalho no armazenamento e processamento é alocado nos roteadores, sendo que o nível de estado de informação de sinalização para reserva de recursos aumenta proporcionalmente com o número de fluxos de dados.
- Os requerimentos nos roteadores são altos, ou seja, cada roteador tem de implementar o protocolo de sinalização RSVP, o controle de admissão, a classificação multicampo (ou MF) e o agendamento do pacote.

### *3.5.3 Serviço diferenciado*

Em virtude das dificuldades encontradas em se implementar a arquitetura IntServ/RSVP, outro mecanismo para prover a QoS, conhecido como serviço diferenciado (*DiffServ*), foi proposto pelo IETF. O objetivo do DiffServ é oferecer um serviço escalável discriminatório sem a necessidade de se implementar um estado de reserva de recursos por fluxo de dados e uma sinalização a cada nó intermediário ou roteador da rede. A arquitetura DiffServ atinge o seu escalonamento definindo um pequeno número de encaminhamento para o tratamento de diferentes pacotes a cada salto na rede.

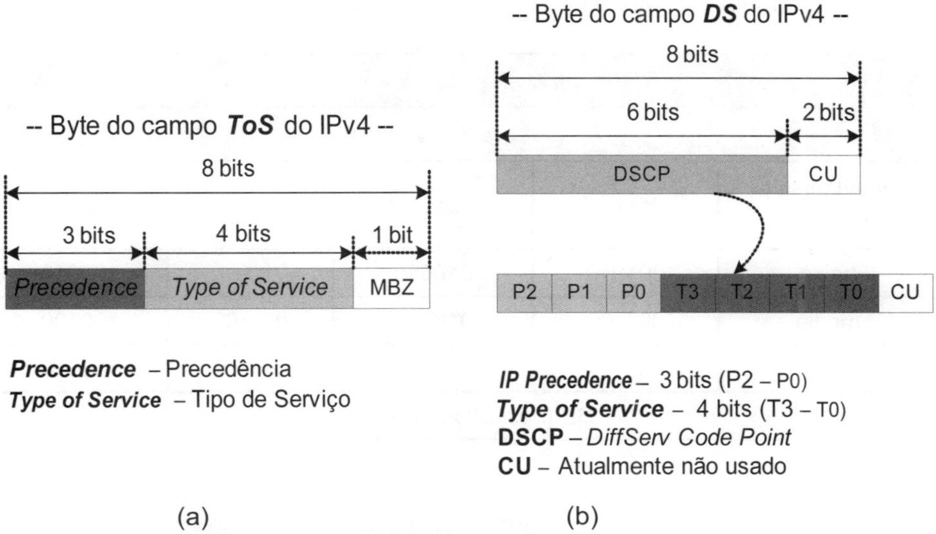


Figura 3.23 Campo ToS no cabeçalho do IPv4

O protocolo IP possui um campo denominado ToS (*Type of Service*) que possibilita a escolha de alguns serviços como minimizar custos, maximizar vazão, entre outros, formando o início de uma qualidade de serviço para certos tipos de dados. O DiffServ faz uso do campo ToS do cabeçalho do IPv4, ou campo DS usado na nomenclatura DiffServ (Figura 3.23). Esse campo corresponde ao octeto da classe de tráfego (*TC – Traffic Class*) no cabeçalho IPv6. Cada pacote recebe um encaminhamento particular com base na sua marcação no campo ToS, agora denominado DSCP (*DiffServ Code Point*) (Tabela 3.2). O pacote que receber determinada marcação sempre terá o serviço provido por essa marcação. Visto que não há mais existência de um estado de reserva de recursos por sinalização RSVP, cada roteador no centro do núcleo só conhece o valor da marcação do pacote a ele encaminhado. O estado por fluxo é mantido somente nos roteadores de borda e os fluxos de dados são agregados em função do comportamento desejado para a aplicação. Marcando o campo DS de cada aplicação de forma diferente e manipulando os pacotes com base nesses campos, vários serviços diferenciados podem ser criados. O grupo DiffServ do IETF definiu duas classes para suportar os diversos modelos de aplicativos na Internet: serviço premium (EF – *Expedited Forwarding*) e serviço assegurado (AF – *Assured Forwarding*).

O serviço premium foi implementado para suprir a demanda dos novos serviços de aplicações comerciais que possam compartilhar os recursos da Internet com o serviço de melhor esforço. Esse serviço emula o serviço tradicional da linha telefônica pública fazendo que o tráfego por ele entregue não sofra atraso nem probabilidade de perda de pacotes em um determinado período do dia. Ele é mais orientado para aplicações que requerem baixo atraso e *jitter*.

Tabela 3.2 Valores do campo DSCP aplicados nos PHBs

| **EF (*expedited forwarding*): 101110** | | | | |
|---|---|---|---|---|
| **AF (*assured forwarding*)** | | | | |
| precedência de descarte | classe 1 | classe 2 | classe 3 | classe 4 |
| baixa | 001010 | 010010 | 011010 | 100010 |
| média | 001100 | 010100 | 011100 | 100100 |
| alta | 001110 | 010110 | 011110 | 100110 |
| BE (*best effort*): 000000 | | | | |

O modelo de serviço assegurado emula uma rede ligeiramente carregada mesmo na presença de congestionamento. Ele tenta oferecer um serviço que não pode garantir uma boa taxa de transmissão, mas provê uma alta probabilidade de que os pacotes serão transmitidos de acordo com a sua classificação de descarte e precedência. É mais direcionado a aplicações que requerem maior confiabilidade e objetiva agrupar os fluxos de tráfego semelhantes e não-individuais, como no modelo IntServ, em uma variedade de classes.

Os modelos são reconhecidos por terem uma boa escalabilidade, tornando possível o tratamento de uma grande quantidade de fluxo e assegurando uma boa granularidade nos pontos de rede em que estiver implementado. A Tabela 3.2 mostra os níveis de classificação dos dois modelos EF e AF. A forma de encaminhamento dos pacotes no modelo EF ou AF é conhecida como *per hop behavior* (PHB), e com ele é possível ter conhecimento dos pacotes pertencentes a uma mesma classe de serviço.

Como pode ser visto na Tabela 3.2, quatro classes de serviço predominam no modelo AF. Cada classe é seguida por uma precedência de descarte nos *buffers* dos roteadores e taxa de transmissão de acordo com o contrato do ISP ou política de QoS. Existem 3 níveis de precedência de descarte denotados de acordo com a nomenclatura $AF_{ny}$, em que *n* é a classe do modelo AF e *y* o nível de descarte. A título de exemplo, $AF_{13} \geq AF_{12} \geq AF_{11}$ define que a classe $AF_{13}$, em que 1 é a classe com nível de descarte 3, tem maior precedência de descarte sobre as classes $AF_{12}$ e $AF_{11}$. Seguindo o mesmo raciocínio, a classe $AF_{12}$ tem maior precedência de descarte sobre $AF_{11}$.

### *3.5.4 Contrato de serviço*

Os protocolos de QoS do IETF provêm os mecanismos para diferenciar o tráfego fluindo na rede. O SLA (*Service Level Agreement*) é usado nos nós de borda de uma rede Internet para se ter e manter determinado contrato de serviço bilateral entre cliente e provedor de serviço ou ISP (*Internet Service Provider*) (Figura 3.24). O mesmo acontece com o contrato de serviço entre ISPs, os quais, por sua vez, devem garantir que as aplicações do núcleo vizinho possam ter seus recursos garantidos. Para isso, o SLA especifica, entre outras coisas, a *performance* a ser provida na rede com relação à disponibilidade e tempo de resposta. Então, o usuário tem como compromisso a geração de fluxo de dados com as características previamente estabelecidas no contrato de serviço e o ISP terá de garantir que sua rede estará sempre pronta para prover os recursos exigidos no contrato.

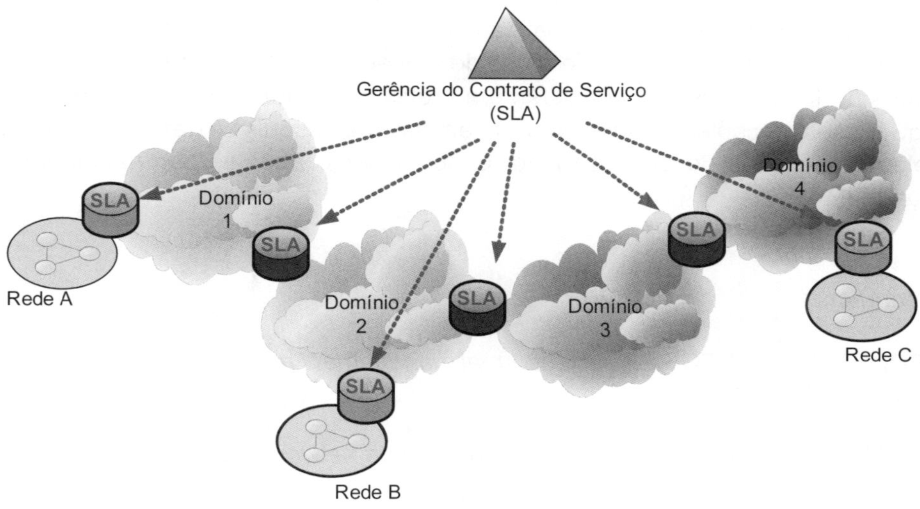


Figura 3.24 Rede SLA

Os SLAs são normalmente *softwares* de características estáticas configuradas, em função de acordo com o cliente, por um administrador de rede do ISP. Essas configurações serão enviadas via sinalização (tipo RSVP, por exemplo) para os roteadores de borda do ISP que aplicarão as devidas medidas no tráfego através de suas interfaces de redes. Sistemas de SLAs estão sendo estudados para melhorar a flexibilidade e o tempo de resposta dos recursos disponíveis na rede em determinado momento do dia.

## 3.6 Conclusão

Na arquitetura de redes convergentes existe uma diferenciação na camada de transporte entre o nível de transmissão e o nível de comutação. A comutação de circuitos é largamente utilizada em circuitos de voz, com uma grande infra-estrutura instalada atendendo perfeitamente os requisitos de qualidade exigidos para tal aplicação.

A multiplexação por divisão de tempo (TDM) apóia-se em uma rede de transmissão síncrona com a tecnologia SDH que utiliza a fibra óptica como meio físico de transporte, o que possibilitou a introdução de novos equipamentos, redução de custos e o desenvolvimento de novas aplicações.

A comutação de pacotes utilizada para transmissão de dados apóia-se na multiplexação estatística, possibilitando um melhor aproveitamento da largura de banda. Exemplos de tecnologias que usam esse tipo de comutação são: ATM, *Frame-Relay* e TCP/IP.

No processo de convergência, pressupõe-se que existirá uma rede única onde a filosofia a pacotes será preponderante para as aplicações multimídias (voz, dados, vídeo). Para garantir a qualidade de serviço até então obtida nas redes de voz, faz-se então necessário o uso de mecanismos de encaminhamento de dados de forma eficiente, consistente e previsível, o que define o conceito de QoS. Esses mecanismos se encontram em fase de pesquisa e desenvolvimento pelos organismos de padronização, principalmente aqueles pertencentes ao mundo IP.

## Referências

BERNET, Y. et al. *RFC 3290 – An informal management model for diffserv routers*. IETF, May 2002.

BERTSEKAS, Dimitri; GALLAGER, Robert. *Data networks*. 2. ed. Prentice-Hall, 1992.

BLAKE, S. et al. *RFC 2475 – An Architecture for Differentiated Service,* IETF, Dec. 1998

BRADEN, R. et al. *RFC 2205 – Resource ReSerVation Protocol (RSVP) – Version 1 Functional Specification*. IETF, Sept. 1997.

COMER, Douglas. *Computer networks and internets*. 3. ed. Prentice-Hall, 2001.

MILLS, David L. *RFC 1305 – Network Time Protocol (Version 3) Specification, Implementation*. IETF, Mar. 1992.

NAVAL RESEARCH LABORATORY (NRL). *The Multi-Generator (MGEN) Toolset*. Disponível em: <http://manimac.itd.nrl.navy.mil/MGEN/>.

NICHOLS et al. *RFC 2474 – Definition of the differentiated services field (DS Field) in the IPv4 and IPv6 Headers*. IETF, Dec. 1998.

STALLINGS, William. *Data and computer communications*. 7. ed. Pearson Education, Pearson Prentice-Hall, 2004.

STEVENS, W. *RFC 2001 – TCP slow start, congestion avoidance, fast retransmit, and fast recovery algorithms.* IETF, Jan. 1997.

TANEMBAUM, Andrew. *Computer networks*, 4. ed. Pearson Education, Pearson Prentice-Hall, 2003.

TRPR USER GUIDE. Disponível em: <http://proteantools.pf.itd.nrl.navy.mil/trpr.html>.

# 4

# Evolução das redes de pacotes

## 4.1 Introdução

A comutação IP – uma comutação de pacotes no modo datagrama – está se tornando a técnica universal para a interconexão de diferentes redes. Aplica-se não só à interconexão de redes, mas também como técnica de comutação de pacotes de início ao fim de uma comunicação.

A tecnologia por pacotes tornou-se popular entre os mais variados perfis de usuários vindos da comunicação por voz, abrangendo tanto os domésticos como os chamados SOHO (*Small Office Home Office*), ou seja, pequenas empresas comerciais. Há propostas de tecnologias de acesso que vão intensificar em poucos anos a demanda desse mercado com propriedades *wireless*, tais como o WiMax.

Outros segmentos, como grandes corporações e instituições financeiras, exigem altas taxas de transmissão de dados com transações diárias de grandes volumes de informação em intervalos de tempo esporádicos. Para esse fim, encontram na tecnologia a pacotes uma melhor adaptação ao seu perfil no quesito utilização de recurso. Daí surgiram as pesquisa das redes SAN (*Storage Area Network*).

Em um passado recente, em que o setor de telecomunicações crescia em ritmo acelerado, as interconexões entre as redes regionais foram supervalorizadas. O fato é que hoje há grande quantidade de fibras excedentes nas redes nacionais. Até a eclosão da "bolha" das telecomunicações, em 2000, foi prevista por vários analistas a total substituição da rede de transporte metropolitano por outras tecnologias.

Constata-se hoje que o sonho revolucionário tornou-se uma realidade evolucionária. Por conseguinte, grupos ligados ao desenvolvimento do SDH investiram na sua atualização e na consolidação de novas arquiteturas de adaptação de dados, permitindo uma sobrevida, por um tempo difícil de se determinar, da hierarquia digital síncrona.

Embora o roteamento IP seja bastante utilizado na camada de rede, os nós de comutação, cada vez mais, se estabelecem sobre uma comutação de nível 2, que se mostra mais eficaz. Para isso, são utilizados protocolos ATM ou *Frame Relay*. A comutação MPLS (*Multiprotocol Label Switching*) tem reforçado essa tendência. Essa técnica tem, entre outras vantagens, a capacidade de criar circuitos virtuais para controlar o roteamento do tráfego, o que diminui o tempo de encaminhamento de pacotes, pois não utiliza os procedimentos padrão do roteamento IP nível 3 com a atualização das tabelas de roteamento, cálculo de métricas, descobrimento de rede, etc.

Houve uma generalização da comutação de pacotes no modo circuito virtual, entre os quais ATM, *Frame Relay* e MPLS, e uma diminuição da comutação de pacotes no modo datagrama ou comutação IP. De fato, se a comutação de pacotes no modo datagrama é necessária para a interconexão de redes, em uma rede de longa distância a comutação no modo circuito virtual é mais rápida, oferecendo qualidade de serviço na rede e mais flexibilidade no gerenciamento dos acordos de serviço, como para criar uma VPN (*Virtual Private Network*), por exemplo. As restrições com relação à gerência de roteamento de tráfego e banda ocupada são analisadas com a engenharia do tráfego.

Os tipos de nós de comutação (*switch*) usados normalmente nas redes de longa distância são: ATM ou *Frame Relay*; IP (conhecido como roteador, por não possuir matriz de comutação); e MPLS (Figura 4.1). O uso da rede Ethernet, até então reservada para redes locais, é cada vez maior nas WANs. O roteamento de tráfego no nível 3 (IP) é substituído por outro no nível 2 (Ethernet). Essa técnica tem a vantagem de fazer a rede WAN transparente, permitindo implementação de VPN e diminuindo o tempo de latência, com um custo de implantação menor, haja vista a maturidade dos produtos Ethernet.

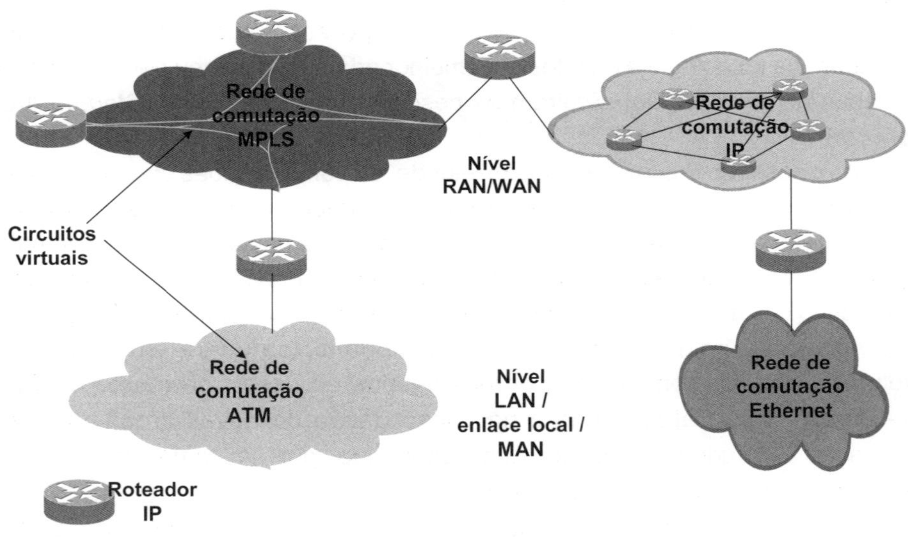


Figura 4.1 Exemplos de comutação dentro de uma rede de dados

## 4.2 Evolução do SDH para o transporte de dados

O avanço da tecnologia de pacotes, entre elas o TCP/IP, promoveu uma demanda crescente por dados nas redes de transporte. A comunicação por pacotes possui características diferentes do tráfego de voz nas redes TDM. Na rede de dados, o tráfego ocorre em rajada, ou seja, a taxa de bits tem variações abruptas e a utilização do canal apresenta comportamento estatístico; o tamanho do quadro (pacote ou segmento) é variável; além disso, como os pacotes trafegam por um meio compartilhado, é desejável estabelecer critérios para gerenciamento de tráfego e níveis de qualidade de serviço.

No que se refere aos serviços, redes LANs precisam ser interconectadas. Uma opção é a criação de redes virtuais privadas através das redes metropolitanas e nacionais.

Grandes corporações e instituições financeiras utilizam cada vez mais as SANs (*Storage Area Network*), que são, em boa parte, sistemas de *back-up* de grande capacidade e recuperação de informação em caso de desastres. As SANs têm como clientes governos, bancos, companhias de seguro, operadoras de TV a cabo que procuram meios mais eficientes de armazenar e transmitir sua programação (vídeos), entre outros, e são caracterizadas por operações totalmente sem papel.

Ao se pensar em redes de transporte que atendam a essas características, o SDH deve procurar, em vista de melhor transmitir pacotes e, assim, permitir novos serviços, o que há de melhor nas redes a pacote que lhes concederam o sucesso hoje alcançado. Um grande desafio é operacionalizar os recursos das redes das operadoras de telecomunicação, em função do seu tamanho e da dificuldade de manejo desses recursos. Em decorrência de contratos de curto prazo e da competição, observa-se uma situação de mudanças constantes nas conexões dos elementos de rede.

Atualmente, existe um futuro incerto na escolha de qual tecnologia de rede de transporte vai prevalecer no sentido de melhorar a sua utilização. Provedores que visam a otimizar seus ganhos de produtividade procuram o máximo de renovação das redes SDH existentes. Porém, no compromisso preço a se pagar versus retorno, querem a evolução das redes ao invés de revoluções incertas a altos custos. A verdade é que, bem ou mal, a base instalada de centrais de comutação demandou investimentos pesados. E isso, em uma economia reprimida, coloca em discussão a conveniência de dispender novos e volumosos recursos em uma tecnologia cara, imatura e pouco confiável.

Assim, surge o desafio de como garantir que os investimentos feitos pelas operadoras na implementação de complexos anéis SDH sejam aproveitados, significando economia para as empresas e, conseqüentemente, maior acesso à tecnologia para seus usuários na hora de repassar os custos às tarifas dos serviços.

### *4.2.1 Limitações do SDH*

A complexidade das grandes redes de transporte construídas sobre a plataforma SDH requer esforços que podem levar dias para a implementação de serviços que implicam mudanças de configuração recorrentes. Como conseqüência, os requisitos impostos pelos serviços emergentes vislumbrados não são atendidos.

O SDH utiliza VC (*Virtual Containers*) para acomodar sinais de baixa velocidade que têm sido definidos em 5 tamanhos: VC-11, VC-12, VC-2, VC-3 e VC-4, projetados para levar 1,5 Mbps, 2 Mbps, 6 Mbps, 45 Mbps e 140 Mbps respectivamente. No caso do fornecimento de recurso de banda para os serviços com altas taxas de transmissão, requerem reserva de blocos contíguos de VC-4. É trabalhoso planejar a inserção de novos serviços em um conjunto de VC contínuos. Uma outra conseqüência é a formação de uma rede com enorme segmentação, ou seja, a existência de canais VCs fragmentados por toda rede SDH.

É importante considerar a hipótese de VCs entre elementos de rede serem adicionados ou removidos acidentalmente, em virtude da complexidade da rede e do imprevisível comportamento das demandas vindas dos usuários

É difícil rotear serviços que necessitam de grandes bandas em uma rede fragmentada. Essa situação pode ser comparada a um queijo suíço. Existe uma quantidade enorme de buracos que podem ser preenchidos, mas eles provavelmente não seguem um caminho e não possuem tamanhos constantes. Assim, está constituída uma rede fragmentada e ineficiente, com gargalos de banda em alguns lugares e superdimensionamento em outros. O sistema fica exaurido bem antes dos 100% de VC possíveis estarem trafegando na rede.

Uma solução pode ser a adição de um caro sistema de redes em camadas sobre diversos comprimentos de onda, porém, mais uma vez, os prestadores de serviços devem analisar com cuidado o problema econômico envolvido nesse tipo de solução.

Quanto à adaptação das taxas dos serviços aos contêineres virtuais do SDH, seguem alguns exemplos. Os protocolos Ethernet são baseados em múltiplos de 10: 10 Mbps, 100 Mbps, 1 Gbps, 10 Gbps. Protocolos de armazenamento como o Fiber Channel têm como formato 100 Mbps, 50 Mbps, 4 Mbps. Contudo, o SDH foi desenvolvido para atender interfaces de 2,048 Mbps, 45 Mbps etc. Portanto, cria-se um descasamento entre os dados a serem transportados e o canal disponível.

Adaptar dados aos contêineres da plataforma SDH é uma realidade. A esta técnica deu-se o nome de POS (*Packet Over* SDH). Existe uma grande diversidade de protocolos de adaptação para diversos tipos de dados: RFC 2823, RFC 1662, entre outros. A utilização de POS impõe perda de eficiência considerável no transporte de dados. As interfaces POS são uma opção mais cara pela necessidade de aquisição de equipamentos de adaptação para diversos padrões (Ethernet, IP, Ficon, etc.).

POS são difíceis de serem roteados na camada de transporte. Em redes WDM, necessitam de comprimento de onda inteiro de 2,5 Gbps ou de 10 Gbps com VCs concatenados no tempo. Por exemplo, um roteador POS de 2,5 Gbps mapeia os dados a serem transmitidos em um VC-4-16c, ou seja, blocos de 16 VC-4s contíguos.

É interessante observar esse procedimento em termos de eficiência no "enquadramento" da informação ao formato TDM a ser inserido no contêiner

SDH. Considere o caso das células ATM, Figura 4.2, no qual a transmissão de um quadro Ethernet que possui 1.500 *bytes* (o tamanho do quadro Ethernet é variável, sendo o máximo permitido igual a 1.500 *bytes*). Esse quadro passa primeiramente por uma camada intermediária: o AAL5 (ATM *Adaption Layer Number* 5), que automaticamente aumenta para 1.536 *bytes* a quantidade de informação que deverá adaptar-se ao ATM. Este separa os 1.536 *bytes* em 32 células (contendo 48 de informação de camadas superiores e 5 de cabeçalho para cada célula), o que totaliza 1.696 *bytes* e um *overhead* correspondente a 11,3% do total de bits que são inseridos no contêiner.

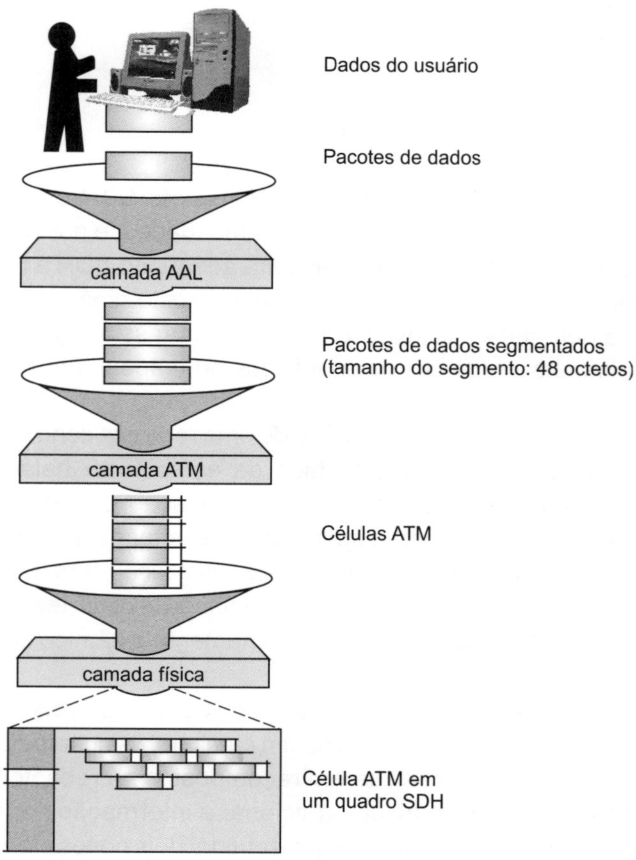


Figura 4.2 A camada física, a camada ATM e a camada AAL

Outro método POS é o HDLC (*high level data link control*). Trata-se de um protocolo ISO que especifica um método de encapsulamento de dados em formato serial síncrono, por meio de composição de quadros e inserção de bits de verificação. No HDLC, a quantidade de bits que formam o cabeçalho varia. O HDLC usa algoritmo de bit *stuffing*, que consiste na inserção de *flags* (bit especial 0×7E) para delimitação de pacotes. É necessário um tratamento especial quando existe, no dado, um valor igual à *flag*, acarretando dependência quanto ao dado que será encapsulado para a determinação de quanto o cabeçalho representa do total de bits que ingressarão no contêiner. Os casos extremos representam 1% e 50% de cabeçalho em relação à carga efetiva. O não conhecimento prévio do tamanho do cabeçalho, que, nos casos extremos, chega a ser 50% do total a ingressar no contêiner, causa dificuldade ao se tentar implementar um sistema de gerenciamento de tráfego.

A solução POS resolve o problema de transportar dados em uma rede originalmente projetada para voz, que cada vez mais é demandada para esse transporte de forma eficiente, transparente e confiável, contemplando as novas demandas de serviços.

### *4.2.2 Funcionalidades adicionadas ao SDH*

A partir da observação de uma rede de transporte SDH e das informações sobre as características dos novos serviços demandados, é possível imaginar as alterações que devem ser implementadas para adequar o SDH à nova realidade: tráfego de informação por mais de um caminho; ajuste dinâmico dos caminhos para atender às demandas variáveis dos usuários, ou seja, ação de engenharia de tráfego; e diminuição dos custos envolvidos no mapeamento dos dados nos contêineres SDH.

A utilização de diversos caminhos dentro de uma rede cria condições vantajosas para os operadores, como a possibilidade de estabelecer balanceamento de carga e, conseqüentemente, a eficiência na utilização de recursos de banda disponíveis. Para avaliar a banda disponível em sua totalidade, é preciso haver um elemento de rede capaz de enviar e receber sinalização contendo informações precisas e atualizadas das condições dos enlaces existentes na rede. Esse procedimento é caracterizado como dimensionamento dinâmico dos recursos de banda disponíveis.

Então, se existem vários enlaces de comunicação possíveis, com partes da mesma informação trafegando por mais de um caminho, os quadros STM-N devem ser divididos no transmissor para serem recompostos no receptor. No entanto, o SDH convencional não é capaz de particionar a informação por quadros para trafegarem por caminhos diferentes. Nesse sentido, dois novos elementos devem ser incorporados na rede SDH, um no transmissor, para gerenciar a criação de contêineres que carregam informações da mesma fonte e percorrem caminhos distintos, outro no receptor, para reunir e ordenar toda a informação recebida. Como os pacotes de informação percorrem caminhos diferentes, existem atrasos diferentes. Para solucionar esse problema, o elemento incorporado ao receptor é provido de um *buffer* que armazena os pacotes por um intervalo de tempo, permitindo a ordenação correta.

O processo de mapeamento da informação aos contêineres virtuais do SDH impõe a inserção de cabeçalho. Na rede legada, a tarefa de adaptar dado ao contêiner é feita pelo método POS, descrito anteriormente, que se mostra ineficiente e caro quando a rede suporta uma grande variedade de protocolos (ATM, HDLC, etc.). É conveniente criar um procedimento mais eficiente que seja único na tarefa de adaptar uma grande variedade de tipo de dados, sejam estes de tamanhos fixos ou variáveis, síncronos ou assíncronos.

Na estrutura de transporte, esse procedimento se retrata pelo mapeamento de qualquer tipo de dado, ATM ou IP, diretamente sobre o SDH. Esses novos atributos impostos ao SDH deram origem ao que se convencionou chamar de Next SDH (NSDH), conforme ilustra a Figura 4.3.

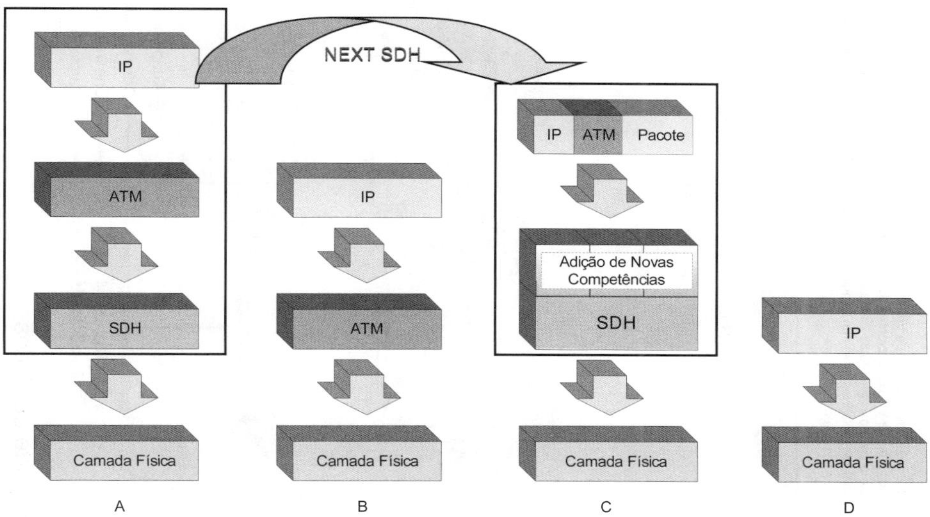


Figura 4.3 A concepção do Next SDH

A adição das capacidades desejadas para a plataforma SDH leva à montagem da Figura 4.4, na qual se observam as atualizações necessárias em um sistema que utiliza recursos da rede SDH legada. Os protocolos que implementam essas novas atribuições ao SDH são:

- GFP (*General Framing Procedure*). Permite que a informação vinda de qualquer serviço seja adaptada diretamente ao contêiner virtual do SDH (IP sobre SDH, Ficon sobre SDH, etc).
- Concatenação virtual (VC). Aloca contêineres virtuais que transportam dados de uma mesma informação em diferentes quadros SDH que podem percorrer rotas distintas.
- LCAS *(Link Capacity Adjustment Scheme*), que verifica a disponibilidade de banda para enviar os contêineres virtuais em determinada rota.

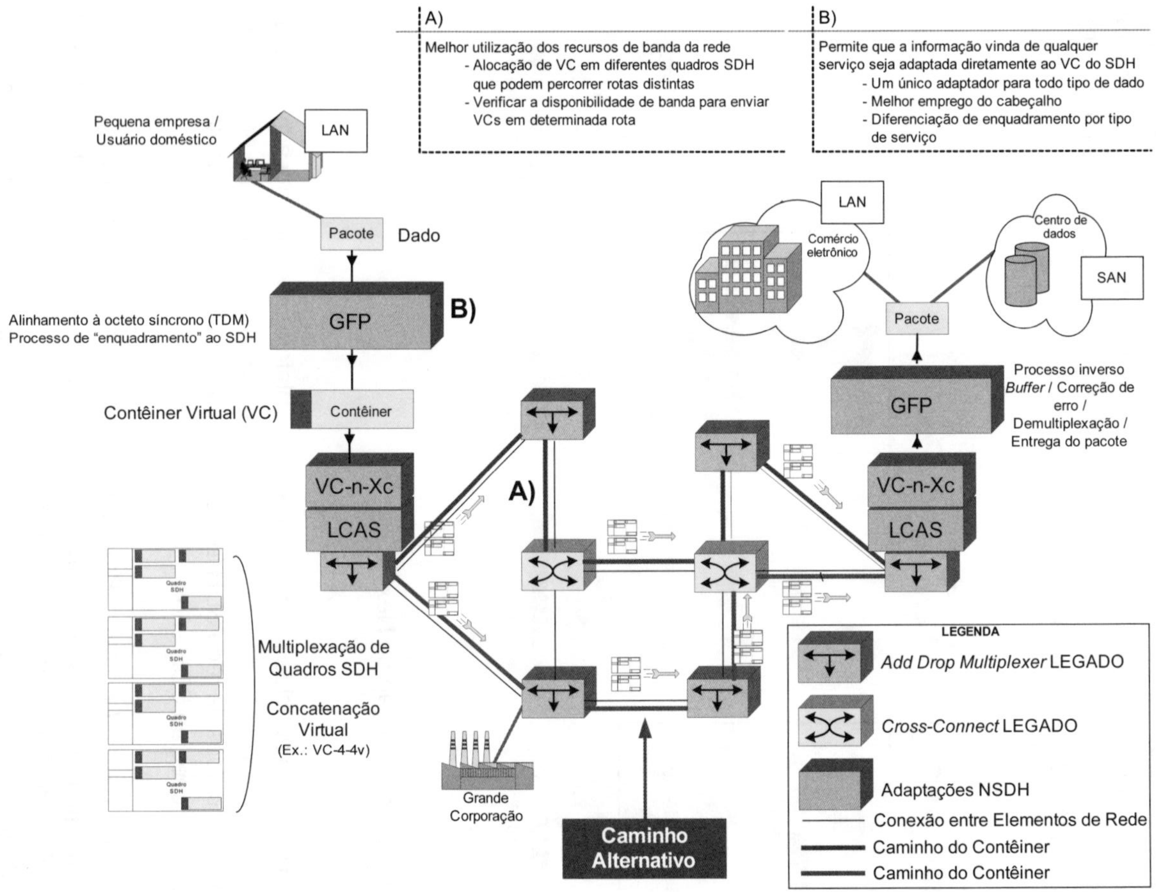


Figura 4.4 Rede SDH com novas capacidades no transporte de dados

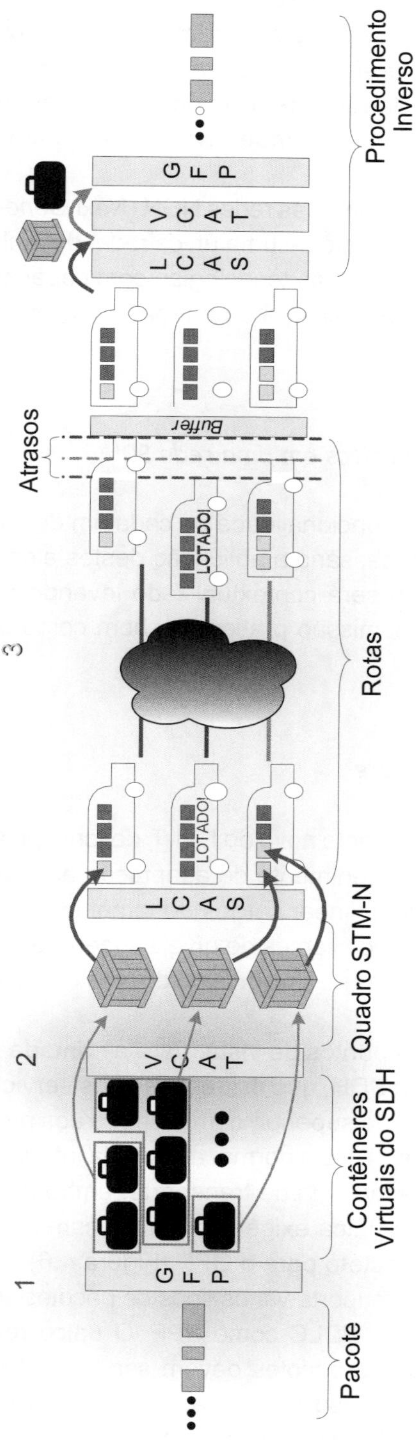


Figura 4.5 Ação dos protocolos GFP, VCAT e LCAS

A Figura 4.5 mostra uma forma conjunta de atuação desses protocolos.

A evolução para a tecnologia NSDH implica atualizar apenas alguns elementos de redes que sejam estratégicos, com inserção de placas adicionais ao equipamento existente (*plug-in card*). Esse procedimento utiliza de forma inteligente os recursos instalados, preservando vários elementos da rede SDH legada, propiciando melhor competitividade a custos relativamente reduzidos.

O termo Next SDH é uma referência às redes NGN (*Next Generation Networks*) que têm como assertiva o surgimento de uma única rede, de âmbito nacional até o acesso, formada pelas mais diversas tecnologias com capacidade de trafegar qualquer tipo de dado e com garantias para entregar os mais variados serviços com QoS.

### 4.2.3 *Aplicação dos novos conceitos em uma rede SDH*

A partir da compreensão da funcionalidade de cada um dos novos elementos (GPF, VCAT, LCAS), faz-se necessário a aplicação destes elementos dentro do universo SDH. Cada elemento será contextualizado levando em consideração as tecnologias e taxas de transmissão praticadas, bem como os serviços mais demandados.

### 4.2.4 *Generic Framing Procedure*

O GFP é um padrão relativamente novo do ITU-T, descrito pela norma G.7041. O GFP é definido como um procedimento de adaptação ao contêiner virtual do SDH (*framing procedure*) para delinear cargas de tamanho variado alinhadas a octeto (*octet-aligned*) de sinais de clientes de níveis superiores em caminhos, ou seja, redes de transporte baseadas no sincronismo de octetos (*octet-synchronous*), como o SDH.

O GFP é genérico por dois pontos de vista: para a camada inferior, ou seja, que interage com a plataforma SDH, que diz respeito aos serviços de transporte usados pelo GFP; e pela camada superior, com respeito aos protocolos que são mapeados (Ethernet, Ficon, etc.). Pela norma, a camada inferior ao GFP permite que seja utilizada qualquer tecnologia de transporte, embora o foco do padrão seja o SONET/SDH e OTN. A única exigência para a camada de transporte é prover um caminho síncrono-octeto para o GFP (Figura 4.6).

Na camada superior, o GFP suporta vários tipos de pacotes, incluindo pacotes IP, quadros Ethernet e quadros HDLC como PPP. O único requerimento para as camadas superiores é que os pacotes devem ser alinhados a octeto. Essa característica genérica é a premissa que capacita o GFP prover um esquema consideravelmente simples de delimitação de pacotes.

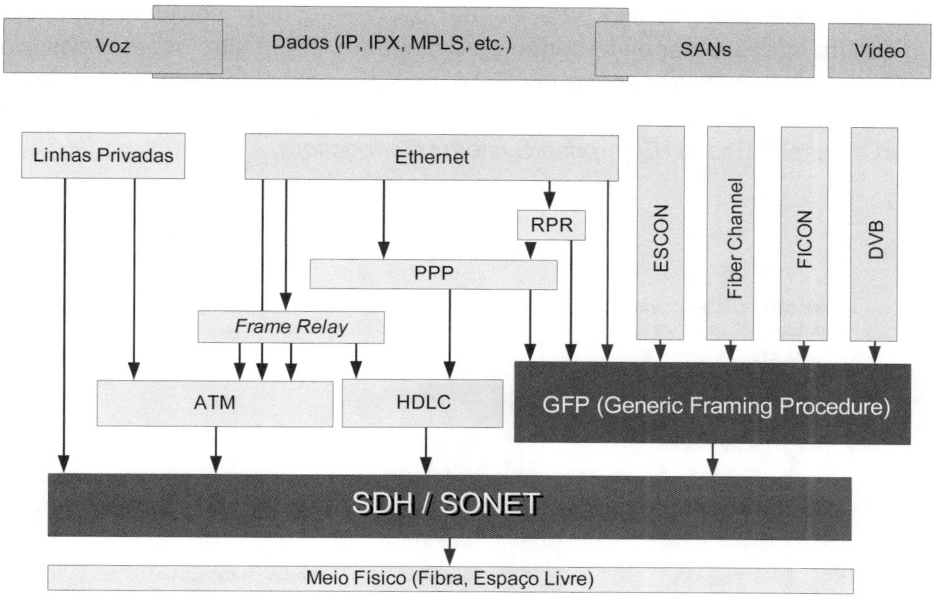


Figura 4.6 Camadas acima e abaixo do GFP

O GFP possui duas variações na metodologia de acomodação de sinais clientes na carga SONET/SDH: o GFP *frame-mapped* (mapeado em quadros) e GFP transparente.

O GFP *framed-mapped* é utilizado em transmissão serial, exigindo o enquadramento e a delimitação de pacotes (Figura 4.7). A delimitação do quadro GFP é baseada na correção de erro do cabeçalho (HEC, ou *Head Error Correction*) por um método chamado *hunting*, uma técnica já estabelecida e empregada no ATM para a delimitação de células. Contudo, em contraposição ao ATM, o GFP permite o transporte de pacotes com cargas de tamanho variado, possibilitando assim, o incremento da largura de banda efetiva disponível para o transporte de pacotes. Por exemplo, no atual método de trafegar Ethernet sobre ATM sobre SONET/SDH, 1.500 *bytes* do quadro Ethernet são primeiramente encapsulados através da camada de adaptação do ATM 5 (AAL 5), resultando em 1.536 bytes com cabeçalhos. Como visto anteriormente, 11,3% da informação que entra no contêiner não faz parte efetiva da carga útil. Um outro modo de enquadramento de pacotes IP discutido foi o HDLC.

O GFP transparente é nomeado desta forma por transportar sinais codificados por bloco (Figura 4.8). Suporta SAN sobre redes de transporte metropolitanas. O GFP transparente reduz a quantidade de recursos necessários para construir um sistema distribuído de armazenamento em uma área ampla.

A latência é um critério importante nesse tipo de aplicação e é preciso alcançar altas exigências de desempenho voltado ao armazenamento. O mapeamento transparente é desenvolvido para mapear palavras-código individuais, receber um quadro inteiro e mapeá-lo dentro de um quadro GFP. Outro aspecto positivo é que o mapeamento transparente GFP é mais eficiente em relação à largura de banda que o mapeamento 8B/10B puro utilizado em outras tecnologias, como FiberChannel e Escon (*Enterprise Systems Connection*).

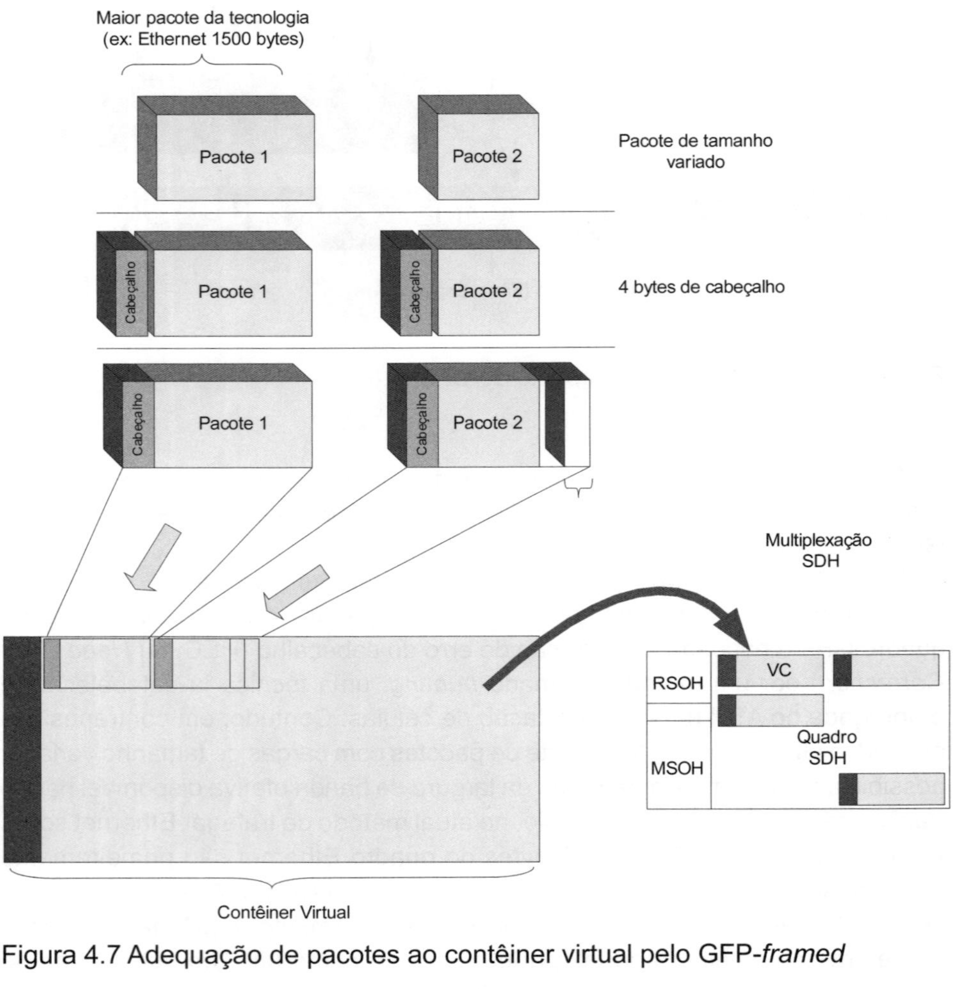


Figura 4.7 Adequação de pacotes ao contêiner virtual pelo GFP-*framed*

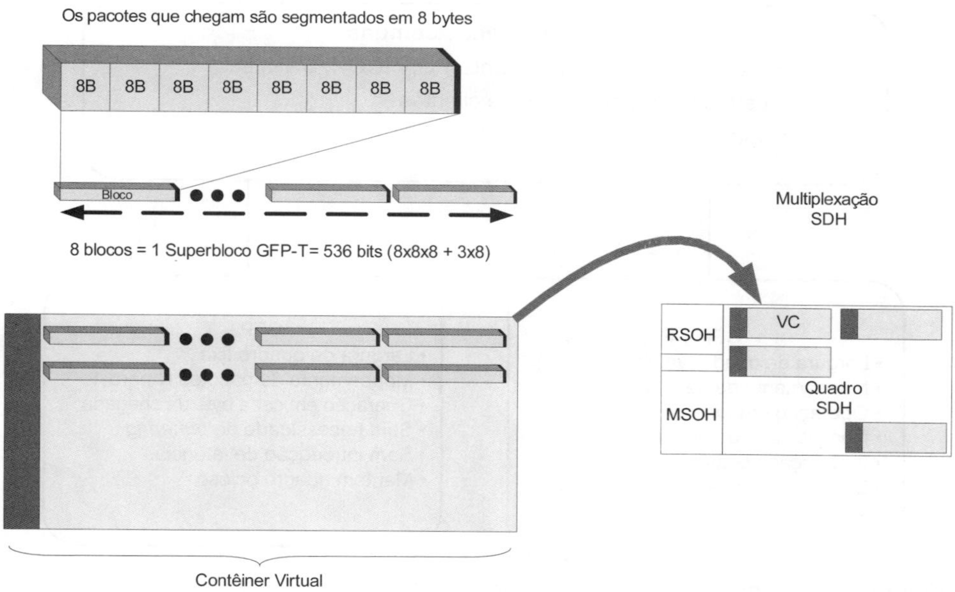


Figura 4.8 Adequação de pacotes ao contêiner virtual pelo GFP transparente

A Tabela 4.1 mostra uma comparação entre dois tipos de soluções em transporte para aplicações de armazenamento (redes SAN) para prestadores que já possuem equipamento SDH. No exemplo, as aplicações devem passar por uma rede IP pura ou uma rede Sonet/SDH. A Figura 4.9 mostra aspectos comuns e características particulares de ambos os métodos do GFP.

Tabela 4.1 Comparativo entre redes puramente IP e NSDH para aplicações SAN

| **Requerimento de Redes SAN** | **Redes puramente IP** | **SAN sobre Sonet/SDH** |
|---|---|---|
| Economia em longa distância | Muito bom | Muito bom |
| Desempenho – latência, *jitter* | ? | ✓✓✓ |
| Economia a subtaxas (< Gbit/s) | ✓✓ | ✓✓✓ |
| Flexibilidade de provisionamento | ✓✓ | ✓✓✓ |
| Proteção e restauração rápida | NÃO | SIM |
| Informação determinística sobre infra-estrutura compartilhada | X | Redes puramente IP |

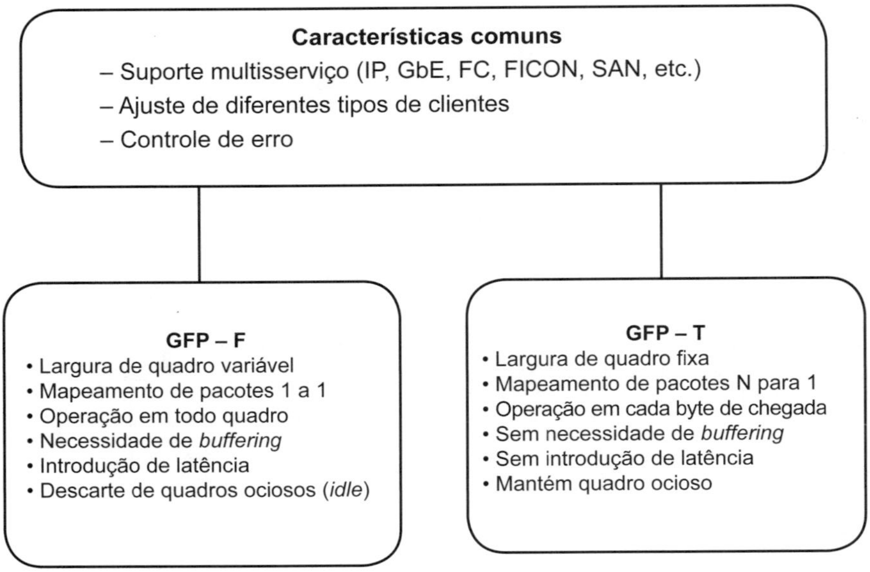


Figura 4.9 Comparação entre os modos GFP

### *4.2.5 Concatenação virtual*

A concatenação virtual é um mecanismo que provê o uso flexível de dados sobre o SDH. Historicamente, o SDH foi concebido como padrão mundial para o transporte TDM baseado nas taxas de telefonia de 64 kbps. A capacidade de tráfego da carga útil era atribuída à rígida acomodação de serviço da hierarquia digital plesiócrona (PDH), como, por exemplo, E1, E2, etc. Contudo, as desvantagens de tal rigidez, especialmente quando se fazia uso de outras aplicações, como o protocolo Ethernet, foram logo percebidas. A concatenação virtual resolve o problema da rigidez, permitindo que a carga útil de dados tenha largura de banda flexível. De forma que "virtualmente" têm-se concatenado várias cargas que contribuem para a formação de uma largura de banda *virtual*, mais apropriada para o transporte de dados com demanda de banda variada.

Considere o caso do transporte do GbE (Gigabit Ethernet), Figura 4.10, através de uma rede SDH. De acordo com as especificações convencionais do SDH, o VC-4-16c (ou seja, 4 contêineres virtuais VC-4 concatenados de forma contígua) pode ser usado para acomodar sinais GbE à velocidade máxima. Desde que a capacidade do VC-4-16c é de aproximadamente 2,5 Gbps, tem-se um desperdício de 1,5 Gbps de banda. Por outro lado, se o VC-4-4c (aproximadamente 622 Mbps) é usado, a velocidade desejada não pode ser alcançada.

A Tabela 4.2 mostra a relação de eficiência de utilização de banda entre a concatenação contígua e virtual para diferentes serviços. Lembrando as seguintes taxas dos contêineres SDH: C-12 = 2,048 Mbps; C-3 = 34,364 Mbps; C-4 = 139,264 Mbps.

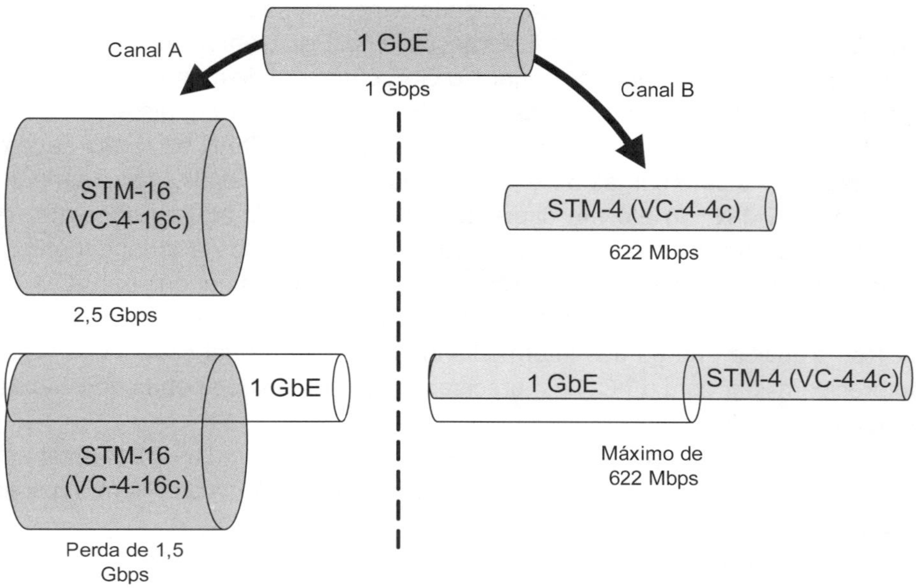


Figura 4.10 Adequação do serviço ao contêiner

Tabela 4.2 Relação de eficiência para serviços

| Tipo de tráfego | Contêiner SDH | |
|---|---|---|
| | Contíguo | Virtual |
| 10 Mbps Ethernet | VC-3 (29,1%) | VC-12-5v (97,6%) |
| 100 Mbps Fast Ethernet | VC-4 (71,8%) | VC-3-3v (97%) |
| 200 Mbps Escon | VC-4-4c (35,9%) | VC-3-6v (97%) |
| 850 Mbps FiberChannel | VC-4-16c (38,1%) | VC-4-6v (87,2%) |
| 1 Gbps Gigabit Ethernet | VC-4-16 (44,8%) | VC-4-7 (102%) |

Usando-se a técnica de concatenação virtual, sete cargas independentes, do tipo VC-4, são virtualmente concatenadas para prover uma carga do tipo VC-4-7v (v significa virtual) com capacidade de 1,05 Gbps, o que é perfeitamente aceitável para acomodar o GbE. Essa solução é viável porque a implementação das concatenações virtuais é limitada aos nós multiplexadores atualizados; não existe necessidade de adicionar a capacidade de concatenação virtual a cada nó da rede SDH, ou seja, essa inovação fica transparente. Por exemplo, para acomodar o GbE em VC-4-7v, no ponto de origem, o GbE é mapeado em uma carga VC-4-7v, a qual é construída a partir de sete VC-4s concatenados virtualmente.

Pela norma, não existe restrição para qual quadro STM-N os sinais devem ser utilizados. As sete cargas do exemplo podem ou não residir contiguamente no mesmo STM-N, ou até em diferentes interfaces STM-N. Internamente na rede, eles são tratados como sete cargas VC-4 separadas e independentes. No destino, as sete cargas são combinadas para formar sinal original VC-4-7c por meio de multiplexação inversa e, subseqüentemente, o GbE é desmapeado daí. Isso significa que os nós intermediários, através do qual cada VC-4 viaja, não precisam lidar com o VC-4-7v, precisando ser entendido apenas nos nós de entrada e saída da rota.

Assim, as prestadoras de serviço que possuem vasta malha SDH estariam livres para introduzir as funcionalidades da concatenação virtual sem implicar impacto sério sobre a arquitetura existente.

Outro aspecto relevante da concatenação virtual é que a largura de banda de uma interface SDH pode ser dividida em várias subtaxas. No sistema POS, a carga inteira do STM-N deve ser dedicada ao transporte do pacote IP. Da mesma forma, não é possível suportar serviços IP em alguma porção da largura de banda do SDH, cada uma delas pode suportar diferentes tipos de serviço. A concatenação virtual fornece um meio de particionar a largura de banda do SDH em várias subtaxas, cada qual sendo capaz de acomodar diferentes tipos de serviço.

A Figura 4.11 mostra um exemplo de particionamento de largura de banda sobre um sinal STM-16. Nesse caso, 600 Mbps são dedicados ao serviço TDM (taxa fixa), utilizando caminhos VC-11 e o resto (1,8 Gbps) é virtualmente concatenado para construir uma carga VC-4-12v apenas para o serviço de dados. De tal maneira, a concatenação virtual pode ser usada para particionar a largura de banda de um STM-N para acomodar vários serviços em um único quadro (*frame*).

### *4.2.6 Link capacity adjustment scheme*

A concatenação virtual (VC, *virtual concatenation*) consegue montar cargas sobre o SDH que não seguem a rigidez do padrão. Assim, novas taxas são alcançadas, agregando capilaridade, característica importante em aplicações específicas. Pensando em aplicações em que o número de cargas concatenadas, ou seja, taxas fixas, possa ser determinado com precedência em algumas aplicações, também pode ser útil permitir que o número de cargas concatenadas possa mudar, dinamicamente, de nó a nó na rede. Assim, o sistema ganha capacidade de balancear os recursos de banda. No LCAS (*Link Capacity Adjustment Scheme*), que surge desse propósito, mensagens de sinalização são trocadas entre pontos de VC finais, o objetivo é determinar o número de cargas concatenadas (Figura 4.12).

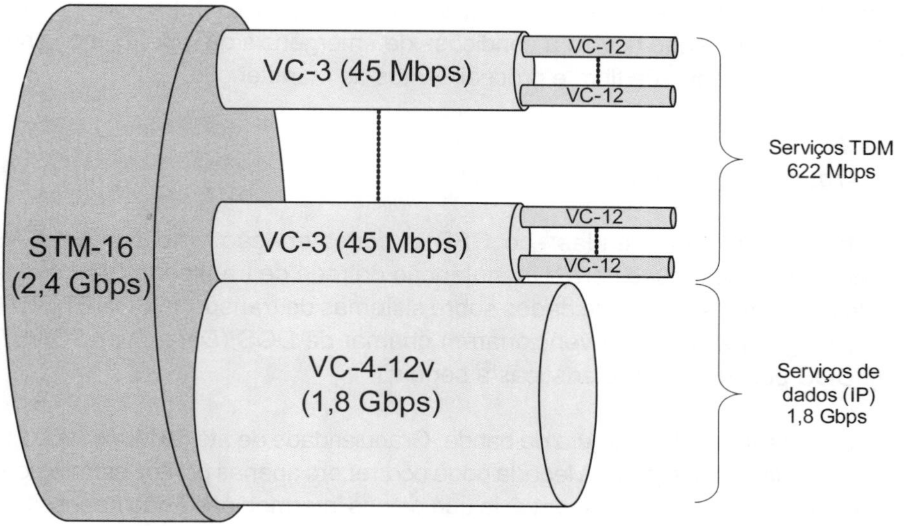


Figura 4.11 Compartilhamento de serviços em subtaxas

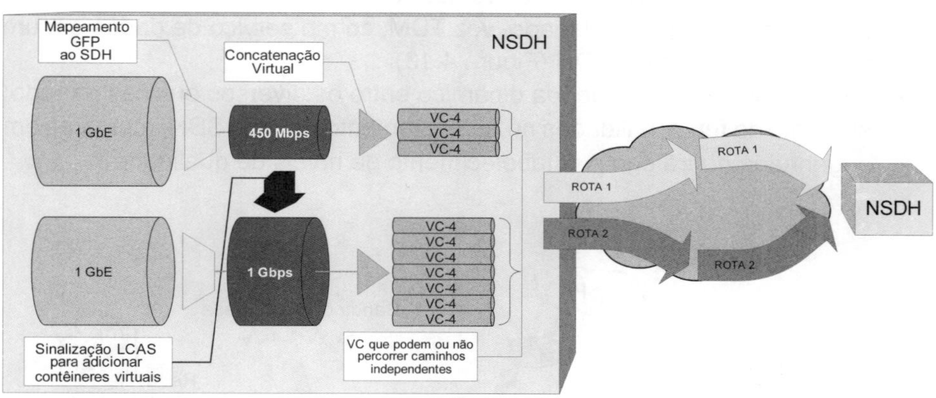


Figura 4.12 LCAS no módulo NSDH

Por exemplo, se é contratado 450 Mbps, utiliza-se o VC-4-3v (3×150 = 450 Mbps) para transportar o padrão GbE. De acordo com os requerimentos do usuário, o número de cargas concatenadas, atualmente cinco, pode ser aumentado para obter o VC-3-6v, ou para diminuir, obtendo-se o VC-3-4v.

Uma vantagem imediata dessa funcionalidade, atribuída à técnica LCAS, é a possibilidade de se utilizar os recursos de banda de forma mais flexível, uma vez que a cada dois nós que implementem essa tecnologia a capacidade de transmissão pode ser remanejada. Considere o exemplo da telefonia, a qual apresenta picos nos horários matutino, vespertino e noturno. Um ajuste de banda diário, para o qual a variação de tráfego é previsível e sazonal, torna-se obrigatório. Outra aplicação é o re-roteamento de tráfego devido a condições de emergência da rede, como falhas de equipamentos, corte de fibra e procedimentos de manutenção.

### *4.2.7 Arquitetura Data Over SONET/SDH*

As três tecnologias citadas – o GFP, a concatenação virtual, e o LCAS – fornecem um arcabouço para a manutenção da rede de transporte SDH com a idéia de aproximar serviços de dados sobre sistemas de transporte SONET/SDH, ou o que alguns autores convencionaram chamar de DOS (*Data Over SONET/SDH*). DOS possui as características a seguir:

- maior flexibilidade à largura de banda. Granularidade de até 50 Mbps (VC-3);
- a adaptação da estrutura legada pode ocorrer em apenas pontos estratégicos da rede, implicando economia, já que os nós intermediários não necessitam passar por atualizações;
- esquema de enquadramento eficiente, com cabeçalho (*overhead*) pequeno;
- acomodação de tipos de serviços de dados diversificados, incluindo: pacotes IP, Ethernet, ESCON, Ficon, entre outros;
- coexistência do serviço legado, voz TDM, com o serviço de dados em um único quadro SONET/SDH (Figura 4.13);
- controle de largura de banda dinâmico entre os diversos enlaces na rede;
- aumento de funcionalidades no gerenciamento da rede SDH, melhoras em engenharia de tráfego e estabelecimento de níveis de qualidade.

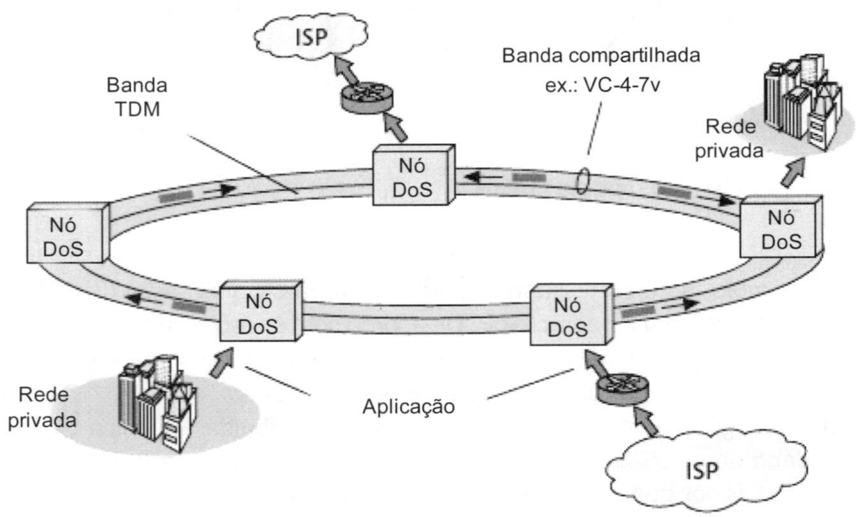


Figura 4.13 Banda flexível e compartilhada

## 4.3 *Multiprotocol Label Switching*

As redes IP têm como base o encaminhamento de pacotes sem conexão, a exemplo do sistema postal. Pacotes são inseridos na rede sem estabelecer previamente uma conexão com o destino, diferentemente de um sistema telefônico orientado à conexão, em que uma conexão deve ser estabelecida antes de a conversação começar.

Com o MPLS (*Multiprotocol Label Switching*), nenhuma conexão física dedicada é estabelecida, mas um caminho é definido (pela seqüência de endereços de nós) e todos os pacotes em uma sessão particular são enviados por esse caminho, recebendo o mesmo rótulo (*label*) quando entram na rede MPLS. Em cada nó, cada pacote é encaminhado de acordo com o valor de seu rótulo, e rotulado novamente antes de ser enviado para o próximo nó. O grande alcance do MPLS foi obter o maior atributo das redes comutadas a circuito – o estabelecimento de um caminho definido para cada sessão – e adicioná-lo ao IP.

O MPLS aproveita a comutação de pacotes IP para facilitar a engenharia de tráfego e permitir que recursos sejam reservados e rotas sejam predeterminadas. Ele provê enlaces virtuais ou túneis através da rede, conectando nós que estão na borda da rede. Nesse caso, os procedimentos normais do roteamento IP, que demandam um tempo relativamente alto e operações lógicas realizadas por *software*, são eliminados. Em vez disso, os pacotes são rotulados e enviados pelos túneis até o destino.

Como em todas as tecnologias emergentes, o esforço de pesquisa e desenvolvimento dos fabricantes levou à criação de um grupo de trabalho para propor uma arquitetura de suporte à comutação com base em rótulos, em plataforma aberta e interoperável. A plataforma MPLS, padronizada pelo IETF nos últimos anos, propõe-se a atingir os seguintes objetivos gerais:

- ser escalável em preço e performance para toda a rede;
- ser independente da camada de enlace (ATM, Ethernet, etc.);
- ser independente da camada de rede; o foco principal dos trabalhos atuais é o IP, mas deve operar com redes IPX, Appletalk, DECnet, etc.;
- coexistir com redes ATM nativas e esquemas de roteamento convencionais;
- suportar tráfego *unicast* (ponto-a-ponto) e *multicast* (ponto-multiponto);
- facilitar o suporte a redes multisserviço (dados, voz e vídeo), capazes de tratar de forma diferenciada tráfegos de melhor esforço e sensíveis a QoS.

A seguir são mostrados os conceitos relativos a essa nova tecnologia que promete melhorar o atendimento de qualidade de serviço e também de engenharia de tráfego, usando rótulos para o roteamento e a distinção entre características a serem atendidas numa conexão.

### *4.3.1 Princípios básicos*

O roteamento IP normalmente utilizado tem como base a troca de informações de alcançabilidade na rede, por meio de um protocolo de roteamento como OSPF (*Open Shortest Path First*). Os roteadores examinam o endereço IP destino contido no cabeçalho IP de cada pacote que chega ao roteador para ser encaminhado e usam a informação de alcançabilidade (por meio da tabela de roteamento) para determinar como encaminhar o pacote. Esse processo é executado independentemente em cada roteador ao longo do caminho origem-destino do pacote.

A rede IP para longa distância é, em muitos casos, desenvolvida sobre uma infra-estrutura ATM ou *Frame-Relay* que são completamente independentes da rede IP, o que leva a duas considerações em relação à escalabilidade.

Primeiro, para possibilitar roteamento ótimo na rede IP, é desejável uma conectividade em malha completa entre todos os *n* roteadores. Isso conduz a uma demanda de $n \times (n-1)/2$ conexões virtuais implementadas na rede ATM ou *Frame Relay*. Dessa forma, sempre que um roteador é adicionado, deve ser implementada uma conexão virtual para cada um dos roteadores da rede.

Segundo, falhas na rede ou mudanças na topologia provocam grandes tráfegos de protocolo de roteamento. Cada roteador deve enviar atualizações de roteamento em cada conexão virtual que estiver conectado para informar a seu vizinho a nova situação da topologia na rede.

Do ponto de vista de projeto de roteamento, outra consideração deve ser observada. Seja, por exemplo, um provedor de serviços Internet (ISP) típico, no qual existem múltiplos roteadores na borda da rede comunicando-se com roteadores de outros ISPs para trocar informação de roteamento e alcançar conectividade IP global. Para poder encontrar o melhor caminho para qualquer destino fora da rede do ISP, os roteadores do núcleo dessa rede devem também conhecer toda a informação de alcançabilidade da rede que os roteadores de borda aprenderam com seu par vizinho. Dessa forma, todos os roteadores de núcleo na rede ISP devem manter a tabela completa de roteamento da Internet, o que requer uma grande quantidade de memória e conduz a uma alta utilização de CPU. A solução para esse problema é uma técnica de encaminhamento em que a alcançabilidade global esteja manipulada na borda da rede e apenas as "regras" de encaminhamento de pacotes sejam propagadas ao núcleo da rede. MPLS pretende obter essa característica.

### *4.3.2 Rótulos usando informação de encaminhamento*

O MPLS introduz um novo conceito para o desenvolvimento das redes IP. Ele separa o mecanismo de controle do mecanismo de encaminhamento e introduz o "rótulo" usado para o encaminhamento de pacotes. Pode ser desenvolvido em redes com apenas roteadores, ou ainda em redes com ATM e *Frame Relay*, integrando as infra-estruturas de camada 2 e camada 3. Uma rede MPLS consiste de *Label Switching Routers* (LSRs) no núcleo e de *Edge Label Switching Routers* (*Edge*-LSRs), ao redor dos LSRs, como mostrado na Figura 4.14.

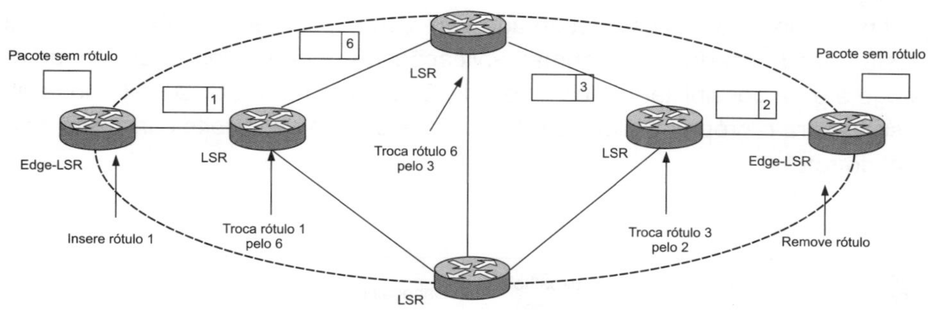


Figura 4.14 Rede MPLS em plena operação

Dentro da rede MPLS, o tráfego é encaminhado usando rótulos. Os *Edge*-LSRs, no ingresso da nuvem MPLS, são responsáveis por designar o rótulo e encaminhar os pacotes para o próximo nó LSR através do caminho que o tráfego segue pela nuvem MPLS. Todos os LSRs através do caminho usam o rótulo como um índice, localizado numa tabela, para descobrir o próximo nó e encaminhar o pacote com um novo rótulo, ou seja, o rótulo antigo é trocado por um novo rótulo da tabela e o pacote é encaminhado para o próximo nó. Usar esse método implica que o valor do rótulo tem apenas significado local entre dois LSRs. No lado do egresso da rede, o rótulo é removido e o tráfego é encaminhado usando os mecanismos normais de roteamento IP.

MPLS introduz o termo *Forward Equivalent Class* (FEC). Uma FEC é um grupo de pacotes que compartilham os mesmos atributos enquanto trafegam através do domínio MPLS. Esses atributos podem ser: a mesma rede IP destino, a mesma classe de qualidade de serviço, a mesma VPN, etc. Uma FEC também pode ser uma combinação de alguns desses atributos. Um rótulo é designado a cada FEC, Figura 4.15, portanto todos os pacotes pertencentes a mesma FEC terão o mesmo rótulo designado pelo LSR.

A arquitetura MPLS permite que múltiplos rótulos formem uma "pilha de rótulos" e sejam designados ao pacote. Isso é feito para propósitos de engenharia de tráfego, em que um rótulo é usado para representar um túnel e outro rótulo para representar a FEC. Outra possibilidade seria um rótulo sendo usado para denotar um identificador de VPN e outro rótulo sendo usado como FEC para encaminhar tráfego através da rede. Para poder distinguir se a pilha de rótulos está sendo usada, o bit BS (base da pilha) é usado; BS é configurado como 1 para a última entrada na pilha de rótulos (isto é, para a base da pilha) e 0 para outras entradas da pilha.

Cada pacote IP possui um campo *Time-To-Live* (TTL) para prevenir pacotes de *loops* infinitos na rede. O campo TTL mantém um contador que decrementa gradualmente até 0, quando o pacote é descartado. Um campo TTL de 8 bits é também incluído no rótulo MPLS, principalmente devido ao mecanismo de resolução de problemas na rede.

Um campo de 3 bits está reservado para uso experimental (EXP). Esses bits já estão sendo usados por algumas aplicações para determinar a prioridade de tráfego e para possibilitar certos níveis de QoS na rede MPLS. O resto do rótulo é usado para o próprio "valor do rótulo". Esse campo de 20 bits carrega o valor atual do rótulo.

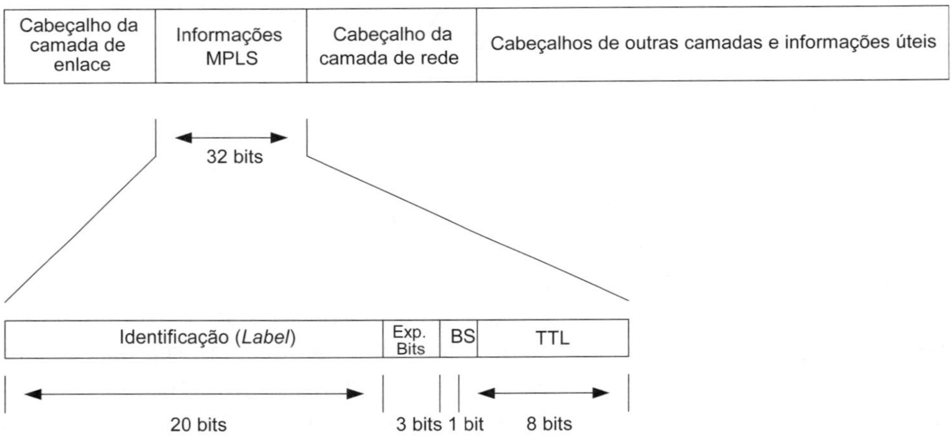


Figura 4.15 Rótulo MPLS

Os mecanismos de controle e encaminhamento de cada LSR e *Edge*-LSR são separados dentro de um plano de controle e encaminhamento (Figura 4.16). Duas estruturas de informação são parte do plano de controle. A primeira é a tabela de roteamento IP mantida por algum protocolo de roteamento interno IP (IGP), como OSPF.

A segunda estrutura é a base de dados *Label Information Base* (LIB). LSRs precisam trocar as informações que associam os rótulos aos FECs. Existem alguns protocolos que executam essa tarefa. O protocolo *Label Distribution Protocol* (LDP) é usado para trocar as informações que associam os prefixos com os rótulos. Existem outros protocolos que possibilitam a troca de informações de mapeamento de rótulos entre LSRs, como o RSVP-TE.

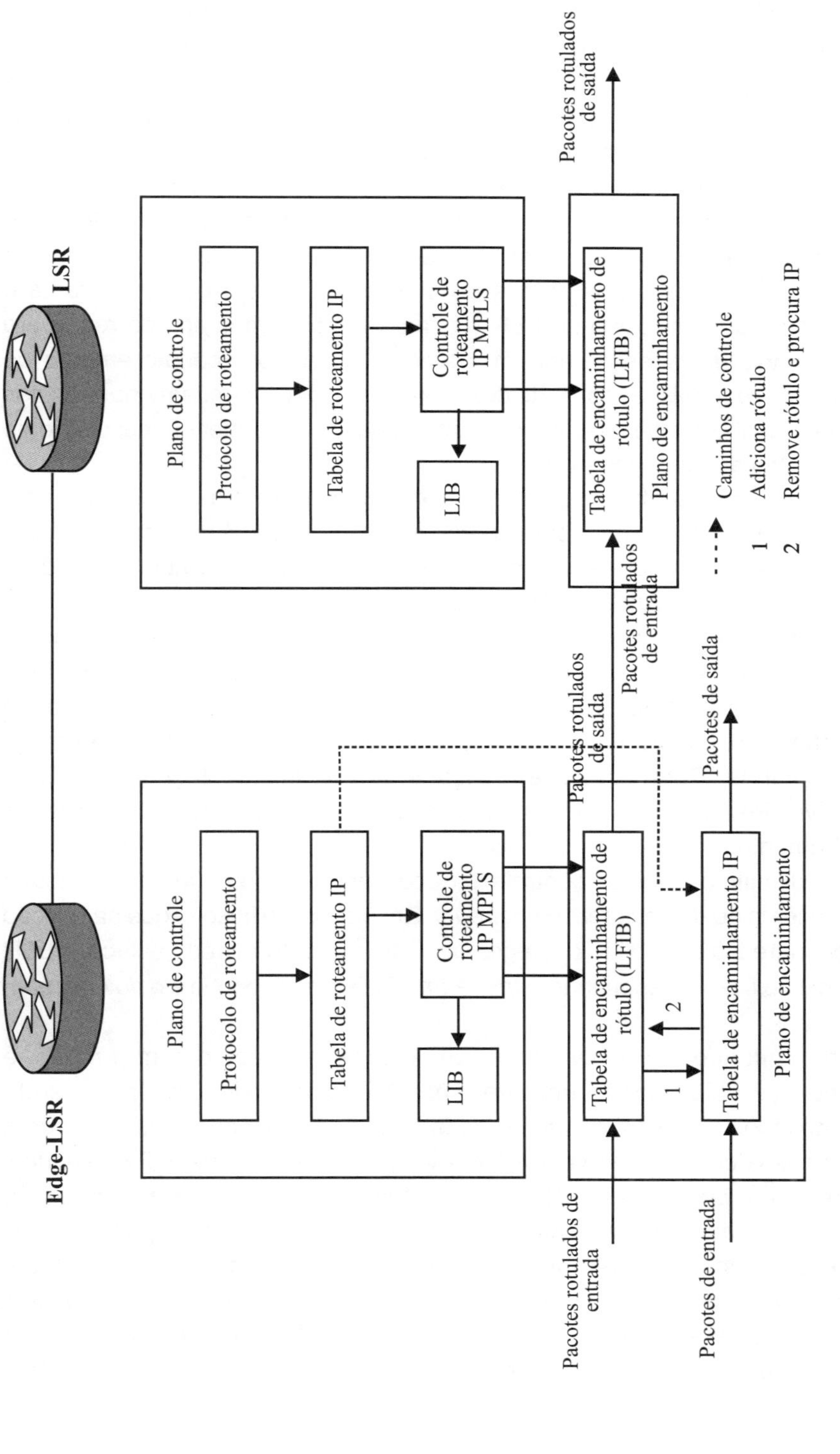


Figura 4.16 Planos de controle e de encaminhamento do MPLS

### 4.3.3 Operação do MPLS

Como mencionado anteriormente, o MPLS é formado por dois planos: o plano de controle e o plano de encaminhamento. O plano de encaminhamento utiliza os rótulos contidos nos pacotes e na tabela de encaminhamento LIB de cada LSR para encaminhar os pacotes. O plano de controle é responsável por manter essas tabelas entre um determinado número de LSR.

Na borda de uma rede MPLS, os LER fazem a classificação e decisões de encaminhamento examinando o cabeçalho dos pacotes IP. O rótulo serve como uma representação curta para o cabeçalho IP, reduzindo a complexidade de processamento nos próximos nós do caminho. O rótulo gerado durante o processamento do cabeçalho no LER é usado nos próximos nós da rede para suas respectivas decisões de encaminhamento. Quando o pacote emerge do interior de uma rede MPLS, os LERs descobrem que devem encaminhar pacotes a uma interface não-rotulada e simplesmente removem qualquer encapsulamento de pacote antes de os encaminhar.

Quando um LSR recebe um pacote com rótulo, este é extraído e usado como índice até ser encontrado na tabela de encaminhamento LIB residente no LSR. A seguir, é verificado qual deve ser a interface de saída e o rótulo de saída é adicionado ao pacote, que é então enviado à interface de saída.

O mais importante é que apenas um único algoritmo de encaminhamento é necessário para todos os tipos de comutação. Isso pode ser implementado em hardware para maior velocidade. Essa simplicidade no processo de encaminhamento possibilita a separação do plano de encaminhamento do plano de controle. Portanto, novas funções de roteamento (controle) podem ser desenvolvidas sem que haja a necessidade de modificar o processo de encaminhamento.

Para se discutir o plano de controle, é necessário o esclarecimento de alguns conceitos acerca de *downstream* e *upstream*. Em um LSP, o fluxo segue na direção do LER de ingresso para o LER de egresso. Para um determinado enlace, o LSR que transmite o fluxo é denominado *upstream* LSR e o que recebe é o *downstream* LSR (Figura 4.17).

Portanto, quando um *downstream* LSR recebe um pacote com o rótulo, é necessário que seja tomada uma decisão. A responsabilidade dessa tarefa pertence ao plano de controle, que utiliza tabelas de encaminhamento LIB como base para essa decisão. Cada roteador deve possuir a sua tabela. Existem dois modos para carregar as tabelas. No primeiro, denominado controle independente, cada roteador poderia ouvir tabelas de roteamento, criar suas próprias tabelas de conexão e distribuir aos outros a sua informação. Não haveria nenhum gerenciador de rótulos e todo roteador tem a possibilidade de ouvir protocolos de roteamento, gerar tabelas e distribuí-las. No outro modelo, denominado controle ordenado, um roteador, geralmente o LER de egresso, é responsável pela distribuição de rótulos.

Cada um dos modelos tem vantagens e desvantagens. O controle independente provê uma rápida convergência e qualquer roteador que ouvir uma mudança de roteamento pode passar a informação aos outros. A desvantagem é que não há um ponto de controle de tráfego, o que torna a engenharia mais difícil. O controle ordenado tem a vantagem de oferecer melhor engenharia de tráfego e controle mais rígido da rede; entretanto, sua convergência é mais lenta e o controlador é um ponto único de falha. No controle ordenado, existem dois grandes métodos de ativar a distribuição de rótulos, denominados *downstream unsolicited* e *downstream on demand*.

A atribuição dos rótulos é feita sempre pelo *downstream* LSR (o que recebe dados). Ainda assim, pode-se escolher quem requisita a atribuição do rótulo. A distribuição de rótulos é do tipo *downstream unsolicited* quando o *downstream* LSR decide criar um novo caminho e informa ao *upstream* LSR o novo rótulo. E é do tipo *downstream on demand* quando o *upstream* LSR solicita ao *downstream* LSR a criação de um novo rótulo. É necessário que todas as partes trabalhem com o mesmo tipo.

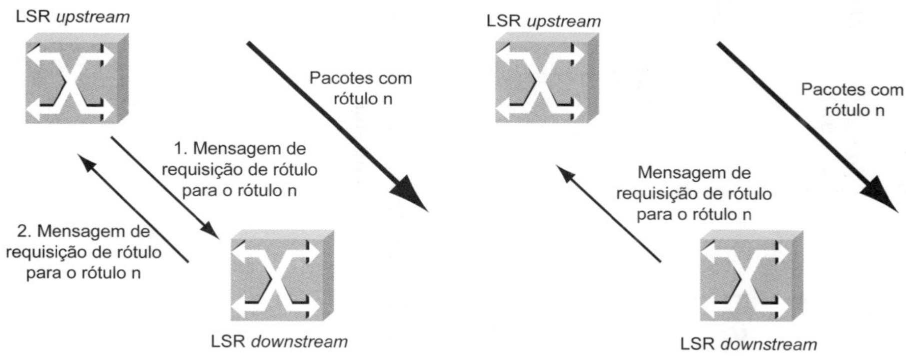


Figura 4.17 Alocação de rótulos do LDP

Para que o MPLS possa funcionar como explicado anteriormente, é necessário que a LFIB esteja montada e funcionando em cada um dos LSR. Portanto, cada LSR deve distribuir e alocar rótulos em concordância com os LSR vizinhos para que o encaminhamento possa ser efetuado de maneira correta. O protocolo utilizado para a distribuição de rótulos é o LDP.

Os rótulos têm significância local, pois eles são substituídos em cada salto. A cada rótulo é associada uma sub-rede de destino. Quando um LSR descobre um LSR vizinho, ele estabelece uma conexão TCP e transfere as associações dos rótulos. Isso é feito usando um dos dois métodos citados: *downstream unsolicited* ou *downstream on demand*.

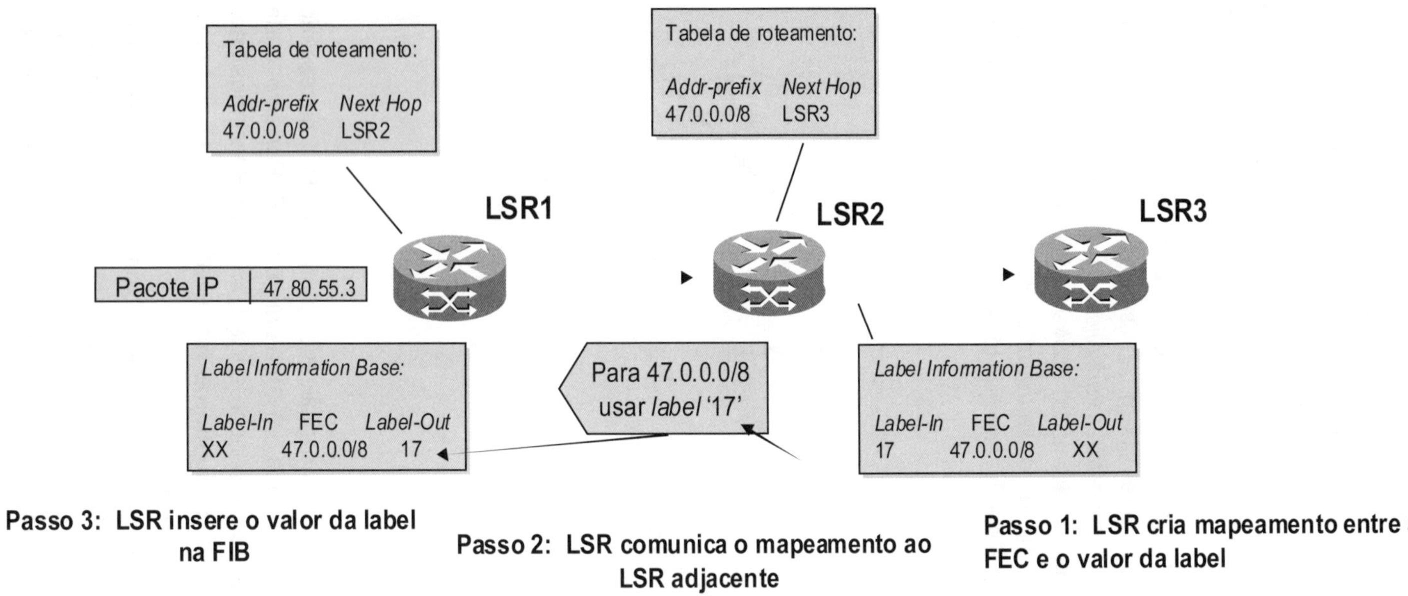


Figura 4.18 Operação LDP

Os protocolos usados para distribuição de rótulos no MPLS executam as seguintes funções: determinação dos vizinhos; troca de informações sobre rótulos e LSP associados; re-roteamento de LSP no caso de falhas ou para fins de engenharia de tráfego; roteamento explícito; gestão dos caminhos estabelecidos; e estabelecimento de novos caminhos.

A operação do LDP é ilustrada na Figura 4.18. Inicialmente, os LSR trocam mensagens de reconhecimento para descobrir seus vizinhos (HELLO). Depois, trocam mensagens de requisição de rótulo para determinada FEC que surgiu e as respectivas respostas, mapeando um rótulo para aquela FEC. Para executar essas funções, existem vários protocolos de distribuição de rótulos proprietários de diversos fabricantes, sendo os mais usados o CR-LDP (*Constraint Routing – Label Distribution Protocol*) e o RSVP-TE (*Resource Reservation Protocol – Traffic Engineering*).

Os domínios MPLS podem ainda estar contidos em outros. Nesse caso, cria-se uma pilha de rótulos no pacote, que abre a possibilidade de se associar, no caso de um *backbone* de uma prestadora de serviços, um rótulo para cada cliente, permitindo-se criar túneis privativos em uma rede MPLS. Esse tunelamento é muito usado pelas prestadoras de serviços para a implementação de VPN, até mesmo porque VPN sobre MPLS causa menos *overhead* na rede que os protocolos IPSec ou GRE, utilizados em redes IP. É comparável ao *overhead* das VPN sobre ATM ou *Frame-Relay*, só que com custo de aprovisionamento e manutenção bem menor que o dessas redes. E são escaláveis, funcionando também em redes privadas.

### *4.3.4 Engenharia de tráfego*

A engenharia de tráfego (TE – *Traffic Engineering*) consiste em realizar o mapeamento dos fluxos de tráfego em uma infra-estrutura física de transporte, com o objetivo de atender critérios definidos de operação e serviços. Tem como enfoque a otimização do desempenho da rede, em relação à aplicação de tecnologias e princípios científicos para medição, modelagem, caracterização e controle de tráfego. A otimização do desempenho pode ser orientada ao tráfego ou aos recursos.

Alguns esforços de pesquisa têm sido feitos nos últimos anos para fornecer engenharia de tráfego aos ambientes de redes MPLS. Por exemplo, o MPLS *Adaptative Traffic Engineering* (MATE) objetiva estabelecer múltiplos LSPs entre uma origem e um destino, empregando-se roteamento explícito para o estabelecimento desses caminhos e usando-se protocolos como LDP ou RSVP. O LSR pode distribuir o tráfego entre os diversos LSPs de maneira a balancear o tráfego através da rede e possibilitar uma equalização no uso dos recursos.

A engenharia de tráfego no MPLS apresenta basicamente três problemas: como mapear pacotes em FECs; como mapear FECs em troncos de tráfego; e como mapear troncos de tráfego sobre uma topologia de rede física por meio dos LSPs.

A engenharia de tráfego é, atualmente, a principal aplicação do MPLS, que tem a possibilidade de controlar o fluxo de tráfego na rede para reduzir problemas de congestionamento, o que resulta na utilização mais homogênea dos recursos disponíveis. A engenharia de tráfego não utiliza o processo de roteamento do caminho mais curto, no qual são empregados algoritmos como OSPF (*Open Shortest Path First*) e IS-IS (*Integrated Intermediate System-to-Intermediate System*), que possuem algumas limitações no que diz respeito a tráfego e controle. Os algoritmos de caminho mais curto objetivam encontrar na rede um caminho para alcançar o destino que represente o menor custo, em função de métricas associadas a cada enlace entre os nós. Esse processo utiliza o algoritmo de Djkstra e tem como resultado uma concentração do roteamento nesses enlaces, desconsiderando-se outros elementos da rede, como sobrecarga de recursos e requerimentos de atraso e latência para certa transmissão.

Na engenharia de tráfego, o cômputo de um caminho que satisfaz um conjunto arbitrário de restrições é denominado roteamento baseado em restrições (CBR – *Constraint Base Routing*). Caminhos calculados para um LSP a partir desse conjunto de restrições podem diferir do menor caminho, que normalmente seria determinado pelos protocolos OSPF e IS-IS.

As capacidades funcionais necessárias para viabilizar a engenharia de tráfego no ambiente MPLS consistem em um conjunto de atributos associados ao tronco de tráfego. Esse conjunto de atributos tem por objetivo especificar as características comportamentais, que funcionam em realidade como atributos de restrição de topologia.

O esquema CBR é usado para selecionar caminhos para troncos de tráfego sujeito a restrições impostas pelos itens que dizem respeito ao desempenho. Os atributos associados aos troncos de tráfego e recursos, assim como os parâmetros associados ao roteamento, representam o conjunto de variáveis de controle que podem ser modificadas por ação administrativa ou por agentes automatizados.

### *4.3.5 Arquitetura MPLS-TE*

Os protocolos de roteamento padrão calculam o caminho otimizado de uma origem a um certo destino, considerando uma métrica de roteamento, como o número de nós, o custo ou a largura de banda do enlace. Como resultado, um único caminho é escolhido. Embora possa existir um caminho alternativo, somente aquele determinado pelo protocolo de roteamento é usado para carregar o tráfego. Isso conduz a uma utilização ineficiente dos recursos da rede.

O exemplo da Figura 4.19 ilustra essa situação. Um protocolo de roteamento padrão rotearia o tráfego do roteador A para o roteador B e C, respectivamente, através dos caminhos A-W-Z-B e A-W-Z-C. Isso pode conduzir a um congestionamento no enlace entre os roteadores W e Z, embora os enlaces entre W, X e Z possam estar subutilizados.

Uma aproximação para resolver esse problema é manipular a métrica do protocolo de roteamento interno (IGP). No exemplo mostrado na Figura 4.19, aumentando a métrica para o enlace W-Z, os fluxos de tráfego seriam comutados por caminhos alternativos: o fluxo de tráfego de A para B e de A para C fluiriam pelos caminhos A-W-X-Z-B e A-W-X-Z-C. Agora, o enlace W-Z estaria subutilizado.

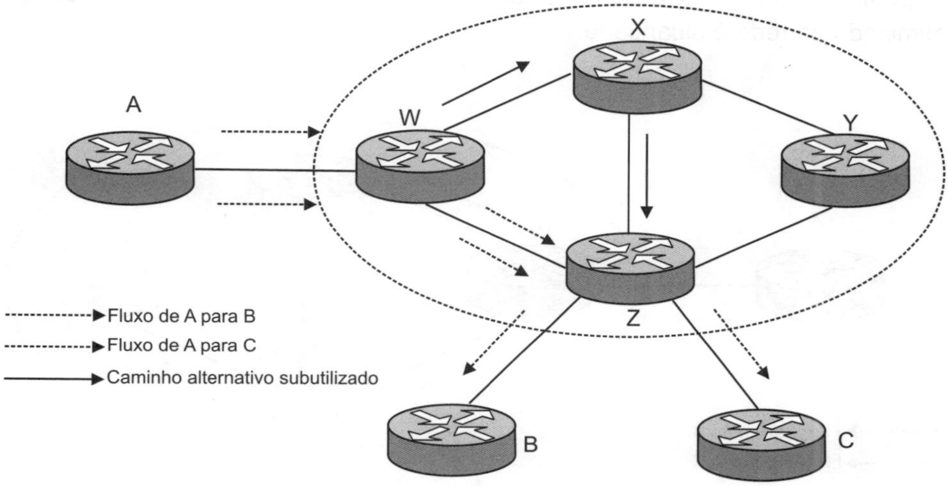


Figura 4.19 Roteamento-padrão conduzindo a uma utilização ineficiente

O estabelecimento de políticas de roteamento foi o próximo passo para otimizar a utilização dos recursos na rede. Por meio de definições de complexas listas de acesso, certos fluxos de tráfego seriam caracterizados. Pela configuração dessas listas de acesso em todos os roteadores da rede, o tráfego seria roteado por fluxo.

Ambas as alternativas métricas IGP de manipulação de métrica e política de roteamento são soluções estáticas e não-escaláveis, enquanto a engenharia de tráfego permite uma solução dinâmica e eficiente para esse problema.

MPLS-TE (MPLS – *Traffic Engineering*) possibilita a funcionalidade do cálculo da rota do IGP num conceito de "canal de tráfego". Outra melhoria em relação aos protocolos de roteamento-padrão é que os recursos da rede e os atributos de contingência são levados em conta durante o cálculo do caminho. Caminhos múltiplos são possíveis de uma origem a um destino e o melhor caminho, de acordo com a situação atual da rede, é usado para assegurar a sua utilização otimizada da rede. A otimização da rede ou re-otimização pode ocorrer automaticamente ou manualmente, por meio de um servidor de engenharia de tráfego centralizado.

Com MPLS-TE, a situação discutida no exemplo anterior pode ser facilmente resolvida, como mostrado na Figura 4.20. Dois canais de tráfego são estabelecidos: um do LSR A para o LSR B e outro do LSR A para o LSR C. Suponha que o caminho para o canal de tráfego de A para B seja calculado primeiro e o caminho A-W-Z-B é selecionado. No próximo passo, o caminho para o outro canal de tráfego é calculado. Poderia ser detectado que o enlace W-Z tem, por exemplo, somente metade da largura de banda requerida restante disponível, mas os enlaces W-X e X-Z têm mais que duas vezes a largura de banda requerida pelo canal de tráfego disponível. Como conseqüência, o caminho A-W-X-Z-C é escolhido e a utilização otimizada da rede é alcançada.

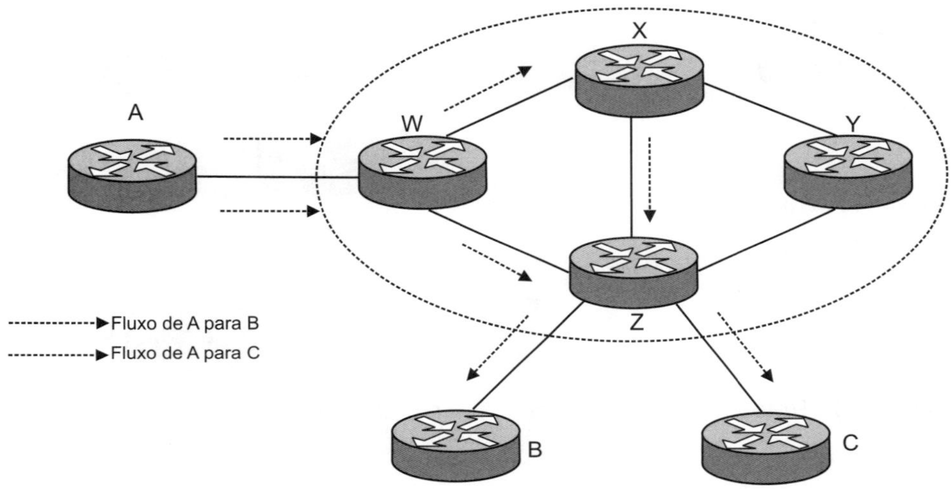


Figura 4.20 Roteamento eficiente utilizando engenharia de tráfego

### *4.3.6 Componentes do MPLS-TE*

O MPLS-TE incorpora um conjunto de funções. Os componentes do MPLS-TE e suas relações são mostrados na Figura 4.21.

O protocolo de roteamento é uma parte central na arquitetura de engenharia de tráfego. Uma vez que todos os nós devem conhecer a topologia completa da rede para poder calcular um caminho, somente um protocolo *link-state* pode ser utilizado. Esse tipo de IGP, como o OSPF e IS-IS, deve ser adaptado com algumas extensões da engenharia de tráfego para possibilitar que o protocolo de roteamento carregue recursos e informações de políticas da rede. Dois IETF-*drafts* propõem essas extensões.

A informação coletada é usada para manter, de um lado, a base de dados *link-state*, possibilitando uma vista topológica completa da rede e, por outro lado, uma base de dados de engenharia de tráfego armazenando recursos e informações de utilização de enlaces. Essas bases de dados são consolidadas por um componente de controle. Um algoritmo de roteamento baseado em restrições (*Constrained-Routing Algorithm*), também conhecido como *Constrained Shortest Path First* (CSPF), é usado para calcular o melhor caminho de acordo com a informação coletada nas duas bases de dados.

Um protocolo de sinalização, como o *Resource Reservation Protocol* (RSVP) ou o *Label Distribution Protocol* (LDP), é usado para estabelecer um *Label Switched Path* (LSP) ao longo do caminho selecionado através da rede. Também esses protocolos devem ser adaptados para habilitar o estabelecimento e a manutenção do LSP. Essas modificações são especificadas em dois IETF-*drafts* (ver, nas Referências deste capítulo, RFC 3209 e RFC 3212). Durante o estabelecimento do LSP, cada nó deve verificar se a largura de banda requisitada está disponível. O componente de controle de admissão de enlace atua como uma interface entre o coletor de informações de recursos do IGP e o componente de sinalização do LSP, requisitando a largura de banda. Se a largura de banda está disponível, ela é alocada. Se não, um LSP ativo pode ser designado para alocar o tráfego.

Os LSPs estabelecidos atuam como enlaces para encaminhar os canais de tráfego, definidos no MPLS-TE.

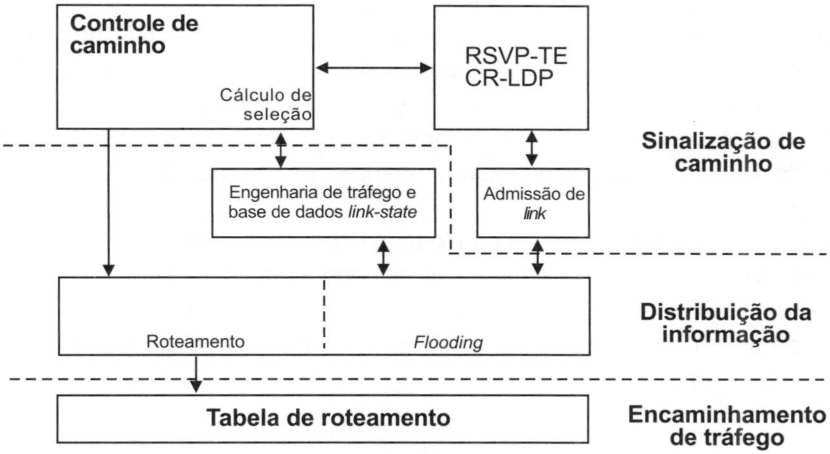


Figura 4.21 Componentes funcionais do MPLS-TE

### *4.3.7 Definindo o termo canal de tráfego*

Engenharia de tráfego introduz o termo canal de tráfego. Um canal de tráfego é definido como uma agregação de fluxos de dados que seguem o mesmo caminho pela rede e pertencem à mesma classe de serviço (CoS). No nó de entrada da rede, para cada CoS, todo tráfego destinado a um mesmo nó de saída é combinado e transportado sobre um LSP. Dessa forma, fluxos de tráfego a serem encaminhados são reduzidos a um determinado número de canais de tráfego que fluem pelos LSPs.

Os termos canal de tráfego e LSP são geralmente usados como sinônimos, mas existem diferenciações. O canal de tráfego é uma representação abstrata do tráfego com características específicas designadas e o LSP é uma especificação de um caminho comutado por rótulos por onde o tráfego flui.

A maneira pela qual esses LSPs são roteados, em relação a seus requerimentos de contingência e QoS, é controlada pela designação de atributos de canal, que são considerados durante o cálculo do CSPF e admissão de enlace.

Vários atributos de canal são designados para cada canal de tráfego, especificando as características do tráfego: largura de banda, política de seleção de caminho, prioridade, adaptabilidade e resiliência.

O atributo de largura de banda especifica a quantidade de largura de banda a ser usada pelo canal de tráfego, por meio do cálculo dos enlaces/recursos da rede, pelo CSPF.

A política de seleção de caminho define em qual ordem o LSR de entrada selecionaria os caminhos explícitos. Os caminhos explícitos podem ser manualmente configurados, pela definição dos nós entre os LSRs de entrada e de saída, ou dinamicamente calculados, usando o algoritmo CSPF.

O atributo da prioridade caracteriza a importância de um canal de tráfego. Canais de tráfego que carregam informações críticas, como voz e vídeo, devem ser priorizados sobre canais de tráfego que carregam dados Internet *best-effort* (melhor-esforço). Também, em situações de contenção de rede ou falhas na rede, a ordem na qual os canais de tráfego são roteados é muito importante. De acordo com o mecanismo de prioridade definido pelo tipo de serviço IP (ToS), 8 prioridades estão disponíveis, com 0 usado como a mais alta e 7 como a mais baixa prioridade.

O atributo da adaptabilidade é usado para especificar se o canal de tráfego seria re-otimizado para adaptar-se a mudanças que ocorreram na rede.

O atributo da resiliência é usado para propósitos de restauração. Ele especifica como reagir em situações em que o LSP do canal de tráfego não existe mais, devido a falhas na rede.

#### *4.3.8 Extensões do MPLS para redes ópticas*

Como comentado anteriormente, o plano de encaminhamento no MPLS tem sua LIB, na qual cada entrada associa um par (porta de entrada, rótulo) a outro par (porta de saída, rótulo). A partir dessas informações, a LIB comuta o rótulo do pacote e o encaminha pela porta determinada. Nas redes ópticas, o procedimento no plano de encaminhamento é verificar sua WFIB (*Wavelength Forwarding Information Base*) e comutar a porta e o comprimento de onda do sinal usando uma matriz de comutação.

Também entre os planos de controle há muitas semelhanças de procedimentos. No MPLS, o plano de controle é responsável pela determinação dos recursos, distribuição de informação sobre topologia e caminhos da rede, seleção de caminhos e administração dos mesmos. Ainda, o plano de controle suporta o conceito de nó abstrato, que é um conjunto de nós, ou uma nuvem vista como um só nó. As especificidades do plano de encaminhamento permanecem transparentes para o plano de controle, assim ele pode exercer suas funções independentemente do tipo de tráfego que transporta.

Essas características atendem às necessidades de um plano de controle de redes ópticas: capacidade de estabelecer caminhos rapidamente; suporte à engenharia de tráfego; e suporte a esquemas de proteção.

Comparando-se o MPLS com as redes ópticas, observa-se que há uma forte semelhança em suas arquiteturas. Ambos são constituídos de planos de controle e de encaminhamento separados e com funções bem similares. A diferença principal é o nível em que cada uma das duas atua. As redes ópticas tratam do transporte físico da informação (camada 1 do modelo OSI) e o MPLS trabalha um nível acima. Assim, pode-se pensar em usar conjuntamente as duas tecnologias, mapeando rótulos MPLS em comprimentos de onda e usando um plano de controle único que atenda às necessidades de ambas as tecnologias.

Tendo em vista todas essas semelhanças, conclui-se que é viável a conjugação do MPLS e da tecnologia de transporte óptica em uma única rede. Para isso, são necessárias adaptações nos comutadores MPLS (LSR) e nos comutadores ópticos OXC (*Optical Cross Connect*).

## 4.4 A evolução da rede óptica

As redes de transporte podem ser visualizadas em quatro camadas: IP para aplicações e serviços; ATM para engenharia de tráfego; SONET/SDH para transporte; e DWDM (*Dense Wavelength Division Multiplexing*) para proporcionar altas capacidades de tráfego (Figura 4.22). A escalabilidade dessa arquitetura é pequena para grandes volumes de tráfego, além de ser ineficiente em custo.

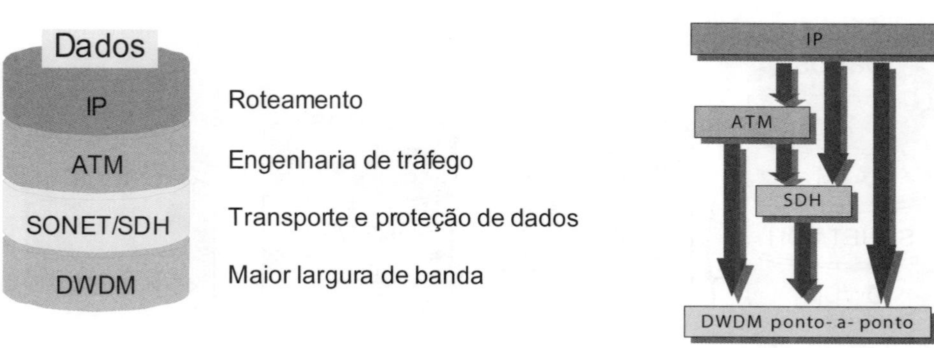


Figura 4.22 Camadas da rede de transporte atual

DWDM é uma técnica de multiplexação que procura a eficiência, entre outras vantagens, o que resulta no aumento da capacidade de transporte de uma única fibra óptica ao criar múltiplas fibras virtuais (vários comprimentos de onda que podem ser transportados na mesma fibra). Isso proporciona um grande aumento na largura de banda disponível, mantendo-se a infra-estrutura de fibra existente. Analogamente, espera-se que a comutação fotônica baseada em OXC seja a opção para a comutação transparente dos comprimentos de onda, evitando-se o retardo por processamento eletrônico. Também, a multiplexação estatística em pacotes IP surge como a tecnologia de multiplexação predominante para fluxos de dados com taxas inferiores que os adequados para DWDM.

Com o aumento das capacidades dos roteadores e OXCs, as altas taxas de dados do transporte óptico sugerem a possibilidade de eliminar as camadas SONET/SDH e ATM (Figura 4.23). Para isso, roteadores, OXCs e equipamentos DWDMs devem implementar as funções necessárias dessas camadas. O resultado final será uma rede mais simples e eficiente, que transportará uma ampla faixa de fluxos de dados e volumes de tráfego elevados. Para fazer dessa proposta uma realidade, tem-se desenvolvido os paradigmas MPλS e GMPLS para a nova geração de redes de transporte.

Topologias ponto-a-ponto são caracterizadas por velocidades de canal ultra-altas, confiabilidade e proteção. O uso de amplificadores ópticos permite a transmissão de sinais ópticos em enlaces com milhares de quilômetros sem qualquer conversão eletroóptica. Sistemas DWDM podem também incorporar multiplexadores *add/drop* ópticos (OADM), que fazem a seleção dos comprimentos de onda a serem inseridos ou retirados do anel. Configurações em anel podem ser desenvolvidas com um ou mais nós OADMs, disponíveis em algumas redes metropolitanas. A Figura 4.24 ilustra a primeira geração das redes de transporte fotônicas. Na geração seguinte, foram introduzidos os OXC (*Optical Cross-Connect*) ou chave óptica, Figura 4.25, fundamental na arquitetura de uma rede totalmente óptica. O OXC pode conectar um sinal óptico, entre *N* portas de entrada e *N* portas de saída, sem fazer qualquer tipo de conversão óptico-elétrico-óptico.

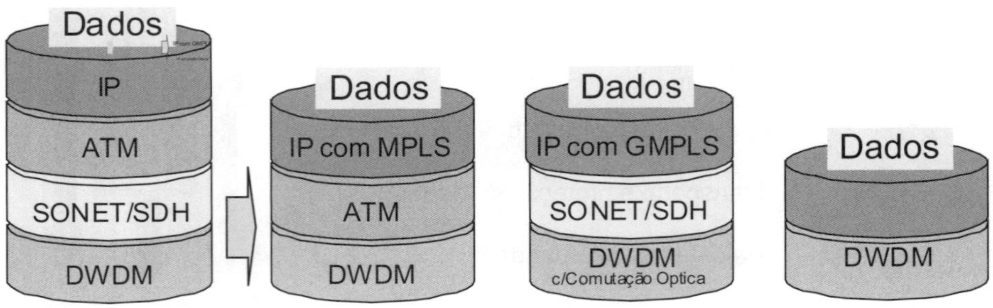


Figura 4.23 Evolução da rede de transporte

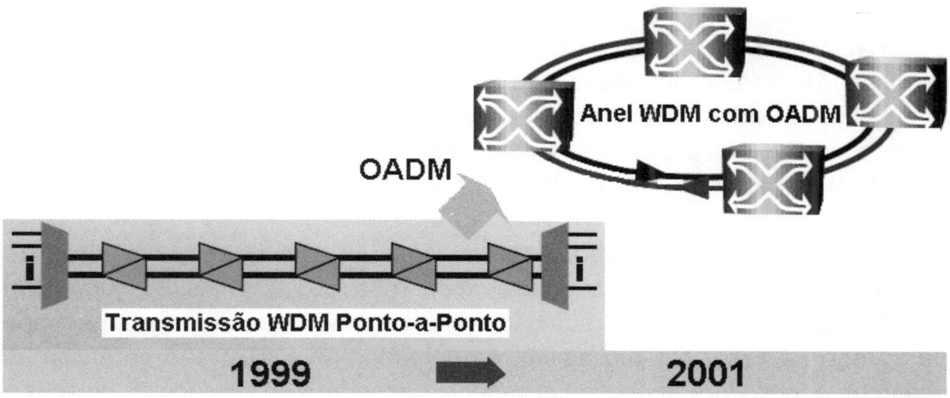


Figura 4.24 Primeira geração das redes de transporte fotônicas

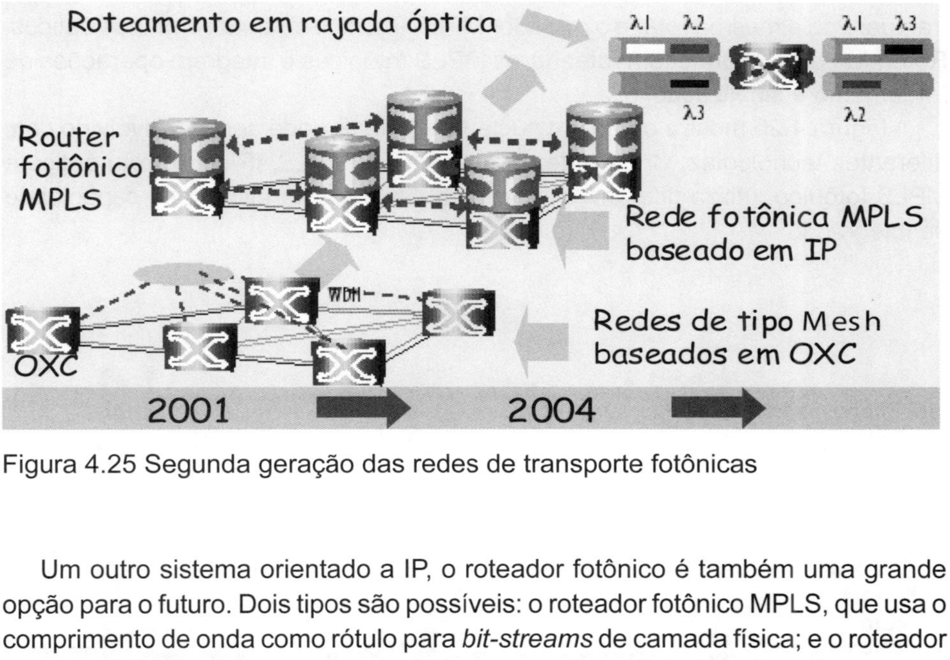


Figura 4.25 Segunda geração das redes de transporte fotônicas

Um outro sistema orientado a IP, o roteador fotônico é também uma grande opção para o futuro. Dois tipos são possíveis: o roteador fotônico MPLS, que usa o comprimento de onda como rótulo para *bit-streams* de camada física; e o roteador fotônico que usa comprimentos de onda para rotular cada rajada (*burst*) ou pacote de informação. Usualmente, a comutação óptica de rajadas requer um mecanismo de gerência de recursos rápido para minimizar as colisões de rajadas a um nó. A comutação de pacotes ópticos requer memória óptica. Memória óptica ainda não existe na prática, o que pode ser uma dificuldade para o desenvolvimento dessa técnica.

O desenvolvimento do *backbone* IP está focado principalmente nos mecanismos de roteamento. Nos primeiros estágios das redes IP, roteadores eram interconectados usando serviços *leased-line* para produzir configurações ponto-a-ponto. Esse serviço é conhecido como IP sobre SDH. Com a contínua expansão do tráfego, foi necessário o aumento da capacidade do nó. Assim, foram desenvolvidos roteadores IP elétricos para roteamento de dados em taxas da ordem de terabits por segundo, para interconectar estes com enlaces DWDM de grande capacidade. Essa técnica é conhecida como IP sobre SDH sobre DWDM.

A tecnologia ATM foi introduzida em redes IP para permitir conexões de roteadores usando rotas e canais virtuais sobre redes do tipo malha (IP sobre ATM). Isso habilita capacidade de comutação nos nós e provê as bases para engenharia de tráfego na rede. Mesmo assim, as camadas IP e ATM são gerenciadas separadamente. Para implementar gerência integrada de camada 2 (enlace) e 3 (rede), e assim integrar IP com ATM e outras tecnologias de camada de enlace, foi desenvolvido o MPLS, que oferece capacidade de comutação orientada à conexão com base em protocolos de roteamento e sinalização IP.

O próximo passo na evolução envolve IP sobre DWDM e MPLS fotônico. Comprimentos de onda são usados como rótulos, acomodando pacotes IP que trafegam pela mesma rota, e o roteador MPLS fotônico comuta caminhos ópticos. Roteadores IP reconhecem roteadores MPLS fotônicos e integram operações de roteamento e sinalização.

A Figura 4.26 mostra como um núcleo de rede IP pode ser desenvolvido com diferentes tecnologias. Cada rede, IP sobre ATM, MPLS, IP sobre rota óptica e MPLS fotônico, utiliza diferentes tecnologias, tendo este último alta capacidade de integração.

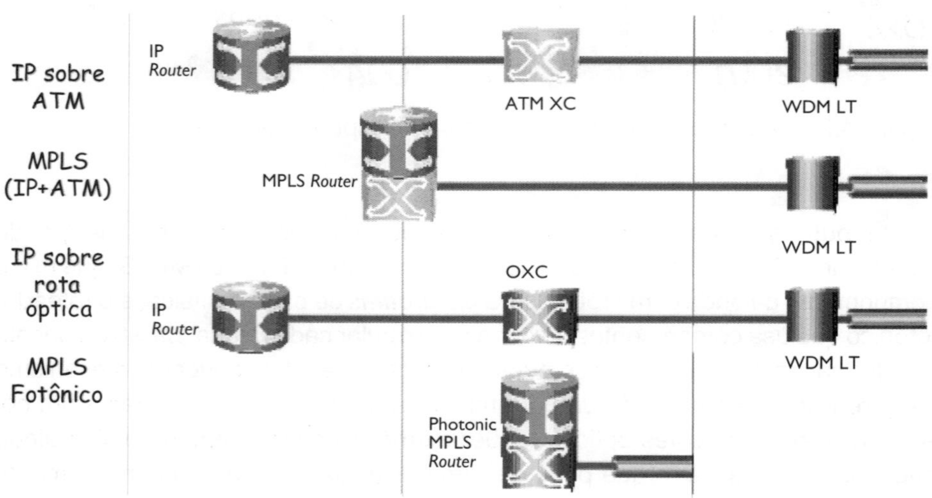


Figura 4.26 Evolução das configurações da rede de transporte baseadas em IP

### 4.4.1 Multiprotocol Lambda Switching

O MPλS (*Multiprotocol Lambda Switching*) é um protocolo para plano de controle centrado em IP, é uma extensão do MPLS direcionado para redes DWDM, tornando os elementos da rede aptos a suportar altas taxas de dados. MPλS fornece também uma estrutura orientada à conexão para protocolo IP, tornando mais fácil a incorporação de QoS na Internet. O modelo IP/DWDM é, atualmente, forte tendência para as redes de transporte.

MPλS descreve um plano de controle para comutadores ópticos influenciado nas técnicas desenvolvidas para a engenharia de tráfego MPLS. A proposta considera a tecnologia OXC para administrar o aprovisionamento em tempo real dos canais ópticos e permitir o uso de semântica uniforme para gestão de rede e operações de controle em redes híbridas, com elementos de rede OXCs e roteadores de comutação de rótulos. Essa proposta ajudará na gestão da largura de banda no canal óptico, assim como no aprovisionamento dinâmico dos canais ópticos e a sobrevivência da rede por meio de capacidades melhoradas de proteção e restauração.

Da mesma forma que MPLS, MPλS baseia-se apenas em rótulos para definir o próximo roteador. Então, não é necessário subir até a camada de rede para processar endereços IP. Esse rótulo funciona como um índice na tabela de roteamento. O uso de rótulos é muito mais eficiente que as tabelas tradicionais. O comprimento de onda, usado como rótulo, é o identificador único. Isto possibilita a roteadores e *switches* realizar as funções necessárias de encaminhamento.

Em uma rede de transporte óptica, um OXC é um elemento de comutação que estabelece caminhos roteados para os canais ópticos mediante a conexão local de uma porta de entrada (fibra) a uma porta de saída (fibra).

O plano de controle tem topologia fixa e é separado do canal de dados. O plano de controle para OXC usa protocolos IP estendidos para distribuir a informação de estado relevante da rede de transporte óptica, incluída a informação de estado da topologia. Esta é usada por um sistema de roteamento baseado em restrições, para calcular os caminhos dos canais ópticos ponto-a-ponto. O plano de controle de OXC usa um protocolo de sinalização de MPLS para os canais ópticos ponto-a-ponto. Dessa forma, pacotes IP podem ser diretamente transportados sobre redes DWDM.

Uma diferença básica entre MPLS e MPλS é o nível de granularidade: MPλS controla lambdas, enquanto que MPLS controla fluxos de pacotes, que podem ser transportados em lambdas. Posteriormente ao casamento entre o plano de controle MPLS com os comutadores OXC, que deu origem a MPλS, surgiu o GMPLS (*Generalized Multiprotocol Label Switching*) como uma solução de convergência tecnológica, de engenharia de tráfego e QoS para a rede de transporte.

## 4.5 *Generalized Multiprotocol Label Switching*

O GMPLS é um conjunto de protocolos estendidos de MPLS e MPλS em um plano de controle comum, tanto para redes ópticas como eletrônicas, que é necessário para habilitar a próxima geração de redes IP sobre DWDM. GMPLS estende MPLS e MPλS incluindo a comutação por divisão no tempo na rede de transporte para dar suporte a tecnologias como SONET/SDH que multiplexam no tempo; além de aprimorar o plano de controle para tecnologias de comutação de comprimentos de onda (lambdas), espacial (porta/fibra) e pacotes/células.

A generalização proporciona um plano de controle comum padronizado, necessário para a evolução de redes ópticas abertas e interoperáveis. Um plano de controle comum simplifica as operações e a gestão, o que reduz o custo das operações e proporciona uma ampla faixa de cenários de desenvolvimento.

O principal foco de GMPLS é o plano de controle das diversas camadas de comutação, que permite hierarquias para o transporte da informação. O plano de controle e o plano de transporte de dados encontram-se fisicamente desagregados (Figura 4.27).

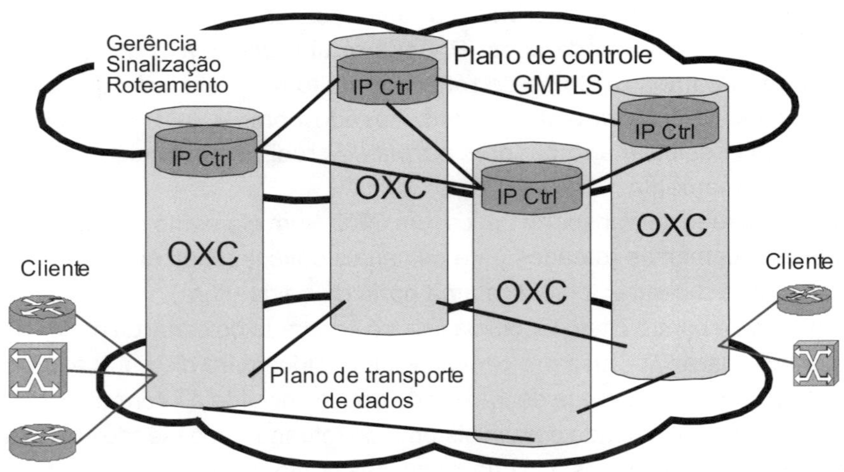


Figura 4.27 Plano de controle e plano de transporte de dados

Para incluir os tipos adicionais de comutação (TDM, lambda e porta/fibra), estendeu-se certas funções providas por MPLS para incorporar um novo conjunto de interfaces nos LSR. Estas interfaces se classificam em:

- Interfaces PSC (*Packet Switch Capable*), que reconhecem os limites de pacotes e enviam dados com base na informação do cabeçalho do pacote. Por exemplo, interfaces de *routers* que encaminham dados baseados no cabeçalho do pacote IP ou cabeçalho *shim* MPLS.

- Interfaces L2SC (*Layer-2 Switch Capable*), que reconhecem os limites de quadros/células e podem enviar dados em função do conteúdo do seu cabeçalho. Como as interfaces Ethernet que usam o cabeçalho MAC ou interfaces ATM baseados na informação dos VPI/VCI.
- Interfaces TDM (*Time-Division Multiplexer Capable*), que encaminham os dados em *slots* de tempo, como as interfaces *cross-connect* (XC) SDH/SONET, os multiplexadores *add/drop* (ADM), as interfaces TDM G.709, as interfaces PDH, etc.
- Interfaces LSC (*Lambda Switch Capable*), que encaminham dados em comprimentos de onda, como as interfaces *photonic cross-connect* (PXC) ou *optical cross-connect* (OXC).
- Interfaces FSC (*Fiber-Switch Capable*), que encaminham dados com base na posição em que são recebidos no espaço físico (porta), como as interfaces PXC/OXC operando ao nível de uma ou múltiplas fibras.

Um resumo dos diferentes tipos de interface é apresentado na Tabela 4.3. Os domínios dessas interfaces são apresentados na Figura 4.28.

Tabela 4.3 Resumo das interfaces em GMPLS

| Tipo de comutação | Tipo de tráfego | Esquema de *forwarding* | Exemplo de dispositivo | Nomenclatura |
|---|---|---|---|---|
| Pacote<br>Célula | IP<br>ATM | *Label*<br>VCC | IP *Router*<br>ATM *Switch* | *Packet Switch Capable* (PSC) |
| Time | TDM<br>SONET<br>SDH | Time Slot | *Digital cross-connect* (DCS)<br>ADM | TDM *Capable* |
| Comprimento de onda | Transparente | *Lambda* | DWDM | *Lambda Switch Capable* |
| Espaço Físico | Transparente | Fibra<br>Linha | OXC | *Fiber Switch Capable* |

Essas mudanças afetam as propriedades básicas dos LSPs, como por exemplo a solicitação e comunicação dos rótulos, a sua natureza unidirecional, a propagação dos erros e a informação proporcionada para sincronizar os LSR de entrada e saída.

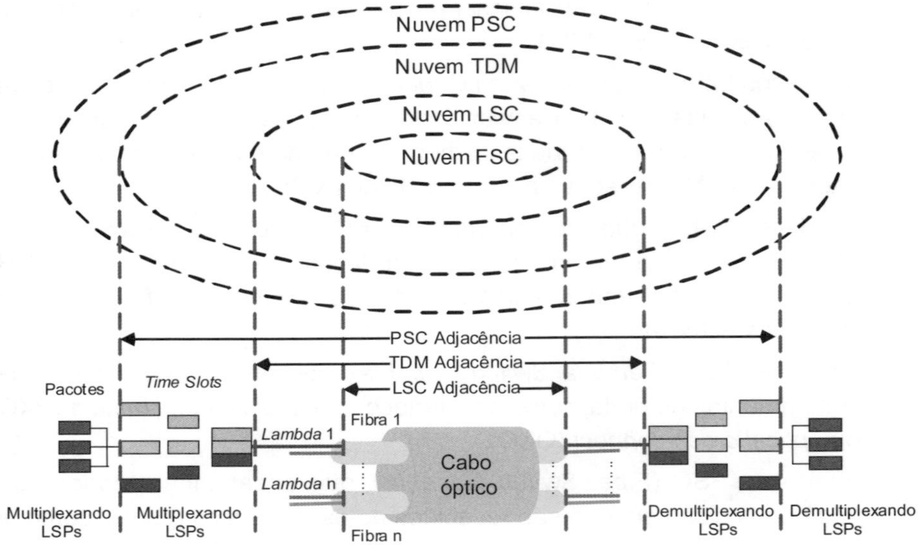


Figura 4.28 Domínios das interfaces em GMPLS

Em GMPLS, um circuito só pode ser estabelecido entre interfaces do mesmo tipo. Pode-se ter distintos circuitos, como circuito SDH, caminho óptico, etc. Genericamente, todos os distintos tipos de circuitos que podem ser estabelecidos entre duas interfaces do mesmo tipo são denominados LSP. Um LSP pode se aninhar dentro de outro criando uma hierarquia de LSPs (Figura 4.29). No alto da hierarquia encontram-se as interfaces FSC, seguidas das interfaces LSC, as interfaces TDM, as interfaces L2SC e, por último, as interfaces PSC.

Os LSPs que entram e abandonam o domínio do transporte óptico nos mesmos LSR podem ser agregados e encapsulados em um único LSP. Essa agregação permite conservar o número de lambdas utilizados no domínio MPLS. A hierarquia de LSPs também ajuda a tratar com a natureza discreta da largura de banda óptica. Quando se estabelece um LSP, este obtém uma largura de banda discreta (por exemplo, 2,488 Gbps), mas, quando este LSP óptico é tratado como um enlace, sua largura de banda não necessita ser discreta.

Um LSR e um OXC exibem várias relações isomórficas, as quais permitem reutilizar algoritmos do modelo do plano de controle MPLS-TE. A distribuição da informação de estado da topologia, o estabelecimento dos caminhos ópticos, as funções de engenharia de tráfego, e as capacidades de proteção e restauração seriam facilitadas pelo plano de controle de engenharia de tráfego do MPLS generalizado.

Assim, um OXC com um plano de controle MPLS-TE se parece com um LSR. A fibra física entre um par de OXCs representaria um único enlace na topologia da rede. Os comprimentos de onda ou canais individuais seriam análogos aos rótulos. IS-IS ou OSPF, com extensões de engenharia de tráfego e possivelmente extensões adicionais específicas de redes ópticas, podem ser usados para distribuir a informação sobre a topologia óptica, assim como a informação sobre a largura de banda disponível e os canais disponíveis por fibra. Um protocolo de sinalização de MPLS, tal como RSVP estendido, pode ser usado para a gestão dos caminhos de canal óptico.

Existem algumas diferenças e limitações, como a fusão de rótulos no domínio óptico. Um OXC não pode fundir vários comprimentos de onda em um só. Outra diferença é que um OXC não pode realizar o equivalente das operações de inserir e retirar rótulos no domínio óptico. Um rótulo no OXC é um comprimento de onda, e o conceito de inserir e retirar comprimentos de onda não é factível com as tecnologias ópticas atuais.

Quanto à granularidade da alocação do recurso, um LSR de MPLS que opera no domínio elétrico pode, potencialmente, suportar um número arbitrário de LSPs com granularidade de reserva de largura de banda arbitrários. Um OXC só pode suportar um número relativamente pequeno de caminhos ópticos (isso pode mudar com a evolução tecnológica), cada um dos quais terá granularidade de largura de banda discretas, como OC-12, OC-48, OC-192 e OC-768.

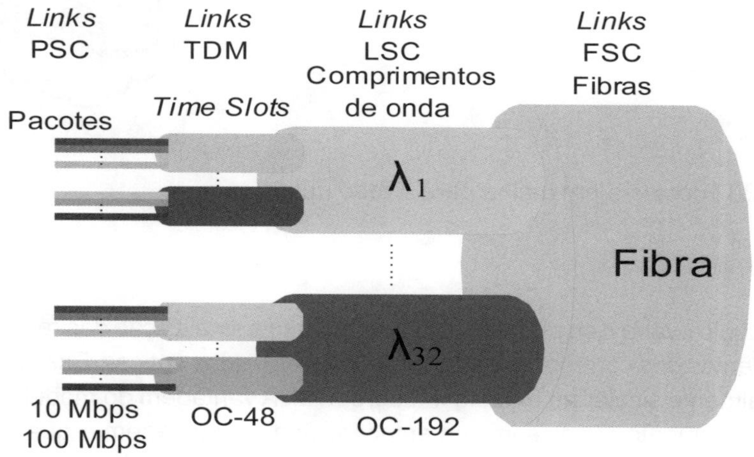


Figura 4.29 Hierarquia de LSPs

### *4.5.1 Modelos de interconexão de redes*

A rede óptica da Figura 4.30 consiste de múltiplas sub-redes interconectadas em uma topologia em malha (*mesh network*). A interação entre roteadores IP e o núcleo óptico ocorre sobre uma interface de roteamento e sinalização denominada interface usuário-rede (UNI – *User-Network Interface*), enquanto a interação entre sub-redes ocorre sobre uma interface de roteamento e sinalização conhecida como interface rede-rede (NNI – *Network-Network Interface*). Os possíveis modelos de interconexão para a arquitetura de rede IP sobre DWDM são discutidos a seguir.

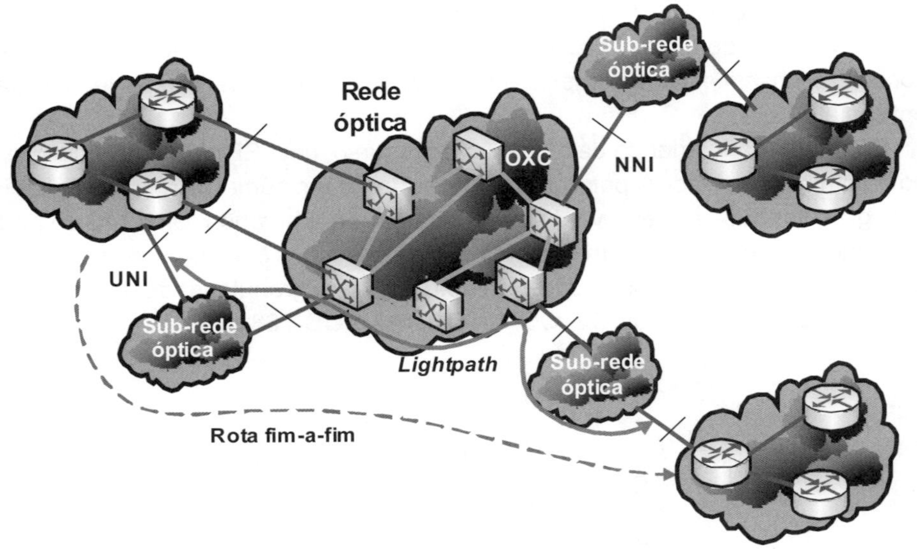


Figura 4.30 Topologia em malha para a rede óptica

No modelo *overlay*, os protocolos de roteamento e sinalização das redes IP são independentes dos correspondentes protocolos em redes ópticas. Esse modelo é conceitualmente similar ao modelo IP sobre ATM. A vantagem do modelo *overlay* é sua relativamente simples implementação. Sua desvantagem é que requer a criação e gerência de interfaces de roteamento IP sobre a rede óptica. A Figura 4.31 apresenta a arquitetura do modelo *overlay*.

No modelo *peer*, as redes IP e as redes ópticas são tratadas como uma única rede integrada, com gerência e engenharia de tráfego unificada. Os OXC são tratados como qualquer outro roteador pelo plano de controle. Do ponto de vista de roteamento e sinalização, não existe diferença entre as interfaces UNI e NNI ou qualquer outra interface. Um único protocolo de roteamento roda sobre ambos domínios de redes (IP e óptico). Esse plano de controle único é possível a partir do advento do GMPLS. A desvantagem desse modelo é a necessidade de informação de roteamento específica para redes ópticas a ser conhecida pelos roteadores. A Figura 4.32 apresenta a arquitetura do modelo *peer*.

Figura 4.31 Arquitetura do modelo *overlay*

Figura 4.32 Arquitetura do modelo *peer*

No modelo interdomínio, há instâncias de roteamento separadas nos domínios IP e óptico, porém a informação de uma instância de roteamento é repassada por meio da outra instância de roteamento. Por exemplo, endereços IP serão transportados pelos protocolos de roteamento ópticos para permitir que a informação seja alcançada pelos clientes IP. Esse modelo combina o melhor dos modelos de interconexão *peer* e *overlay*. É mais simples de implementar que o modelo *peer* e não requer gerência de interfaces de roteamento sobre a rede óptica, como no modelo *overlay*.

### 4.5.2 Protocolos de roteamento em GMPLS

O plano de controle GMPLS compõe-se de protocolos de sinalização e roteamento usados na arquitetura IP, que têm sido modificados. Um novo protocolo é incorporado para a gerência de enlaces, o *Link Management Protocol* (LMP).

Os protocolos de sinalização e roteamento requerem ao menos um canal de controle bidirecional para comunicação quando dois LSRs adjacentes estão conectados mediante enlaces unidirecionais. LMP pode estabelecer, manter e gerenciar esses canais de controle.

O GMPLS baseia-se nos modelos de roteamento e endereçamento IP. Os endereços IP são usados para identificar as interfaces, e os protocolos de roteamento distribuídos são estendidos para o descobrimento da topologia e estado dos recursos de todos os enlaces no domínio de roteamento. Os endereços IP identificam também interfaces PSC e não-PSC. Os protocolos de roteamento IP são usados para encontrar rotas para circuitos não-PSC, utilizando algoritmos com restrições.

O GMPLS estende os protocolos de roteamento intradomínio tradicionais, OSPF-TE e IS-IS-TE, necessários para codificar e transportar uniformemente a informação de um enlace. A troca de informação entre sistemas autônomos é feita por meio de um protocolo de roteamento interdomínio, como BGP-4. O GMPLS amplia modelos de roteamento e endereçamento para aumentar a escalabilidade, usando enlaces não-numerados e agrupamento de enlaces, ou uma combinação de ambos. Os enlaces ou interfaces não-numerados são enlaces ou interfaces que não têm um endereço IP. Isso cria duas necessidades: especificar enlaces não-numerados na sinalização MPLS-TE e transportar informação sobre esses enlaces nas extensões de OSPF-TE.

Os enlaces não-numerados precisam de algum tipo de identificador em cada extremo. Os LSRs situados nos extremos de um enlace trocam os identificadores que eles mesmos colocam ao enlace, o que pode ser feito por meio de um protocolo como LMP, pelo protocolo de roteamento ou pelo protocolo de sinalização.

O conceito de agrupamento de enlaces é fundamental em certas redes GMPLS. Considerando-se uma rede óptica em malha, onde os OXCs adjacentes estão conectados por várias centenas de comprimentos de onda paralelos, deveriam ser anunciados em separado cada comprimento de onda que possa ser utilizado com os protocolos de roteamento (OSPF/IS-IS). Quando se conectam um par de LSPs mediante múltiplos enlaces, é possível apresentá-los como um único enlace, em um processo denominado agrupamento de enlaces (*link bundling*). O enlace lógico resultante é denominado enlace agrupado, e seus enlaces físicos são os enlaces componentes, identificados pelos índices da interface. O propósito do agrupamento é melhorar a escalabilidade do roteamento ao reduzir a informação que tem de ser processada pelos protocolos.

Para agrupar enlaces componentes, estes devem começar e terminar no mesmo par de LSRs e compartilhar algumas características comuns, como tipo de enlace (ponto-a-ponto ou multiponto). Um enlace agrupado pode estar numerado ou não, independentemente de os enlaces componentes estarem ou não numerados.

### *4.5.3 Protocolo de sinalização em GMPLS*

O GMPLS amplia os protocolos de sinalização RSVP-TE e CR-LDP. A nova sinalização deverá suportar a criação de rotas específicas e transportar os parâmetros requeridos do LSP (largura de banda, tipo de sinal, tipo de proteção/restauração, etc.) para os novos tipos de interfaces.

Algumas das extensões são melhorias para o controle das interfaces TDM, LSC e FSC. Assim, o tipo de carga transportada por um LSP estende-se para permitir cargas SONET/SDH, G.709, 1 GbEthernet ou 10 GbEthernet, etc. Nessas interfaces, a alocação de largura de banda para um LSP só pode ser realizada em unidades discretas. Também é definido um novo formato de solicitação de rótulo genérico ou rótulo generalizado, visando às interfaces TDM, LSC e FSC, e parâmetros específicos de tráfego para cada tecnologia. Espera-se ter menos rótulos nesses enlaces porque são rótulos físicos, ao contrário dos enlaces PSC ou λ que usam rótulos lógicos.

No MPLS-TE, um LSP deve começar e terminar em um roteador. Isso é ampliado no GMPLS ao requerer que um LSP comece e termine em um tipo similar de LSR. O GMPLS permite a um nó sugerir um rótulo na solicitação de estabelecimento de um LSP para reduzir o tempo de latência inicial. O GMPLS amplia o conceito de restrição da faixa de rótulos que pode ser selecionado pelo nó de descida ou *downstream*. Esse mecanismo é útil em redes fotônicas onde a conversão de comprimento de onda pode não estar disponível.

O GMPLS fornece suporte para comutação de bandas de comprimentos de onda, conjunto de lambdas contíguos que podem ser comutados conjuntamente. Inclui restrição de rótulos pelo canal de subida (*upstream*), que pode ser útil quando o equipamento final somente é capaz de transmitir e receber um pequeno conjunto de comprimentos de onda. Permite o estabelecimento de LSPs bidirecionais simétricos, assim, os caminhos de dados de subida (*upstream*) e descida (*downstream*) se estabelecem com um único conjunto de mensagens de sinalização. Isso reduz a latência de estabelecimento de rota e limita o *overhead* de controle. O GMPLS define várias extensões de sinalização, que permitem a notificação explícita de falhas e outros eventos aos nós responsáveis pela restauração dos LSPs e o manejo de erros.

### *4.5.4 Protocolo de gerência de enlaces*

Na tecnologia GMPLS, um par de LSRs pode estar conectado por dezenas de fibras, cada fibra transmitindo centenas de comprimentos de onda (DWDM). Pode-se combinar múltiplas fibras e(ou) comprimentos de onda em um ou mais enlaces agrupados com finalidades de roteamento. Para possibilitar a comunicação entre nós para roteamento, sinalização e gerência de enlaces, devem-se estabelecer canais de controle entre cada par de nós.

O LMP proporciona mecanismos para manter a conectividade do canal de controle, verificar a conectividade física dos enlaces de dados, correlacionar a informação de propriedade do enlace e gerenciar as falhas nos enlaces. Uma adjacência LMP é criada entre dois nós que proporcionam as mesmas capacidades LMP (Figura 4.33). Vários canais de controle podem estar ativos simultaneamente em cada adjacência.

Cada canal de controle negocia individualmente seus parâmetros e sustenta a conectividade usando um protocolo *Hello* rápido, o qual consiste de uma fase de negociação de parâmetros e uma fase *keep-alive* para a rápida troca de mensagens bidirecionais.

O LMP proporciona um procedimento para a localização de falhas. Uma vez detectada a falha, é utilizado o protocolo de sinalização para iniciar o mecanismo de proteção/restauração do enlace ou rota. Atualmente, têm-se seis tipos de proteção de enlace definidos: melhorado, dedicado 1+1, dedicado 1:1, compartilhado, não-protegido e tráfego extra.

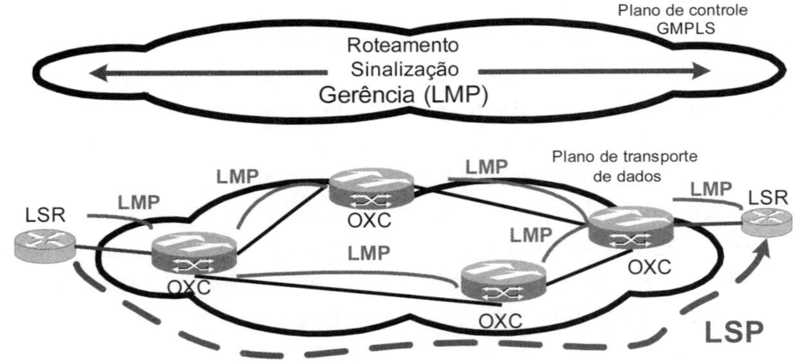


Figura 4.33 Adjacência LMP

## 4.6 Conclusão

O objetivo das diferentes evoluções da rede de transporte é atender a quatro requisitos para o transporte convergente de fluxo IP multimídia: adequação com as novas necessidades de serviços; suporte para altos fluxos de tráfego de dados; garantia da qualidade de serviço, especialmente para tráfego em tempo real; e gerência otimizada da rede de transporte. As soluções funcionais e as tecnologias para suprir as necessidades de transporte na rede convergente são mostradas na Tabela 4.4.

Tabela 4.4 Necessidades de transporte na rede convergente

| Requisitos | Solução funcional | Tecnologia |
|---|---|---|
| Adequação para novos tipos de serviços | Aumento do plano de endereços<br>Funções de difusão<br>Melhoria da gerência da mobilidade | IPv6 |
| Alto tráfego de dados | Multiplixação em comprimento de onda<br>Melhoria dos desempenho das tecnologias LAN | DWDM, CWDM<br>Gibabit Ethernet, 10 Gibabit Ethernet |
| Garantia da qualidade de serviço | Garantia de banda passante<br>Gerência de classe de serviço<br>Extensibilidade de redes<br>Diminuição dos tempos de latência<br>Siplificação do roteamento | MPLS ou ATM<br>MPLS ou ATM<br>IP<br>Comutação óptica<br>IPv6 |
| Gerência otimizada da rede de transporte | Gerência de circuitos virtuais<br>Siplificação da gerência de redes com um plano de controle unificado<br>Controle das capacidades da rede ou engenharia de tráfego<br>Flexibilidade de gerência dos recursos da rede | MPLS e ATM<br>MPLS e G-MPLS<br>MPLS e G-MPLS<br>MPLS, G-MPLS |

A seguir são listadas algumas tendências das redes de transporte das operadoras.

- Aumento do uso da comutação óptica e da multiplexação em comprimento de onda (CWDM, DWDM) em redes de transmissão, inclusive metropolitana, com a diminuição da multiplexação TDM.
- Implantação de comutadores Ethernet nas redes metropolitanas de longa distância, mesmo nacionais ou internacionais. Esses comutadores permitem uma conectividade fim-a-fim sobre Ethernet.
- Nas redes de comutação para o transporte do tráfego IP, difusão progressiva dos comutadores MPLS seguindo tendências em direção à comutação MPLS única; com tendência menor para rede mista ATM e MPLS; e, em longo prazo, o aparecimento do GMPLS (MPLS sobre DWDM).
- Em um possível plano de controle total da rede de transporte, o GMPLS propõe uma solução arrojada, casando o controle das redes de comutação e de transmissão.
- A incerteza com relação à mudança da comutação IP de sua versão atual IPv4 para o IPv6, melhorando as funcionalidades existentes.
- Os operadores que possuem uma grande base de comutadores ATM e roteadores IP migrarão lentamente para a comutação MPLS, permanecendo um longo tempo sobre uma arquitetura mista ATM/MPLS.

Por outro lado, os novos entrantes, desejando os benefícios da comutação de pacotes no modo circuito virtual, escolherão sem dúvida a comutação MPLS. Adaptada perfeitamente para o transporte de IP, tendo um gerenciamento dos circuitos virtuais que permite suportar as freqüentes alterações de topologia e de perfil do tráfego, a comutação MPLS será favorecida em comparação ao ATM.

Em síntese, as principais evoluções no transporte, no contexto da futura rede convergente de comunicação, são: evolução total para tecnologias de transmissão e de transporte a altas taxas, em modo pacote, com uma qualidade de serviço adaptada; e separação das funções de transporte e de controle no núcleo da rede.

O conceito de rede de transporte, do ponto de vista da convergência, é maior que o tradicional. Ele inclui, em complemento às conexões físicas e de infra-estrutura passiva de transporte, o aparecimento das funções *media gateway* e *signaling gateway*, que efetuarão a conversão e o roteamento do tráfego e da sinalização sob o controle dos servidores de controle de chamada. A separação das funções de transporte e de controle no núcleo de rede, assim como os novos equipamentos envolvidos serão apresentados no próximo capítulo.

## Referências


BANERJEE, A.; DRAKE, J.; LANG, J. P.; TURNER, B.; KOMPELLA, K.; REKHTER, Y. Generalized multiprotocol label switching: an overview of routing and management enhancements, *IEEE Communications Magazine*, v. 39, n. 1, Jan. 2001, p. 144-150.

BANERJEE, A.; DRAKE, L.; LANG, L.; TURNER, B.; AWDUCHE, D.; BERGER, L.; KOMPELLA, K.; REKHTER, Y. Generalized multiprotocol label switching: an overview of signaling enhancements and recovery techniques. *IEEE Communications Magazine*, v. 39, n. 7, July 2001, p. 144-151.

CAVENDISH, John. New transport services for next-generation SONET/SDH System. *IEEE Communications Magazine*, May 2002.

COMELLAS, J.; MARTINEZ, R.; PRAT, J.; SALES, V.; JUNYENT, G. Integrated IP/WDM routing in GMPLS-based optical networks, *IEEE Network*, v. 17, n. 2, Mar./Apr. 2003, p. 22-27.

CRISPIM, H.; PASTOR, Eduardo T. L.; ABDALLA Jr., H.; SOARES, A.J.M. et al. Otimização de alocação de rotas e comprimentos de onda em redes WDM. XXI Simpósio Brasileiro de Telecomunicações, SBT'04, set. 2004.

IS-IS EXTENSIONS FOR TRAFFIC ENGINEERING. Disponível em: <http://www.ietf.org/internet-drafts/draft-ietf-isis-traffic-05.txt>.

KARTALOPOULOS, Stamatios. *Next generation SONET/SDH, voice and data.* Wiley, Jan. 2004.

MANNIE, Eric. *Generalized multi-protocol label switching architecture*, draft-ietf-ccamp-gmpls-architecture-07.txt, May 2003.

MURTHY, C. Siva Ram; GURUSAMY, Mohan. *WDM optical networks – concepts, design and algorithms*. Prentice Hall, PTR, 2002.

OPTICAL NETWORKS – *Third generation transport systems uyless black*. Prentice Hall, PTR, 2002.

PARASAK, Chokesatean; TITINTORN, Yaemnoi; WONGANAN, Sukcharoenkana; YUN, Zhang. *Will GMPLS replace ATM and SONET/SDH in the next few years*?, National Chiao Tung University, Dec. 2001.

PENDARAKIS, Dimitrios; SAHA, Debanjan; RAMAMOORTHY, Ramu S.; BALA, Krishna. IP over optical networks: architectural aspects Bala Rajagopalan, Tellium, Inc. *IEEE Communications Magazine*, Sep. 2000.

PURSE, Christopher. *Next generation SDH systems*. Purse Systems LTDA, 2005.

RFC 3209. *RSVP-TE: Extensions to RSVP for LSP Tunnels*. Disponível em: <www.ietf.org/rfc.html>.

RFC 3212. *Constraint-Based LSP Setup Using LDP*. Disponível em: <www.ietf.org/rfc.html>.

ROSSI, S. M.; ROCHA, M. L.; BARROS, M. R. X. de; ROSOLEM, J. B.; PARADISI, A. *Optical WDM Networks with Distributed IP-Centric Control Plane*. Submetido ao SBMO, 2002.

SATO, K.; YAMANAKA, N.; TAKIGAWA, Y.; KOGA, M.; OKAMOTO, S.; SHIOMOTO, K.; OKI, E.; IMAJUKU, W. GMPLS-based photonic multilayer router (Hikari router) architecture: an overview of traffic engineering and signaling technology. *IEEE Communications Magazine*, v. 40, n. 3, Mar. 2002, p. 96-101.

SATO, Ken-ichi. *Photonic network technology development*, Global Optical Communications, 2002.

TOMSU, Peter; SCHMUTZER, Christian. *Next generation optical networks – The convergence of IP intelligence and optical technologies*. Prentice Hall, PTR, 2002.

TRAFFIC ENGINEERING EXTENSIONS TO OSPF. Version 3. Disponível em: <http://www.ietf.org/internet-drafts/draft-ietf-ospf-ospfv3-traffic-01.txt>.

ZARABI, Arun. *Transport of storage service over SONET/SDH network*, Intel/TechOnLine WebSeminar, May 2005.

# 5

# Camada de controle

## 5.1 Introdução

A camada de controle contém os elementos de controle da rede e dos serviços. Essa camada controla os planos de acesso, transporte e serviço. A camada de controle pode, por exemplo, ser responsável pelo controle de sessões de uma comunicação, estabelecendo ou desconectando chamadas de voz ou multimídia, fornecer serviços inteligentes ou recursos, dependendo do serviço solicitado.

As principais características das redes convergentes são o uso de uma única rede de transporte em modo pacote (IP, ATM), assim como a separação das camadas de transporte e de controle, que são implementadas em um mesmo equipamento nos comutadores tradicionais. Esses comutadores são substituídos por dois tipos de equipamentos distintos: servidores de controle de chamada (*call servers*, *softswitches* ou *media gateway controllers*); e equipamentos de negociação e roteamento (*media gateways*). Também são necessários novos protocolos de controle de chamada e de sinalização entre os *media gateways*, entre os servidores de chamada, e destes aos *media gateways*.

## 5.2 Entidades funcionais do núcleo da rede

As entidades funcionais básicas que compõem o núcleo de uma arquitetura de redes convergentes são: *media gateway*, *media gateway controller* e *signaling gateway*.

A função do *Media Gateway* (MG), localizado no nível de transporte, é realizar a codificação e a conversão, quando necessária, dos fluxos de mídia encaminhados pelas outras redes, tipicamente RTFC e redes de acesso, em pacotes no formato utilizado pelo protocolo de transporte do núcleo da rede convergente, e vice-versa; bem como o roteamento desses fluxos de acordo com as instruções do servidor de controle de chamada.

A função do *Signaling Gateway* (SG) é converter a sinalização trocada entre o núcleo da rede e a rede externa a ela interconectada, segundo um formato compreensível pelos equipamentos envolvidos, mas sem interpretar essa informação. O SG assegura a adaptação da sinalização de acordo com o protocolo de transporte utilizado. Esses *gateways* desempenham uma função essencial: não só asseguram o roteamento de tráfego, mas também o interfuncionamento com as redes externas e com as várias redes de acesso, realizando a conversão do tráfego (entidade funcional *media gateway*) e a conversão da sinalização associada (entidade funcional *signaling gateway*).

A função do servidor de controle de chamada ou *media gateway controller* (MGC) é estabelecer a inteligência da rede (Figura 5.1). Ele gerencia:

- a troca de mensagens de sinalização transmitidas de uma parte a outra e a interpretação dessa sinalização;

- o tratamento das chamadas, através do diálogo com terminais SIP, H.323 e MGCP e da comunicação com os servidores de aplicação para o fornecimento de serviços;
- a escolha do MG de saída de acordo com o endereço de destino, tipo de chamada, rede de acesso mais apropriada, formatos suportados, etc.;
- a reserva de recursos no MG e o controle de conexões internas para comando dos mesmos.

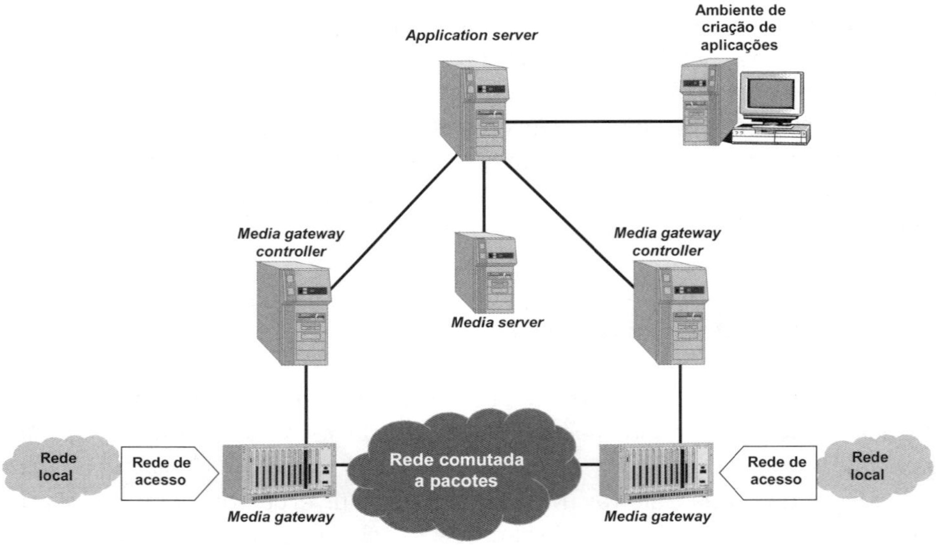


Figura 5.1 Estrutura básica de uma rede convergente

O MG e o MGC são entidades funcionais e podem ser integradas no mesmo equipamento como também serem elementos independentes. Essa é a grande vantagem trazida pela dissociação das camadas de controle e de transporte. O MG e o SG são também entidades funcionais separadas, entretanto eles são usualmente implementados em um mesmo equipamento.

Com relação à localização, os *media gateways* podem ser distribuídos de acordo com o tráfego de dados (interconexões, pontos de concentração para as redes de acesso) e os servidores de controle de chamada podem ser agrupados em um ou dois sites centrais, compondo a denominada arquitetura *softswitch*. As duas entidades funcionais comunicam-se via rede de transporte IP e protocolo de controle dos MGs. O dimensionamento dos *media gateways* e dos servidores define a capacidade de tráfego suportado pela rede. Os servidores de controle de chamada são dimensionados em função da carga de tratamento de comunicações que será suportada, como estabelecimento de conexão, atividade e mobilidade dos usuários, etc.

A decomposição das funções do núcleo da rede em camadas e entidades funcionais independentes proporciona aos fabricantes e operadoras mais liberdade para a implementação física dessas funções nos diversos equipamentos, assim como a sua localização geográfica dentro da área de prestação de serviço.

### *5.2.1 Componentes básicos de uma convergente*

A seguir, serão detalhadas as características dos principais componentes que implementam as entidades funcionais no núcleo de uma rede convergente, dentro da arquitetura *softswitch*.

#### 5.2.1.1 O *media gateway*

O *media gateway* é o componente da rede convergente equivalente às centrais de classe 5 da RTFC, o nó de comutação mais próximo dos clientes, consistindo na porta de entrada das diversas mídias convergentes (voz, dados, vídeo, etc.) para o núcleo da rede, com duas grandes vantagens: o custo bastante inferior a essas centrais, para uma mesma capacidade de tráfego, e a possibilidade de gerenciamento de centenas de unidades por um único *media gateway controller* situado a milhares de quilômetros de distância. Sua função básica é a conexão entre as redes de acesso, incluindo a rede telefônica comutada convencional, e o núcleo da rede convergente, realizando a conversão das mídias trafegando entre essas redes e o controle das interfaces com os clientes e os demais *gateways* existentes em seu núcleo (Figura 5.2).

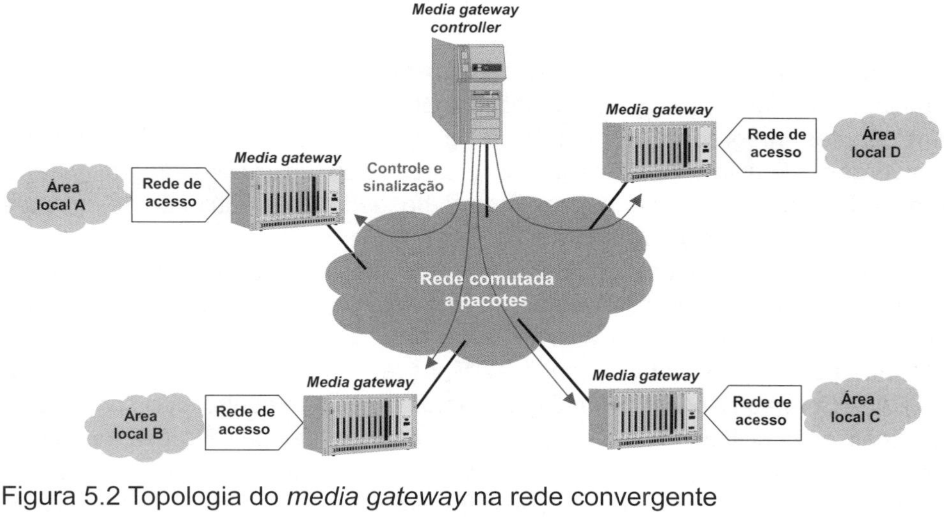


Figura 5.2 Topologia do *media gateway* na rede convergente

O *media gateway* pode realizar e terminar conexões ponto-a-ponto ou conferências multiponto, suportando funções como conversão de codificação de mídia, reserva e alocação de recursos e notificação de eventos, mantendo essas informações para o encaminhamento, gerenciamento e encerramento das chamadas, bem como para monitoração da qualidade de serviço oferecida pela rede e suporte às funções da camada de controle. Entre os equipamentos que desempenham as funções de *media gateway* destacam-se o *trunking gateway*, o *residential gateway* e o *access gateway*.

O *trunking gateway* é um tipo particular de *media gateway*, com a função específica de converter os feixes de bits contidos em circuitos convencionais TDM de primeira ordem (troncos E1/T1) em pacotes de mídia para encaminhamento dentro do ambiente IP (Figura 5.3).

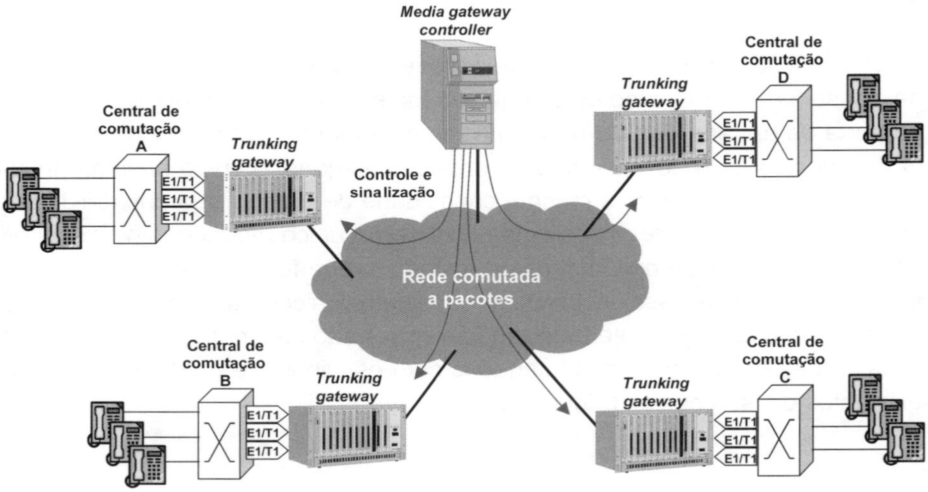


Figura 5.3 Diagrama de conexões de um *trunking gateway*

O *residential gateway* é um tipo particular de *media gateway*, localizado no ambiente do cliente para realizar a codificação das diversas fontes de informação em pacotes integrados de mídia para encaminhamento dentro do ambiente convergente. A utilização desse *gateway* caracteriza um acesso integral na rede em modo pacotes, sem nenhum segmento baseado em comutação de circuitos ao longo da comunicação (Figura 5.4).

O *access gateway* é um componente da rede integrada de pacotes que combina as funções do *signaling gateway* com o *trunking gateway*, sendo utilizado para converter, além das mídias, a sinalização entre a rede convergente e aquela utilizada nos circuitos convencionais TDM, necessária no caso de clientes RDSI ou CAS (*Common Access Signaling*). As informações de controle dos protocolos de sinalização utilizados por esses clientes são extraídas pelo *access gateway* e encaminhadas ao *media gateway controller* para processamento e interpretação dentro da rede de pacotes e vice-versa (Figura 5.5).

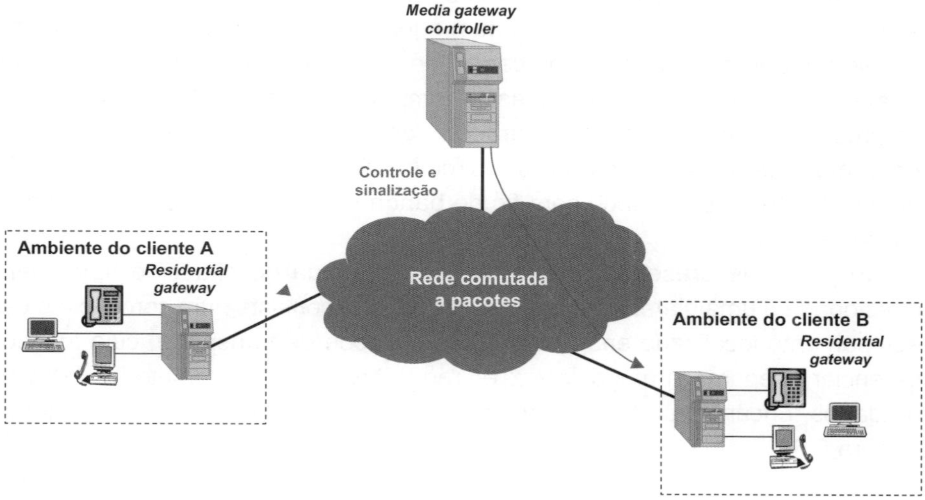


Figura 5.4 Diagrama de conexões de um *residential gateway*

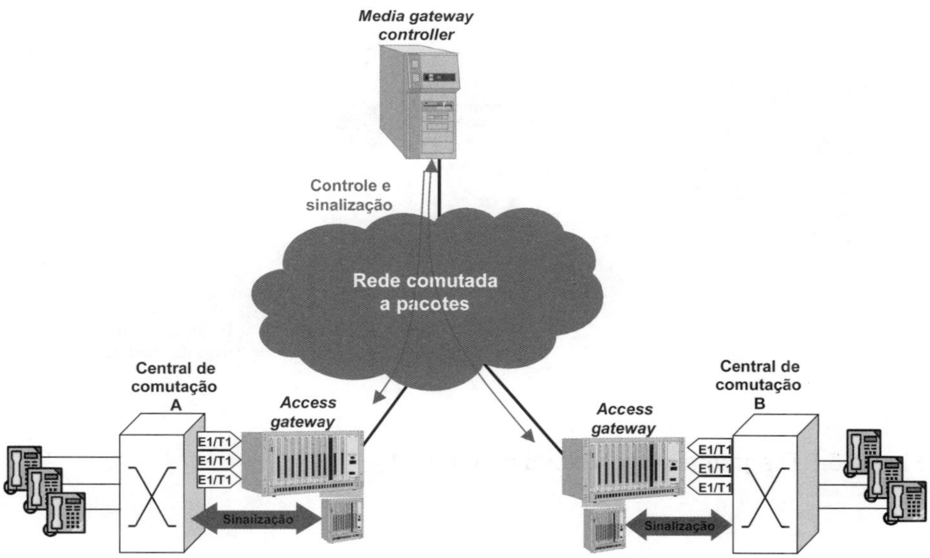


Figura 5.5 Diagrama de conexões de um *access gateway*

Além desses três componentes, efetivamente *media gateways* segundo a arquitetura *softswitch*, existem outros elementos que desempenham funções semelhantes na rede de acesso: o *Integrated Access Device* (IAD) e o *Network Access Server* (NAS).

O IAD é uma alternativa não-rede-integrada de pacotes de convergência entre as redes de voz e dados. Consiste num equipamento, em geral de propriedade do cliente, que agrega múltiplos canais de informação, incluindo voz e dados, através de um único meio de acesso compartilhado a um determinado ponto de presença, que pode ser da operadora, de uma WAN ou mesmo da Internet. Esse meio de acesso pode ser um circuito TDM (E1/T1), uma conexão DSL, uma rede CATV, um enlace sem fio de banda larga ou uma conexão Ethernet metropolitana.

No ponto de presença, a informação agregada do cliente é tipicamente direcionada a uma plataforma multisserviços, que consiste num complexo e caro equipamento localizado entre os clientes e a rede de transporte, cuja função é gerenciar e separar o tráfego de voz, entregue à rede pública comutada, do tráfego de dados, encaminhado à rede apropriada (ATM, Frame Relay, IP ou Internet) (Figura 5.6).

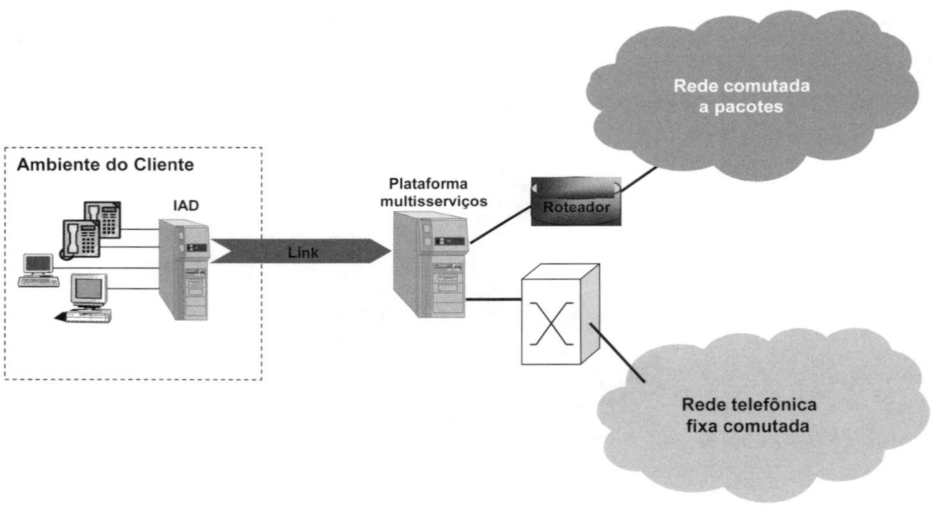


Figura 5.6 Diagrama de conexões de um IAD

O NAS é, fundamentalmente, um *access gateway*, também denominado RAS (*Remote Access Server*), cuja função é realizar a conexão entre uma rede pública de comunicações e uma rede privada. Sua configuração típica é a de um servidor conectado à rede privada que controla um banco de *modens*, aos quais os clientes se conectam pela STFC, utilizando o protocolo TCP/IP sobre uma conexão PPP para acesso aos recursos internos da rede privada, da mesma forma que na conexão discada (*dial-up*) aos provedores de Internet (Figura 5.7).

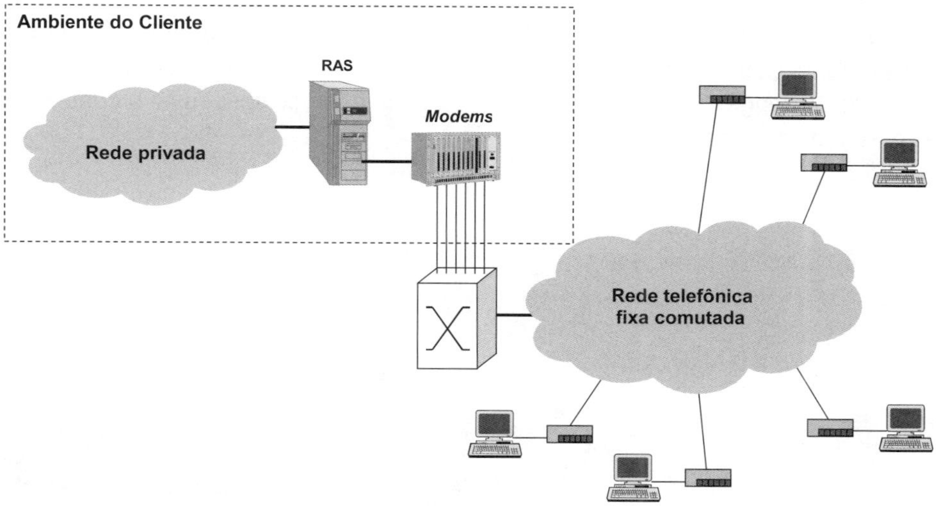


Figura 5.7 Diagrama de conexões de um NAS

### 5.2.1.2 O *media gateway controller*

O *media gateway controller* ou servidor de controle de chamada, também denominado *call agent* ou *softswitch*, é o principal componente dessa arquitetura, pois detém toda a inteligência da rede convergente e controla todos os *media gateway* a ele associados. Entre suas funções principais estão o estabelecimento, monitoração e encerramento de chamadas multimídia como sessões sobre a rede IP, mantendo o estado de todos os recursos alocados para essas chamadas. Além disso, ele suporta a integração entre as redes de comutação de circuitos e a rede de pacotes, armazenando todas as informações associadas ao tráfego durante toda a chamada, para fins de bilhetagem e tarifação.

Para desempenhar todas essas funções, o *media gateway controller* utiliza diversos protocolos: o MGCP e o Megaco (H.248) para controle, o SS7/IP para interface com a rede de sinalização da comutação de circuitos e o SIP e o H.323 para interface com os clientes IP, realizando a tradução entre eles, quando necessário (Figura 5.8).

### 5.2.1.3 O *signaling gateway*

O *signaling gateway* é o componente da rede convergente que realiza a conversão entre as mensagens de sinalização que trafegam na rede comutada a circuitos, baseadas no protocolo SS7, e as mensagens equivalentes para encaminhamento através da rede IP, como mostrado na Figura 5.9. Os protocolos mais difundidos para a conversão SS7/IP são o SIGTRAN, o TALI e o Q.2111. Sua função básica é estabelecer uma ou mais conexões SS7/IP e garantir o estado dessas conexões entre as duas redes ao longo de toda a chamada, mantendo os números de seqüência, confirmações de conexão, retransmissões e notificações da existência de pacotes fora de seqüência. Outras funções importantes são o controle de congestionamento, a detecção de falhas nas sessões e o controle da segurança entre as redes.

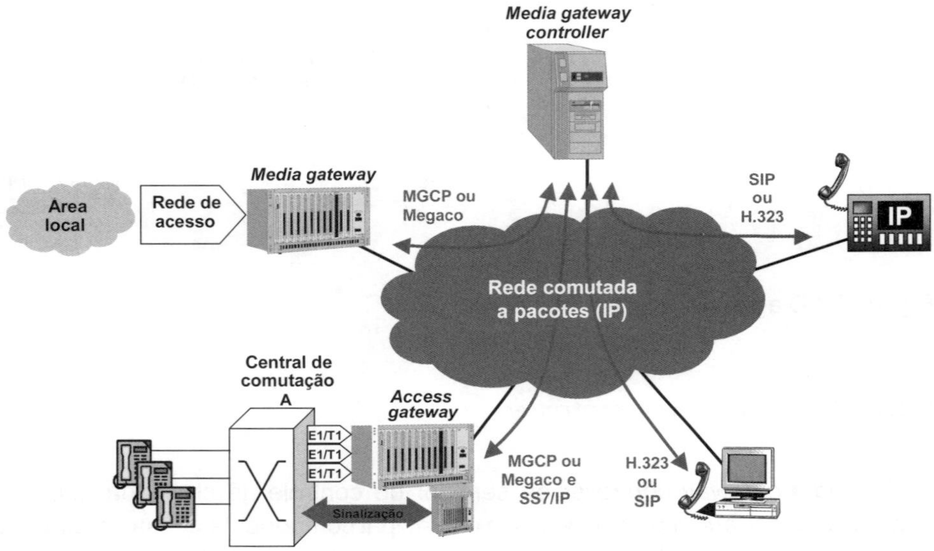


Figura 5.8 Topologia do *media gateway controller* na rede convergente

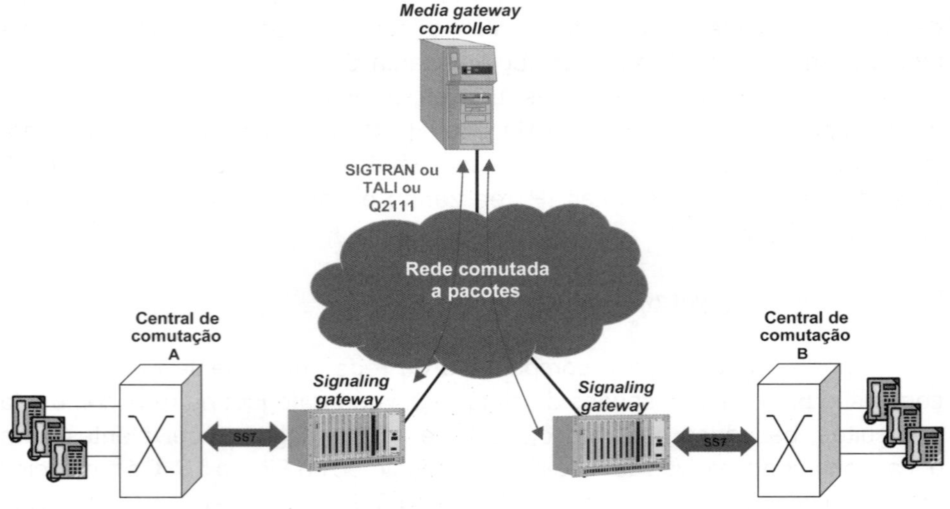


Figura 5.9 Topologia do *signaling gateway* na rede convergente

### 5.2.2 *As famílias de protocolos de uma rede convergente*

A convergência das redes de voz/dados, assim como o fato de se usar uma rede no modo pacote para transportar fluxos multimídia em tempo real, baseada numa arquitetura envolvendo diversos componentes distintos, cada um com funções bem específicas mas complementares entre si, implica a necessidade de adaptação da camada de controle para garantir o desempenho de suas funções de forma cooperativa e eficiente entre esses diversos componentes. De fato, as redes em modo pacotes foram geralmente usadas como rede de transporte, mas não oferecem serviços que permitem o gerenciamento das chamadas e das comunicações multimídia. Essa evolução leva ao aparecimento de novos protocolos, principalmente com relação à gerência dos fluxos multimídia, dentro da camada de controle.

O controle da operação dos diversos *media gateways* pelo *media gateway controller* é realizado por meio dos protocolos MGCP e Megaco (H.248), que determinam o estabelecimento e encerramento de chamadas, entre outras funções. A comunicação entre os clientes IP e o *media gateway controller* ou entre dois *media gateway controllers* é realizada por meio dos protocolos SIP e H.323, ambos agindo na camada de aplicação, também para estabelecimento e encerramento de chamadas. Assim, pode-se classificar os protocolos de controle em diferentes grupos:

- Protocolos de controle da chamada que permitem o estabelecimento de uma comunicação entre dois terminais ou entre um terminal e um servidor. Os principais protocolos são o H.323 do ITU e o SIP do IETF.
- Protocolos de comando dos *media gateways* que resultam da separação entre as camadas de transporte e controle e permitem ao *media gateway controller* gerenciar os *media gateways*. O MGCP (*Media Gateway Control Protocol*) do IETF e o H248/Megaco desenvolvido conjuntamente pelo ITU e IETF são os protocolos predominantes.
- Protocolos de sinalização entre os próprios *media gateway controllers*, permitindo a gerência do plano de controle: no núcleo da rede com os protocolos BICC (*Bearer Independent Call Control*), SIP-T (SIP para a Telefonia) e H.323; e na interconexão com as redes de sinalização SS7, geralmente através dos pontos de sinalização ou *gateways* de sinalização, pela utilização do protocolo SIGTRAN.

Certamente a interconexão dessas redes de dados com as redes de telefonia existentes (TDM com sinalização SS7) requer também o desenvolvimento de protocolos dedicados à interconexão das redes e o transporte da sinalização SS7 sobre as redes no modo pacotes.

## 5.3 Controle de chamada

Historicamente, a recomendação H.323 do ITU é o padrão básico para as comunicações de voz sobre as redes no modo pacote. Praticamente todos os computadores pessoais possuem um terminal H.323 integrado (*software* NetMeeting da Microsoft). Contudo, a H.323 não fornece tantos serviços quando comparado com a telefonia tradicional. A maioria dos fornecedores tem desenvolvido protocolos proprietários que permitem oferecer mais serviços a esses equipamentos. Nos últimos anos, apareceram novos protocolos, como SIP e MGCP, mais apropriados a essa gama de serviços e suportados por muitos fabricantes.

### *5.3.1 Protocolo H.323*

A recomendação H.323 do ITU descreve os procedimentos para comunicações de áudio e vídeo, ponto-a-ponto ou multiponto, sobre as redes em modo pacotes. É uma adaptação dos procedimentos de videoconferência em RDSI (H.320) para redes sem garantia de serviço. Para a realização de um serviço de comunicação multimídia em redes de dados são necessárias algumas entidades (Figura 5.10).

- Os terminais H.323 são sistemas multimídia (telefone, computador pessoal) que permitem a comunicação em tempo real.
- O *gatekeeper* gerencia os terminais H.323 (identificação e tradução de endereços) e o estabelecimento das chamadas.
- O *gateway* H.323 possibilita interfacear a rede IP com a rede de telefonia tradicional.
- A unidade de controle MCU (*Multipoint Controller Unit*) gerencia as conexões multiponto (por exemplo, chamadas de conferência). Ela se decompõe em um controlador multiponto (MC) destinado à sinalização e um processador multiponto (MP) dedicado à transmissão propriamente dita.

#### 5.3.1.1 Arquitetura do protocolo H.323

A Figura 5.11 mostra a arquitetura H.323. Os terminais são os clientes em uma rede H.323. São sistemas de áudio (telefone IP, computadores) ou de videoconferência usados para comunicação em tempo real. O padrão H.323 requer que cada terminal suporte um certo número de funções e de codificadores que são definidos pelo ITU, tais como:

- H.225 que efetua a sinalização das chamadas e a sincronização;
- H.245 que é o protocolo utilizado para a troca de capacidades entre os terminais, a negociação do canal e o controle dos fluxos de mídia entre os terminais H.323;

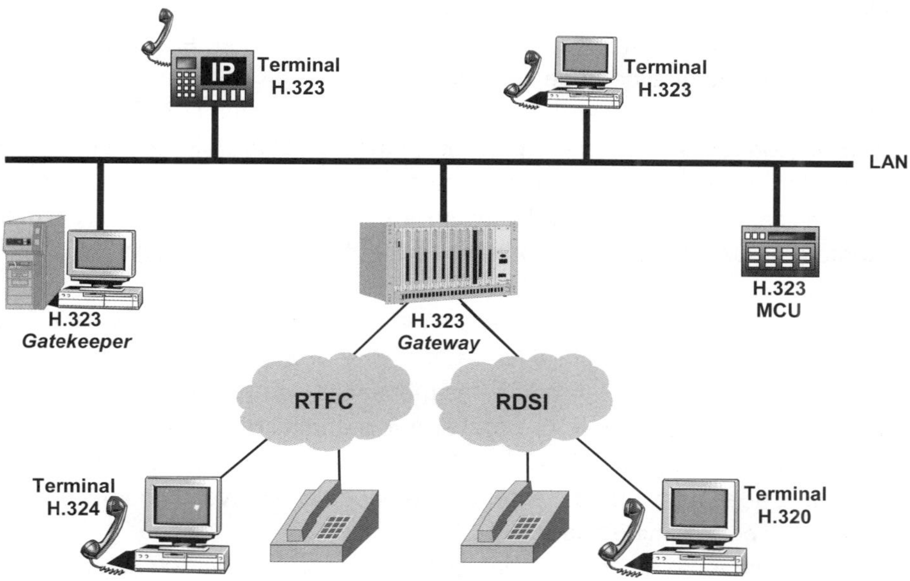


Figura 5.10 Componentes de uma rede H.323

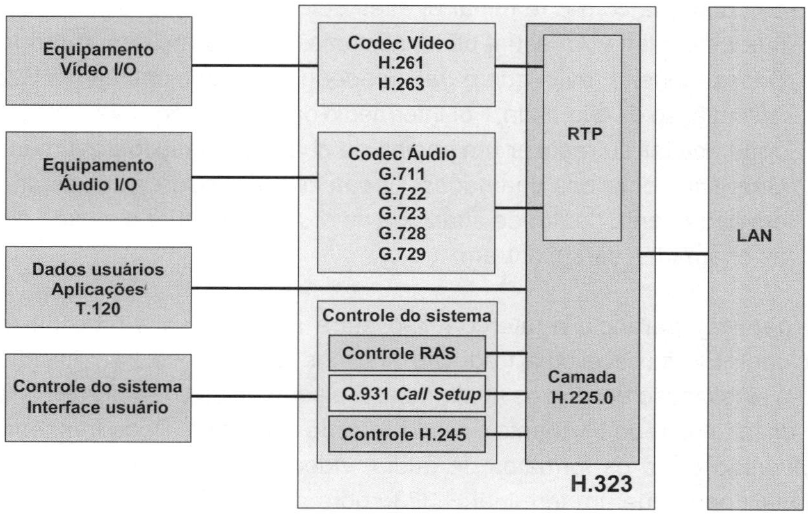


Figura 5.11 Arquitetura H.323

- Q.931 que é um protocolo de sinalização para estabelecer e terminar as chamadas;
- RTP/RTCP (*Real Time Protocol/Control Protocol*) que é o protocolo utilizado para transportar os dados em tempo real sobre uma rede IP.

Os terminais H.323 podem também possuir funcionalidades adicionais como codificadores de áudio/vídeo, protocolo T.120 para a conferência de dados e funcionalidades de qualidade de serviço.

O *gatekeeper*, um equipamento opcional em um sistema H.323, fornece um serviço de controle da chamada para os terminais H.323. Muitos *gatekeepers* podem estar presentes em uma rede e comunicarem-se uns com os outros. Ele pode ser fisicamente implementado em um terminal, em um *gateway*, ou em outro elemento de rede. O *gatekeeper* provê os serviços listados a seguir:

- Tradução de endereços. O *gatekeeper* faz a tradução de um *alias* H.323 em um endereço de transporte (endereço IP + porta). Isto é efetuado devido a uma tabela que é atualizada pelas mensagens de registro.
- Controle de admissão. O *gatekeeper* autoriza o acesso à rede pelas mensagens H.225 (ARQ/ACF/ARK). Esse controle pode usar como base a autorização da chamada, a largura de banda disponível ou outros critérios fixados pelo administrador.
- Gerenciamento da zona. O *gatekeeper* precisa garantir todos os serviços descritos anteriormente para os terminais registrados.
- Controle da banda passante. O *gatekeeper* pode recusar o estabelecimento de uma chamada devido à limitação da banda passante.
- Sinalização de controle da chamada. O *gatekeeper* pode fazer a sinalização da chamada com o terminal através dele ou redirecionar o terminal para que estabeleça um canal de sinalização diretamente com outro terminal. Dessa maneira, evita que o *gatekeeper* gerencie as chamadas H.225.
- Autorização da chamada. Por intermédio da sinalização H.225, o *gatekeeper* pode aceitar ou recusar um pedido de chamada emitido por um terminal.
- Gerenciamento das chamadas. O *gatekeeper* pode contar as chamadas em andamento dentro de sua zona de atuação e saber o estado nos quais as chamadas se encontram.

O *gateway* gerencia a interconexão entre a rede IP e a rede de telefonia tradicional. Ele fornece uma tradução entre os formatos de transmissão assim como a sinalização dos fluxos multimídia. Ele estabelece e termina as chamadas tanto do lado da rede IP quanto do lado da rede telefônica. Pode também efetuar a conversão entre os formatos de áudio, vídeo ou dados. Possui as mesmas funcionalidades que um terminal H.323 sobre a rede IP, assim como as de um terminal telefônico sobre a rede de telefonia.

Os *gatekeepers* diferenciam os terminais padrões dos *gateways* pelas mensagens intermediárias de registro enviadas pelos terminais H.323. Cada elemento H.323 precisa ter pelo menos um endereço de rede, o qual identifica cada elemento na rede. Esse endereço é especificado para a rede na qual ele está localizado. Cada terminal pode também estar associado a um ou mais endereços. Esses endereços *alias* podem ser do tipo E.164, nomes alfanuméricos (H.323 ID) ou outros formatos definidos no padrão H.225.0. Entretanto, cada endereço *alias* deve ser único dentro de uma zona gerenciada por um *gatekeeper*. Quando não existe *gatekeeper* na rede, o terminal chamado responde diretamente a seu endereço "transporte" por intermédio do canal de sinalização. Se existe um *gatekeeper* na zona, o terminal chamador procura constatar o terminal chamado por intermédio de seu endereço *alias*. Esse pedido é feito junto ao *gatekeeper* que traduz o endereço *alias* em um endereço "transporte".

Para o processo de registro, o terminal H.323 conecta-se a uma zona gerenciada por um *gatekeeper*, ao qual transmite seu endereço "transporte" e seu endereço *alias*. Esses pedidos de registro são transmitidos ao *gatekeeper* pelo protocolo RAS.

A versão 2 do H.323 trouxe melhorias com relação ao nível de estabelecimento da chamada, como o método *Fast Start*. H.323v2 permite também usar novos tipos de endereços como endereços *e-mail* e as URLs (*Uniform Resource Locators*) sobre as quais os terminais podem se registrar. Tornou-se possível utilizar parâmetros de qualidade de serviço, como o RSVP (*Resource Reservation Protocol*) assim que os fluxos de mídia são iniciados. A versão 3 do H.323 contém algumas modificações, principalmente com relação à interconexão com a RTPC e a extensão do protocolo para uma rede de grande porte.

A versão 4 do H.323, finalizada em 2000, inclui dois importantes tópicos: serviços suplementares, série H.450.X, e decomposição dos *gateways* em dois elementos distintos: o *media gateway* (MG) e o controlador de *media gateway* (MGC), o qual controla os MGs por meio do protocolo H.248. Tal versão, que permite uma dissociação das camadas de transporte e controle, é uma mudança do padrão H.323 para uma rede convergente em modo pacotes. Com isso, o protocolo H.323 tem agora capacidade para ser usado em redes de operadoras, mesmo que inicialmente tenha sido concebido para redes locais.

As comunicações multiusuários são implementadas estabelecendo-se comunicações dos usuários com a MCU, a qual se encarrega de completar as chamadas e sincronizar os fluxos de mídia para depois retransmitir a cada participante da conferência.

### *5.3.2 Protocolo SIP*

O protocolo SIP (*Session Initiation Protocol*) é um protocolo de sinalização para estabelecimento de chamadas e conferências em tempo real sobre redes IP. Foi proposto como padrão em 1999 pelo IETF e rapidamente tornou-se uma alternativa ao H.323. Cada comunicação deve estar apta para incluir vários tipos de dados como áudio e vídeo. SIP é independente do protocolo de transporte utilizado. Ele usa o protocolo SDP (*Session Description Protocol*) para a descrição das comunicações de mídia.

Cada requisição SIP consiste de um conjunto de campos de cabeçalho que descrevem a chamada, seguidos por uma mensagem que descreve uma sessão individual que está sendo realizada pela chamada. É um protocolo cliente-servidor parecido tanto em sintaxe como em semântica ao protocolo HTTP.

Geralmente as requisições são geradas por uma entidade cliente, a UAC (*User Agent Client),* e enviadas para uma entidade receptora ou servidor, a UAS (*User Agent Server*). A comunicação é estabelecida entre a entidade cliente SIP e a entidade servidor SIP utilizando requisições denominadas transações. O SIP chama cada transação de pedido e cada pedido provoca uma ou mais respostas.

Inicialmente, em uma comunicação SIP é necessário criar uma conexão de sinalização entre os pontos de origem e de destino da chamada, podendo ser usado como protocolo de transporte, o TCP ou o UDP. Utilizando o protocolo UDP, o endereço e a porta a serem utilizados para as respostas aos pedidos SIP estarão contidas no parâmetro de cabeçalho denominado Via do pedido SIP (Figura 5.12).

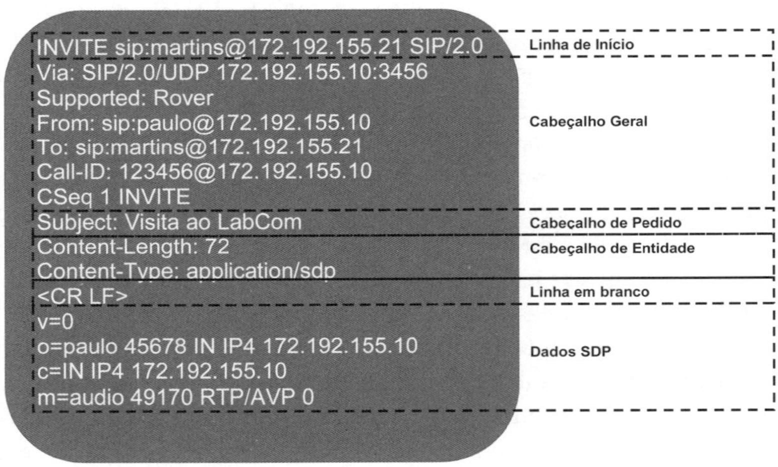


Figura 5.12 Mensagem de pedido SIP

A linha de início do pedido SIP contém o tipo de pedido enviado pelo cliente SIP, o endereço SIP do usuário destino e a versão SIP utilizada. O cabeçalho geral, encontrado tanto nos pedidos como nas respostas, contém os seguintes campos:

- **Via:** traz a versão SIP, o protocolo da camada de rede, o endereço IP do usuário que faz a chamada e a porta utilizada;
- **Call-ID:** a primeira parte desse campo deve ser um padrão único dentro de cada computador e a última parte o nome de domínio ou endereço IP. Um novo Call-ID deve ser gerado para cada chamada;
- **From:** esse campo contém um nome, que pode ser mostrado opcionalmente, e o endereço do originador da chamada. Deve estar presente tanto nos pedidos como nas respostas SIP;

- **To:** esse campo indica o destino da chamada, sendo obrigatório em todos os pedidos e respostas SIP;
- **Cseq:** esse campo é composto por um número escolhido aleatoriamente sem sinal, que é incrementado a cada novo pedido, com exceção dos pedidos do tipo ACK e CANCEL. No caso de mensagens do tipo resposta, o servidor deve copiar o valor Cseq do pedido para as respostas correspondentes. A presença desse campo é obrigatória em ambos os tipos de mensagens, sejam pedidos ou respostas.

Além dos campos do cabeçalho geral, uma mensagem de pedido pode transportar campos com informações específicas. Como exemplo, o campo *Accept* é utilizado para indicar os tipos de mídia aceitáveis na resposta e o campo *Subject* para transportar informações sobre a natureza da chamada.

Os pedidos SIP são enviados do terminal cliente (UAC) para o terminal servidor (UAS) e podem representar diferentes funções, como:

- **INVITE:** é usado para iniciar uma chamada;
- **ACK:** é enviado pelo cliente para confirmar que ele recebeu uma resposta do servidor;
- **BYE:** é enviado pelo agente de origem ou pelo agente de destino para interromper uma chamada;
- **CANCEL:** é enviado quando se quer interromper um pedido que foi enviado anteriormente, enquanto o servidor ainda não tiver enviado uma resposta final;
- **OPTIONS:** é enviado ao servidor pelo cliente para saber as capacidades que o servidor suporta;
- **REGISTER:** registra a localização atual de um determinado cliente.

As mensagens de resposta SIP sempre contêm um código de *status* e uma frase de justificativa inteligível. Foram definidas seis categorias de código de *status* para respostas SIP, chamadas classes de respostas, que são: Classe 1xx-informativo, Classe 2xx-sucesso, Classe 3xx-redirecionamento, Classe 4xx-erro de cliente, Classe 5xx-erro de Servidor e Classe 6xx-falha global. Alguns exemplos de respostas são descritos abaixo:

- 100-Tentando: uma ação não-especificada está sendo executada para o estabelecimento da chamada e o destino ainda não foi localizado;
- 200-OK: a requisição foi bem-sucedida (Figura 5.13);
- 301-Movido permanentemente: o destino não pode ser mais encontrado no endereço especificado na requisição, o cliente deve repetir o pedido utilizando o novo endereço que vem junto com essa resposta;
- 404-Não-encontrado: o servidor tem informação concreta de que o destino não existe no domínio especificado pela origem;
- 500-Erro interno ao servidor: o servidor encontrou uma condição que o interrompeu de continuar tratando a requisição;

- 603-Declínio: o destino foi contatado com sucesso, porém esse usuário não deseja receber a chamada ou não pode recebê-la.

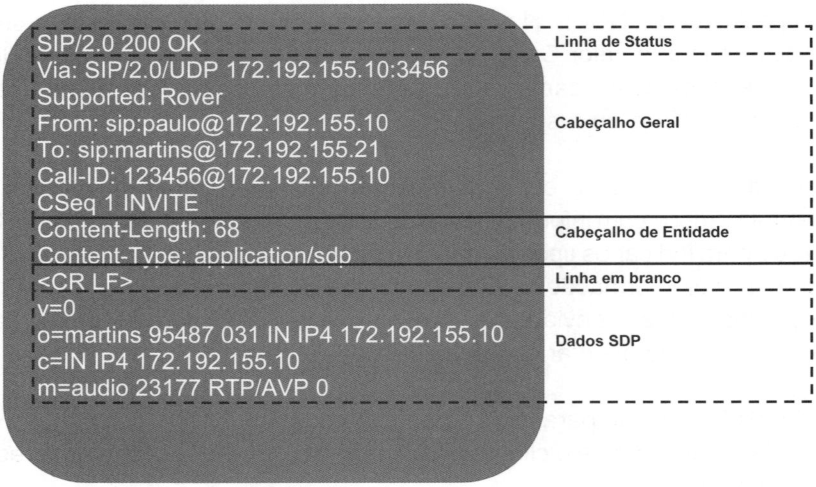


Figura 5.13 Resposta 200 OK

Um cliente SIP pode contatar outro terminal SIP enviando um simples pedido INVITE. Essa mensagem INVITE contém informação suficiente para permitir que o terminal convidado estabeleça uma comunicação de mídia com o chamador. Essa informação lista os vários tipos de mídia que o terminal chamador pode receber e enviar, assim como o endereço de transporte (endereço IP e porta) sobre aquela chamada para que possa estabelecer a conexão de mídia usando o protocolo RTP.

O terminal chamado precisa então indicar que aceita o pedido. Como o pedido foi um convite, a aceitação é necessária (mensagem OK), contendo também suas capacidades e o endereço no qual receberá os dados de mídia. O terminal chamador conclui essa troca de mensagens com uma mensagem de confirmação (mensagem ACK) (Figura 5.14).

A arquitetura do SIP tem base em relações cliente/servidor. Seus principais componentes são o terminal SIP (*User Agent*), o servidor *Proxy*, o servidor *Redirect* e o servidor *Registrar* (Figura 5.15).

Os terminais são considerados como clientes quando efetuam um pedido e como servidores quando respondem a esses pedidos. Os terminais podem se comunicar diretamente entre si ou por intermédio de outros servidores. Os servidores intermediários SIP podem se comportar como servidor *Proxy* ou servidor de redirecionamento (servidor *Redirect*).

O servidor *Proxy* executa a função de servidor de um lado (recepção dos pedidos) e de um usuário no outro lado (envio de pedidos). Um servidor *Proxy* pode transmitir um pedido, sem alteração, a seu destino final ou, se necessário, modificar certos parâmetros. Ele informa o campo Via cada vez que um pedido passa por ele de maneira que a resposta possa retornar pelo mesmo caminho, o que não seria possível com o protocolo UDP.

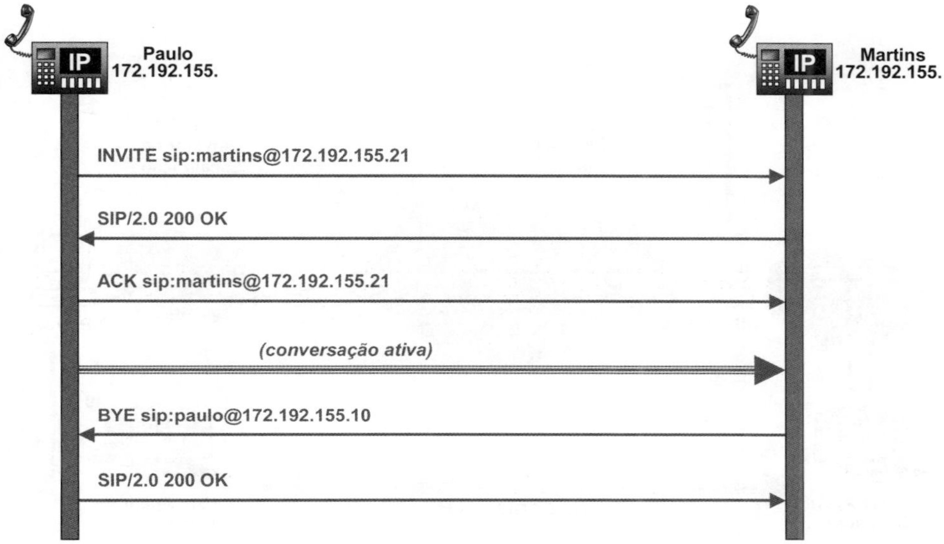


Figura 5.14 Pedidos e respostas em uma chamada SIP

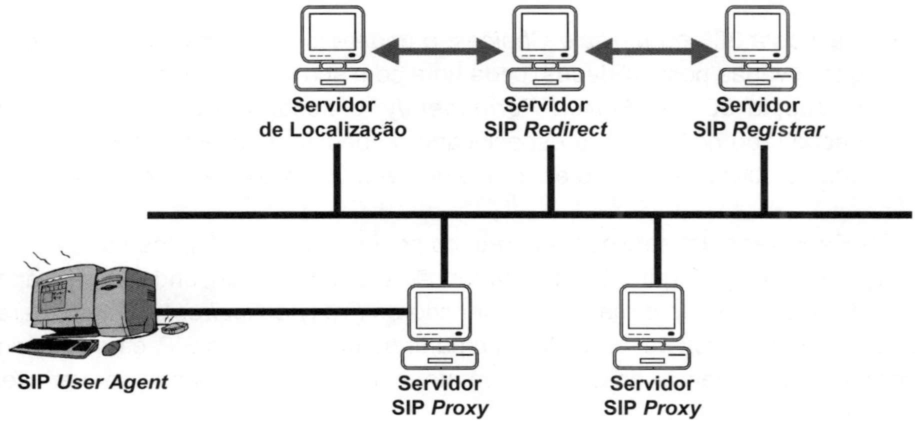


Figura 5.15 Componentes da arquitetura SIP

Um servidor *Redirect* responde a um pedido SIP INVITE. Ele estabelece uma correspondência entre o endereço do terminal chamado e os endereços onde efetivamente esse terminal possa ser encontrado. O servidor *Redirect* não tem a incumbência de aceitar chamadas e nem de emitir pedidos, ele simplesmente responde aos pedidos emitidos pelos terminais SIP que o solicitam (Figura 5.16).

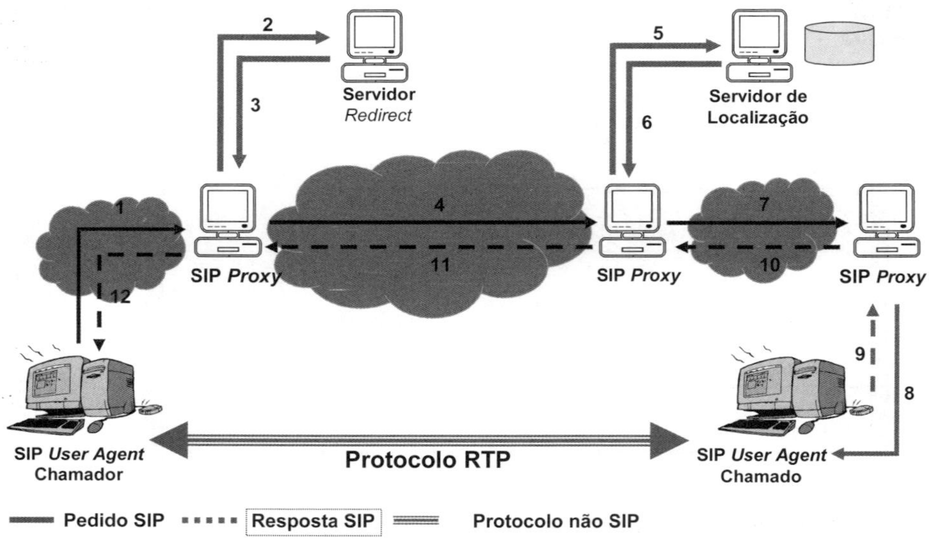


Figura 5.16 Servidor *Redirect*

Como exemplos de respostas do servidor *Redirect* tem-se:

- Resposta 300 ou *Multiple Choices*: o endereço que consta na requisição gerou várias possibilidades, cada uma com sua própria localização;
- Resposta 301 ou *Moved Permanently*: o destino não pode mais ser encontrado no endereço especificado no pedido. O cliente deve repetir o pedido utilizando o novo endereço que vem junto com essa resposta.

Um *Registrar* é um servidor que trata os pedidos *Register* e pode também ter a função de *Proxy* (Figura 5.17). Sua função é saber o lugar onde um usuário está e fornecer essa informação aos servidores *Proxy* e *Redirect*. De fato, para que um usuário possa ser encontrado a partir de um endereço SIP, é necessário fazer a correspondência do mesmo com um endereço IP, que pode ser variável (mobilidade IP).

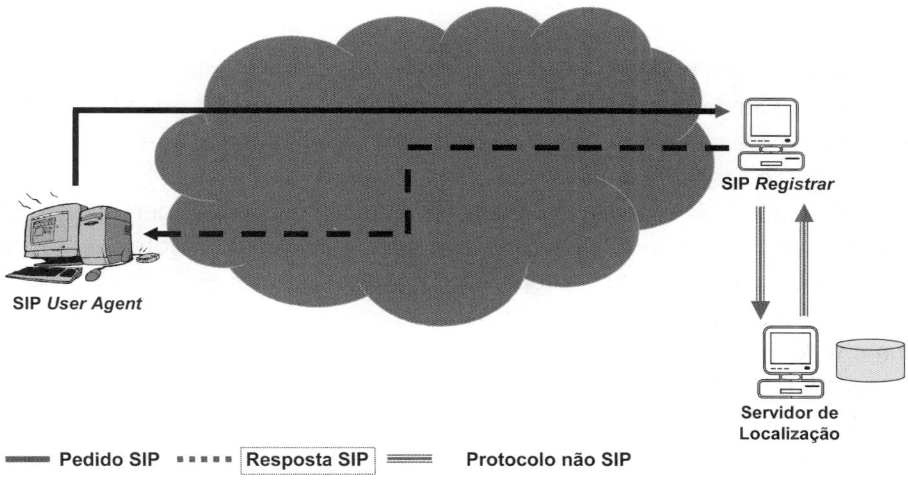


Figura 5.17 Servidor *Register*

A localização física de um usuário é executada em duas etapas. A URL (*Uniform Resource Locator*) SIP permite ao usuário chamador localizar o servidor SIP, que será o destino da mensagem INVITE inicial. Isso significa que o servidor conhece o endereço físico do usuário chamado e permitirá o estabelecimento de uma conexão, ou seja, ele redireciona o pedido para outro local onde a parte chamada possa ser encontrada. O fato da URL SIP apontar para um servidor e não para um usuário final proporciona a esse último uma grande mobilidade, aliviando o servidor DNS (*Domain Name Server*), que não precisa conhecer os endereços do servidor e de todos os terminais conectados a esse servidor.

O protocolo SDP (*Session Description Protocol*), RFC 2237, é um protocolo que descreve as sessões de áudio, vídeo e multimídia. SDP utiliza os caracteres ASCII e fornece as informações necessárias ao estabelecimento de uma comunicação multimídia, como a identificação do iniciador da sessão, a banda passante disponível e os codificadores utilizados.

Quando uma chamada é estabelecida, a mensagem de pedido INVITE contém os parâmetros SDP com as capacidades do originador da chamada. No caso da resposta SIP, os parâmetros são modificados trazendo as capacidades do destino que responde ao pedido.

Os endereços URL utilizados pelo protocolo SIP são similares aos da Web ou endereço de e-mail na forma *user@host*. As URL SIP podem ser de diferentes formatos: martins@ene.unb.br, que é o endereço do computador pessoal do Prof. Martins dentro do domínio ene.unb, ou 0234@ene.unb.br, onde *user* é o telefone fixo da sala do Prof. Martins no Departamento de Engenharia Elétrica da UnB.

### *5.3.3 Comparação entre H.323 e SIP*

O H.323 é o resultado de uma adaptação dos protocolos da RTFC tradicional para a rede em modo pacotes. O SIP utiliza tecnologias oriundas do mundo Internet, o que permite presumir uma difusão maior, particularmente no desenvolvimento de aplicações e serviços, em função da sua abrangência.

O H.323 teve o mérito de ser o primeiro padrão a ser usado para gerenciamento de comunicações multimídia sobre as redes em modo pacotes, embora originalmente não tenha sido adaptado a esse tipo de rede. Contudo, foram realizadas melhorias para simplificar os procedimentos de uma chamada, aumentar o número de serviços oferecidos e permitir a implantação do padrão nas redes das operadoras (integração com H.248).

O SIP é um protocolo mais recente e tem a vantagem de usar os protocolos nativos utilizados nas redes IP. Isso lhe proporciona simplicidade de integração e utilização das novas ferramentas existentes. Foi escolhido como protocolo de controle de chamada para voz sobre IP na versão R5 do padrão UMTS e a Microsoft também o escolheu como protocolo de estabelecimento de chamada para seus servidores e terminais. Enfim, SIP é o protocolo de controle de chamada sobre o qual se apóia a arquitetura de serviços Web, a qual é um dos dois modelos de serviços utilizados nas novas redes convergentes. Contudo, os serviços propostos com SIP não estão ainda em níveis suficientemente maduros para se igualarem aos serviços da telefonia tradicional.

Finalmente, embora os protocolos H.323 e SIP sejam resultados de contextos muito diferentes, eles tendem para um modelo que os permita uma melhor integração com o mundo Internet. Assim, esses protocolos permitirão a oferta de novos serviços (mobilidade, serviço multimídia multiterminal) em adição aos serviços existentes nas redes tradicionais.

A maioria dos fabricantes propõe as duas soluções com um privilégio da convergência para SIP. A curto e médio prazo o uso do H.323 ainda se fará presente. Resta ainda uma interrogação quanto à interoperabilidade entre os dois protocolos, motivo de estudos por parte dos fabricantes, operadores e fornecedores de serviço.

### *5.3.4 Protocolos RTP e RTCP*

O IP permite o transporte de pacotes através de uma rede IP, mas não fornece nenhum mecanismo para gerenciar o fluxo de pacotes em uma sessão entre dois terminais. Essa função é normalmente executada pelos protocolos TCP ou UDP, encarregados de verificar se a transmissão e a recepção dos pacotes ocorre corretamente. Contudo, esses protocolos não oferecem nenhuma funcionalidade que permita o gerenciamento dos fluxos de áudio e vídeo em tempo real que são presentes em todas as comunicações multimídia.

Os protocolos RTP (*Real Time Protocol*) e RTCP (*Real Time Control Protocol*) garantem a qualidade de comunicação multimídia no modo pacotes, gerenciando e controlando os fluxos de dados em tempo real. Podem ser implementados sobre IP ou ATM e são usados pelos dois protocolos de controle de chamada SIP e H.323 (Figura 5.18).

O RTP permite o transporte de dados em tempo real, tais como áudio e vídeo. Para as transmissões em tempo real é usado o protocolo UDP (*User Datagram Protocol*), visto que a prioridade é dada à rapidez e não à qualidade da transmissão. As retransmissões efetuadas pelo protocolo TCP para gerenciar a qualidade de serviço são incompatíveis com a restrição de transmissão em tempo real.

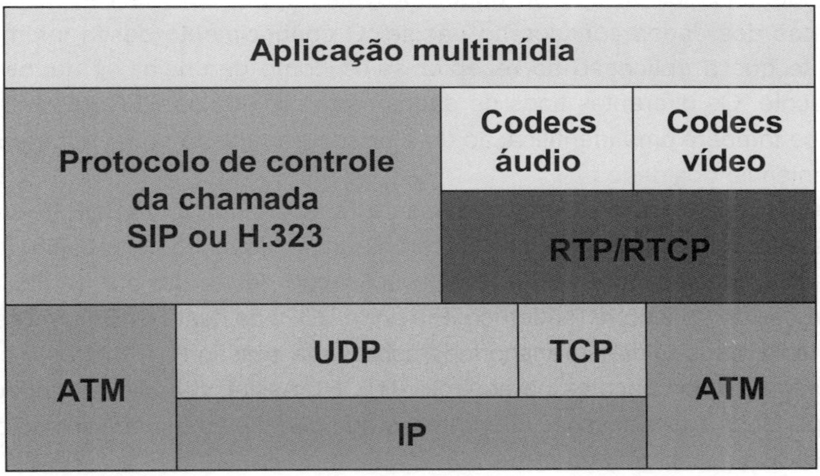


Figura 5.18 Protocolos RTP e RTCP

O RTP fornece serviços tais como: seqüenciamento temporal, detecção de perdas de pacotes, segurança e identificação de conteúdo. Esse protocolo foi definido para difundir tanto no modo *multicast*, quanto no modo *unicast*. Pode, portanto, ser usado para o transporte unidirecional (*broadcast*) de vídeo sob demanda e para telefonia sobre IP. Esse protocolo é utilizado juntamente com o protocolo de controle RTCP, o qual move a informação necessária quanto à qualidade de transmissão de dados e sobre os participantes de sessões multimídia.

Todavia, o RTP não fornece, por si próprio, os mecanismos necessários ao gerenciamento das informações em tempo real. Para isso, as camadas de protocolos inferiores precisam implementar as soluções necessárias a esses dados sensíveis ao atraso. Para cada pacote, o RTP fornece uma marcação temporal, um número de seqüência e outros parâmetros, permitindo um transporte de dados ponto-a-ponto em tempo real sobre uma rede em modo pacotes.

A marcação temporal (*Timestamping*) é a informação mais importante para as aplicações em tempo real. O transmissor envia a marcação temporal que fornece o instante em que o primeiro *byte* do pacote foi tratado. Na chegada, o receptor usa a marcação temporal para reconstruir o fluxo multimídia de maneira que ele possa ser corretamente entregue, dentro de um atraso apropriado, ao seu usuário final. Entretanto, não é o RTP que gerencia a sincronização dos pacotes, ele simplesmente fornece as ferramentas para tal. A sincronização é efetuada no nível da camada de aplicação. Como o UDP não fornece os pacotes na ordem em que eles foram emitidos, os números de seqüência são utilizados para ordenar os pacotes na chegada. São também utilizados para a detecção de perda de pacotes.

O identificador do tipo de dados (*Payload Type Identifier*) especifica os formatos dos dados contidos no pacote. O conhecimento dessa informação permite que a aplicação no receptor saiba como gerenciar os dados úteis do pacote. Os diferentes tipos de dados são definidos na RFC 1890. O RTP fornece também uma identificação do emissor, permitindo ao receptor saber a proveniência dos dados.

Os pacotes RTP e RTCP são geralmente transportados sobre UDP/IP, embora esses protocolos sejam definidos indiferentemente do modo de transporte.

Para começar uma sessão RTP, a aplicação define um par particular de endereços de transporte (endereço IP e porta UDP) de destino. Em uma sessão multimídia, cada mídia é transportada sobre uma sessão RTP diferente para a qual são emitidos pacotes de controle (RTCP). Assim, o áudio e o vídeo são transportados sobre sessões diferentes, o que permite ao usuário final escolher a mídia que deseja receber.

O RTCP é um protocolo definido para ser usado com o RTP. É padronizado pela RFC 1889 e pela RFC 1890. Em uma sessão RTP, cada participante envia periodicamente pacotes RTCP para fornecer informação acerca da qualidade da transmissão. Existem cinco tipos de pacotes para transportar essa informação de controle:

- RR (*Receiver Reports*). Os relatórios dos receptores são enviados por terminais que não são participantes ativos na comunicação. Eles contêm informações sobre os dados recebidos, número do último pacote recebido, o valor médio do *jitter* e a marca temporal que permite calcular o atraso de transmissão entre o transmissor e o receptor.
- SR (*Sender Reports*). Os relatórios dos transmissores são emitidos pelos terminais ativos. Em adição à informação dada pelo *receiver report* eles fornecem as informações relativas ao número de pacotes e *bytes* emitidos.

- SDES (*Source DEScription*). Contém informações descrevendo a fonte de transmissão.
- BYE. Indica o fim da participação de um participante em uma sessão.
- APP. Função utilizada para aplicações específicas.

Devido a esses dados, o RTCP tem como função principal fornecer informações para os serviços de gerência de qualidade de serviço e controle de congestionamento de níveis superiores. Esse protocolo provê à aplicação informações sobre a qualidade da distribuição dos dados. Essas informações de controle são necessárias para os transmissores e receptores. O transmissor pode ajustar sua transmissão de acordo com o relatório do receptor. Os receptores por sua vez podem determinar se o congestionamento é local ou geral.

As informações de descrição das fontes transmissoras podem incluir dados na forma de texto como nome do usuário, número de telefone e endereço *e-mail*.

O gerenciamento da qualidade de serviço fim-a-fim causa impacto em todas as camadas de uma rede convergente, dos terminais às aplicações, passando pelos protocolos de gerência de nível intermediário RTP e RTCP, situados entre as camadas de controle e serviços.

## 5.4 Controle dos *media gateways*

A necessidade de interconectar as redes de telefonia tradicional com as redes convergentes, assim como a flexibilidade trazida pela separação das camadas de transporte e controle, implica a distinção das funções do *media gateway* (MG) e controlador de *media gateway* (MGC). Foi necessário então desenvolver um protocolo que permite ao MGC controlar os MGs.

O protocolo de controle de *media gateways* permite a comunicação entre o MG e o MGC, ou seja, é o canal de comunicação utilizado para coordenar o plano de controle e o plano de transporte. As principais funções desse canal de comunicação são:

- a reserva de recursos do MG pelo MGC necessária para satisfazer as requisições recebidas pelas mensagens de sinalização;
- o tratamento das conexões dentro do MG pelo MGC;
- a notificação para o MG de eventos de mídia (detecção DTMF, por exemplo);
- a controle do lado MG-MGC (segurança, mudança para um outro MGC ou MG).

Esses novos protocolos apareceram em 1998 com o IPDC e o SECP que originaram o MGCP. Ao mesmo tempo, o IETF cria o grupo de trabalho chamado Megaco (*Media Gateway Control*) para padronizar um protocolo para a interface

MGC-MG. Em 1999 o IETF e o ITU decidem desenvolver um protocolo comum denominado H.248 pelo ITU e Megaco pelo IETF.

### *5.4.1 Protocolo MGCP*

O protocolo MGCP (*Media Gateway Control Protocol*), definido pelo IETF, foi concebido para redes de telefonia IP utilizando *gateways* VoIP. Ele gerencia a comunicação entre os *media gateways* e o controlador de *media gateway*. Esse protocolo trata da sinalização e do controle das chamadas por um lado, e dos fluxos de mídia por outro lado. Os elementos que utilizam esse protocolo são:

- O *gateway* de sinalização (SG), que realiza a interface entre a rede de telefonia (sinalização SS7) e a rede IP. Ele termina as conexões das camadas bases de SS7 e transmite as mensagens ISUP (*Integrated Services User Part*) ao MGC.
- O controlador de *media gateway* (MGC), que efetua o registro, a gerência e o controle dos *media gateways*. Ele coordena o estabelecimento, o controle e o término dos fluxos de mídia que transitam para o *media gateway*.
- O *media gateway* (MG), que é o ponto de entrada ou de saída da interface entre as redes IP e de telefonia. Ele efetua a conversão de mídia entre o modo circuito (telefonia) e o modo pacote (IP).

### *5.4.2 Protocolo Megaco/H.248*

O grupo de trabalho Megaco foi constituído em 1998 para completar os trabalhos sobre o protocolo MGCP dentro do IETF. Após 1999, o ITU e o IETF trabalharam em conjunto no desenvolvimento do protocolo Megaco/H.248, o qual é um padrão que permite a comunicação entre o MGC e os MG. Foi derivado do MGCP e possui algumas melhorias com relação a este, como suporte para serviços multimídia e de videoconferência; possibilidade de utilização de UDP ou TCP e possibilidade de codificação em modo texto ou binário.

Uma primeira versão do H.248 foi elaborada em junho de 2000. A implementação do H.248 permite uma grande modularidade, pois o mesmo pode ser estendido por "pacotes" de acordo com necessidades específicas. Esse sistema permite cobrir um grande número de aplicações. Assim, um fabricante pode realizar implementação agrupando os "pacotes" de acordo com suas necessidades. A Figura 5.19 mostra o posicionamento do MGCP e do H.248/Megaco em uma rede convergente.

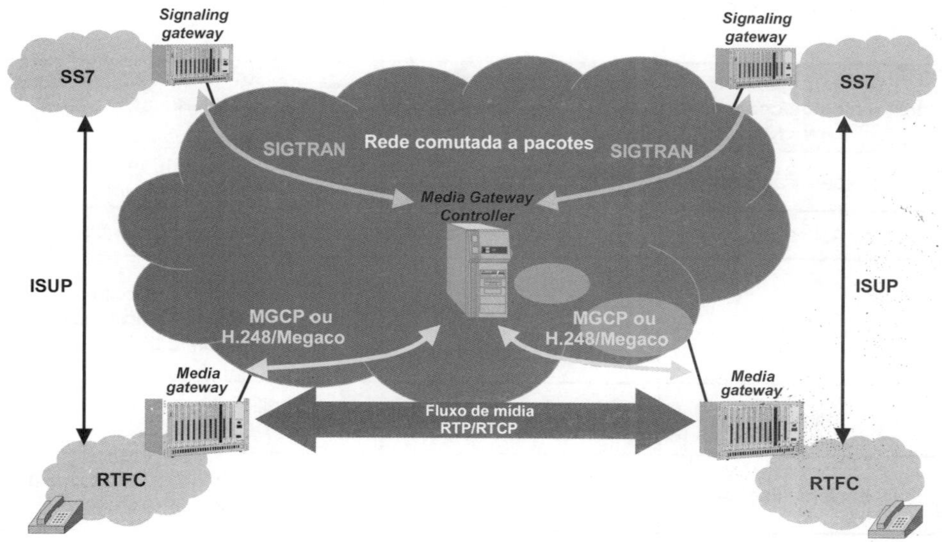


Figura 5.19 Protocolos MGCP e H.248/Megaco

### *5.4.3 Comparação entre MGCP e Megaco/H.248*

O MGCP e o Megaco/H.248 têm a mesma arquitetura. Entretanto, são protocolos bem distintos. A principal diferença é que com o H.248 os comandos se aplicam às terminações e aos contextos, ao invés de conexões individuais como no MGCP. A Tabela 5.1 mostra uma comparação entre os dois protocolos.

Atualmente, as soluções de controle dos *media gateways* utilizam mais freqüentemente o protocolo MGCP. Isso acontece por razões históricas, pois foi o primeiro protocolo desenvolvido. Acredita-se que, a médio prazo, a escolha recairá sobre o H.248, pois é o único protocolo que tem *status* de padrão, sendo recomendado pelo IETF (Megaco) e também pelo ITU (H.248).

MGCP e H.248 são protocolos complementares a SIP e H.323. Eles são definidos especialmente como protocolo interno entre MGCs e MGs. Nesse modelo, os MGCs gerenciam o tratamento das chamadas da rede IP em comunicação com os elementos de sinalização IP, *gatekeeper* H.323 ou servidor SIP, usualmente co-localizados com o MGC e a rede telefônica por um *gateway* de sinalização (Figura 5.20).

Tabela 5.1 Comparação entre os protocolos MGCP e H.248/Megaco

| Comparação dos protocolos de controle de chamada | MGCP | H.248/Megaco |
|---|---|---|
| Especificações | IETF, 1998 (RFC 2705) | ITU(SG16) e IETF (WG Megaco) |
| Aplicação | Controle dos *media gateways* (MG) pelo *softswitch* | |
| Serviços | Estabelecimento de comunicação e conferência multimídia IP-TDM | Estabelecimento de comunicação e conferência multimídia IP-TDM e IP-IP |
| Sintaxe | Codificação texto (ABNF) | Codificação texto (ABNF) Digital (ASN1) |
| Implementação | Diferentes implementações para redes IP e ATM | Implementação única para todas as redes de transporte a pacotes |
| Transporte do protocolo | UDP/IP ou ATM | TCP, UDP, SCTP sobre IP ou ATM ou MTP |

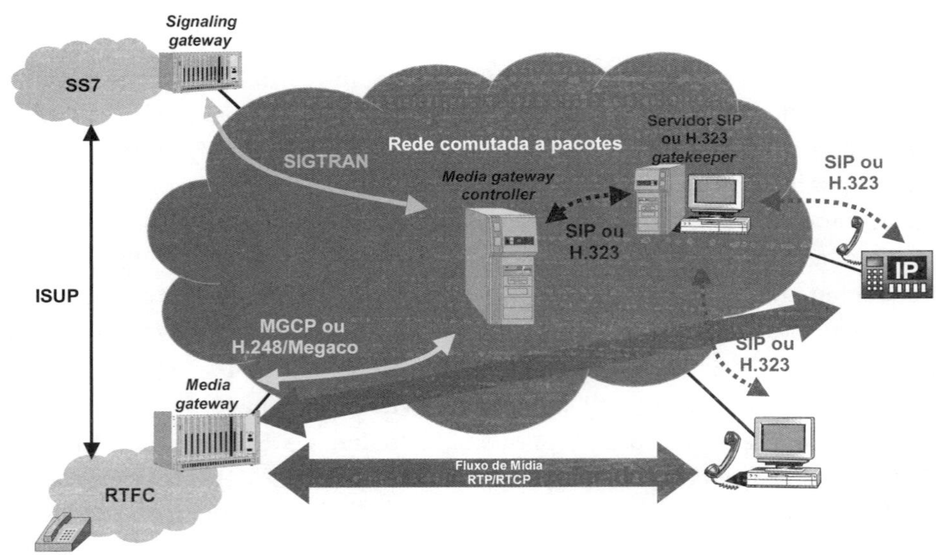


Figura 5.20 Protocolos SIP e H.323

## *5.4.4 Transporte da sinalização SS7 sobre a rede IP*

A despeito de todas as vantagens da convergência entre voz e dados e da maior eficiência associada à comutação de pacotes, as redes convencionais deverão coexistir com as redes convergentes ainda por um longo tempo, implicando a necessidade de um cliente da rede convergente realizar uma chamada para um cliente da RTFC, e vice-versa. Dessa forma, os equipamentos da rede convergente precisam ser capazes de enviar e receber a sinalização de canal comum nº 7 (SS7). O mesmo se aplica às chamadas redes inteligentes associadas à RTFC, cujos serviços também devem ser acessíveis para os clientes da rede convergente, de forma transparente.

Dessa forma, a interface de sinalização entre as redes comutadas a circuitos e a rede convergente, realizada pelo *signaling gateway*, é suportada por protocolos específicos, como o SIGTRAN, Figura 5.21, além da propagação de mensagens SS7 sobre IP.

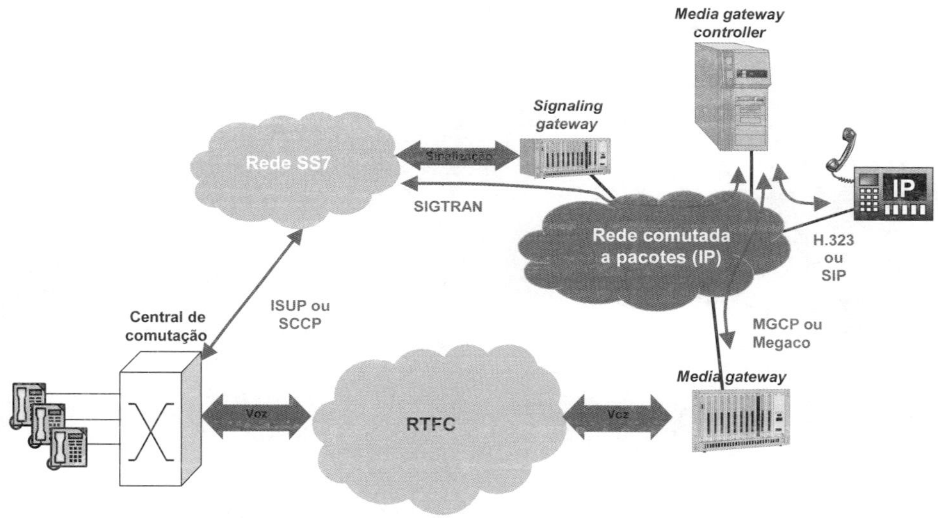


Figura 5.21 Diagrama dos protocolos de interface entre STFC, SG e rede IP

A sinalização de canal comum SS7 é um sistema de sinalização fora-da-banda (*out-band*) usado pelas operadoras para estabelecer, monitorar e encerrar chamadas telefônicas e utiliza um protocolo padronizado definido pelo ITU. Os elementos de rede na RTFC usam a SS7 para trocar informações não apenas para o estabelecimento das chamadas, mas também para o gerenciamento da rede. Uma parte do processo de estabelecimento de chamadas na SS7 diz respeito a criar um circuito para a chamada através da rede telefônica e então colocar a chamada nesse circuito.

A SS7 é baseada na troca de mensagens sobre uma rede de dados comutada a pacotes completamente distinta dos meios que transportam as chamadas (Figura 5.22). Isso difere dos primeiros sistemas de sinalização telefônica em que sinais eram transmitidos como tons multifreqüência nos mesmos canais por onde eram encaminhadas as chamadas. Em função disso, a SS7 permite serviços avançados que não eram possíveis nesses sistemas antigos, como números gratuitos, identificador de chamadas, transferência temporária, chamada em espera e portabilidade numérica local. O conjunto formado pelo protocolo e essa rede de sinalização é denominado Rede Inteligente (RI), caracterizada como a parte da rede telefônica pública que contém a lógica para o roteamento de chamadas, o estabelecimento de conexões e o provimento de características avançadas, como a inclusão de serviços individualizados aos clientes.

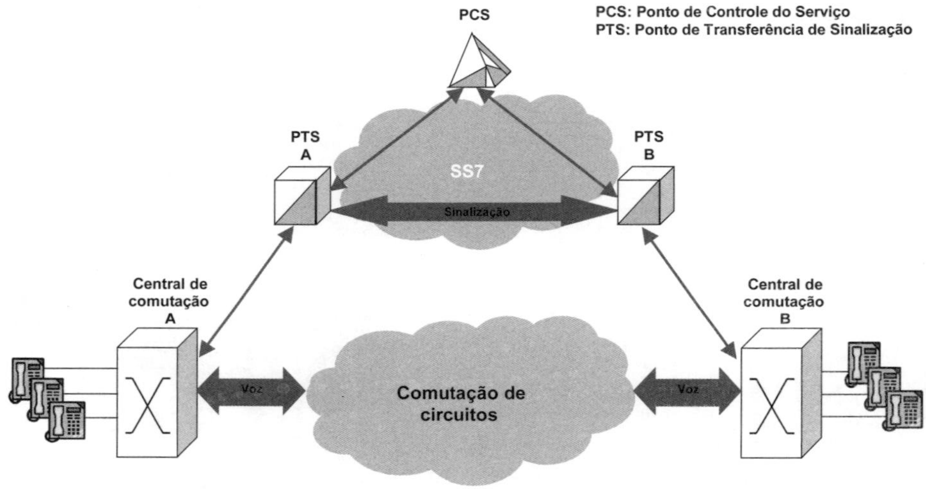


Figura 5.22 Diagrama da rede SS7

Assim, todos os serviços típicos da RI devem estar disponíveis aos clientes da rede IP, com características bastante semelhantes e operação transparente. Isso não é uma tarefa simples, pois a concepção das duas redes é completamente distinta.

Na rede telefônica, os terminais são conceitualmente simples e toda a complexidade associada aos serviços é suportada pela rede, já as redes IP são extremamente simples em si, ficando toda a complexidade associada aos terminais ou *gateways*. Dessa forma, os serviços usuais da RTFC precisam ser implementados na rede convergente pelo *media gateway controller* ou, em casos mais complexos, por plataformas de serviço dedicadas a ele subordinadas, utilizando as mensagens de sinalização SS7 sobre IP traduzidas, “de” e “para” a rede IP, pelo *signaling gateway*.

O grupo SIGTRAN (*SIGnaling TRANsport*) do IETF trabalha especificamente no transporte de mensagens de sinalização SS7 e RDSI sobre as redes IP. Esse grupo definiu o protocolo de controle entre:

- os *signaling gateways* (SG) que recebem a sinalização SS7 sobre TDM e convertem em SS7 sobre IP;

- os *media gateway controllers* (MGC) que interpretam a sinalização SS7 sobre IP e são os pontos de sinalização da rede IP.

Esse protocolo utiliza uma nova camada de transporte chamada SCTP (*Stream Control Transmission Protocol*) permitindo minimizar as limitações do protocolo TCP para a gerência das mensagens de sinalização.

Camadas de adaptação específicas, associadas a cada protocolo de sinalização de origem (geralmente SS7), fazem com que o protocolo SCTP realize o transporte das mensagens de sinalização de uma maneira transparente sobre as redes IP. As camadas de adaptação definidas pelo SIGTRAN têm os seguintes objetivos comuns:

- o transporte dos protocolos de sinalização das camadas superiores, com base em um transporte IP confiável;
- a garantia de uma oferta de serviços equivalente àquela proposta pelas interfaces de rede da RTFC;
- a transferência do transporte de sinalização sobre uma rede IP, sob o ponto de vista do usuário final;
- a possibilidade de poder suprimir, desde que possível, as camadas inferiores do protocolo SS7.

O SIGTRAN já definiu algumas camadas de adaptação:

- a camada de adaptação M2UA que fornece o serviço MTP2 em uma relação cliente/servidor, como a comunicação entre o SG e MGC;
- a camada de adaptação M2PA que fornece o serviço MTP2 em uma relação par-a-par, como a comunicação entre SG e SG;
- a camada de adaptação M3UA que fornece o serviço MTP3 em uma relação cliente/servidor ou par a par.

A Figura 5.23 mostra a camada de adaptação M2UA do SIGTRAN.

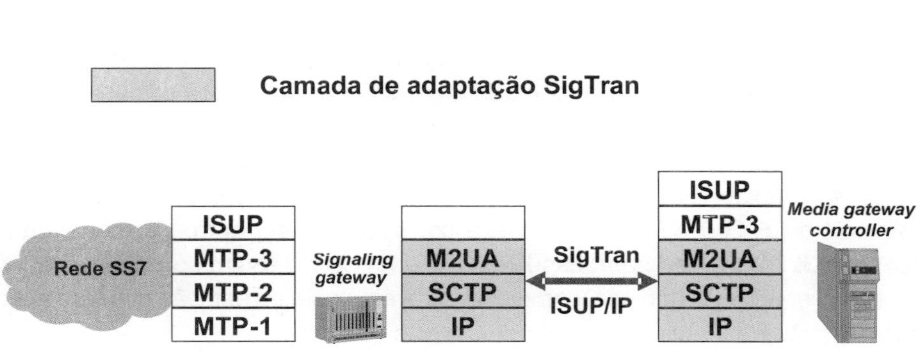


Figura 5.23 Camada de adaptação M2UA

### *5.4.5 Protocolos de sinalização entre servidores de chamada*

Com o aumento da quantidade do tráfego de dados, as operadoras de telecomunicações analisaram a possibilidade de usar as soluções de sinalização de trânsito para as redes no modo pacotes. Para isso, foi necessário definir um protocolo que permitisse a comunicação entre os *media gateways controllers* (MGC). Os protocolos analisados para essa utilização são: BICC, H.323 e SIP-T.

O protocolo BICC (*Bearer Independent Call Control*) tem por objetivo a gerência da comunicação entre servidores de controle de chamada, independentemente do tipo de suporte, permitindo aos operadores realizarem uma migração de suas redes RTFC/RDSI para redes no modo pacotes. Visando a uma migração das redes de telefonia com sinalização SS7 para uma arquitetura de rede integrada, surge uma recomendação do ITU, o protocolo BICC, para ser uma extensão do protocolo de sinalização ISUP, atualmente implementado nas redes de telefonia. Portanto, o protocolo BICC resulta principalmente do ISUP com interoperabilidade também com o protocolo H.323.

A primeira versão desse protocolo – BICC CS1 (*BICC Capability SET 1*) – define o transporte de sinalização sobre uma rede ATM como rede de trânsito. A segunda versão, BICC CS2, aumenta seu raio de atuação e suas capacidades permitindo a utilização de uma rede IP como rede de trânsito. Ele utiliza um tunelamento de mensagens de sinalização para o protocolo BICC sobre uma rede de transporte IP, de *gateway-a-gateway* (SG), sendo transparente para os MGC de uma rede IP.

Portanto, o protocolo BICC é compatível também com os protocolos de controle de chamada SIP e H.323 e com o transporte no modo IP ou ATM, sendo um candidato em potencial que leva em conta todas as configurações de rede usuais, sejam com tendência a dados ou a telecomunicações.

Nas redes IP, a norma H.323 utiliza os padrões H.225 e H.245 para a gerência dos comandos da chamada. Esses canais de sinalização foram criados entre o terminal H.323 (telefone ou *gateway* H.323/RDSI) e o servidor de chamada H.323. Essa norma foi modificada para possibilitar a comunicação entre servidores de chamada H.323 e pela separação em elementos distintos das funções MG e MGC.

Foi estabelecido que a sinalização das chamadas e a sincronização (H.225) ocorra entre MGC. Por outro lado, o protocolo utilizado para troca de capacidades entre terminais, a negociação do canal e o controle de fluxos de mídia entre os terminais H.323 (H.245) pode se efetuar entre MG ou MGC.

A interconexão do H.323 com o protocolo ISUP foi definida recentemente (anexo C da H.246). Ela estabelece a correspondência entre as mensagens ISUP e H.323 para as chamadas IP-RTFC e RTFC-IP, assim como a interação de certos serviços telefônicos, como chamada em espera, restrição e autorização da divulgação da identidade do chamador, etc.

Se a rede IP é utilizada como uma rede-trânsito, não é pertinente realizar duas conversões (H.323/ISUP depois ISUP/H.323) com uma perda de informação

(H.323 usa como base o protocolo de acesso Q.931 que não é protocolo de trânsito). A transmissão das mensagens ISUP de maneira transparente sobre a rede IP é a solução mais adequada. Um primeiro estudo de solução é proposto na versão 4 do H.323 pelo encapsulamento das mensagens ISUP no H.225.

O protocolo SIP para telefonia (SIP-T) do IETF define a gerência da telefonia pelo protocolo SIP, assim como a interconexão com a RTFC unicamente pelo protocolo SS7 ISUP. O SIP-T recomenda que o encapsulamento das mensagens ISUP dentro das mensagens SIP permitirá a transmissão de maneira transparente da sinalização ISUP no caso de trânsito através de uma rede IP. A Figura 5.24 mostra o nível para o qual é utilizada a sinalização entre MGCs pelos protocolos BICC, SIP-T e H.323.

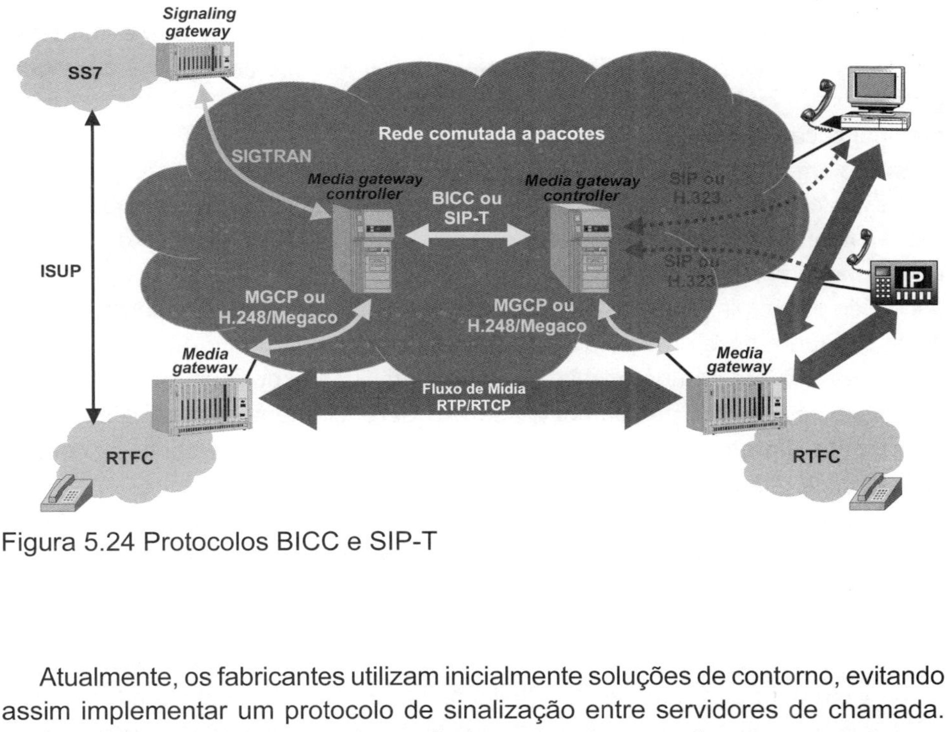


Figura 5.24 Protocolos BICC e SIP-T

Atualmente, os fabricantes utilizam inicialmente soluções de contorno, evitando assim implementar um protocolo de sinalização entre servidores de chamada. Essa solução provisória, que é possível para pequenas redes com um pequeno número de servidores, não é compatível com a industrialização e a exploração em grande escala de soluções para redes convergentes.

A integração dos diferentes protocolos é anunciada pelos fabricantes. Entretanto, ainda é difícil avaliar a maturidade dessas soluções e as suas dificuldades de interoperabilidade, de modo que a escolha do protocolo que será implementado como padrão nas redes convergentes dependerá dessa evolução. Entretanto, seguindo as tendências a médio e longo prazos com relação à escolha do protocolo de controle da chamada (SIP ou H.323) e do significativo suporte do

BICC no domínio das telecomunicações, espera-se que a definição do protocolo de sinalização entre os servidores de controle de chamada nas redes convergentes esteja entre BICC e SIP-T.

## 5.5 Conclusão

A implementação da arquitetura de redes convergentes em modo pacotes na camada de controle traduz-se tecnicamente pela substituição dos tradicionais comutadores por dois tipos de equipamentos distintos. De um lado, os servidores de controle de chamada – *softwitches* ou *media gateway controllers* – assumindo o controle das comunicações e dos recursos dos outros equipamentos da camada de controle e, por outro lado, os equipamentos de negociação e roteamento – *media gateways* – que asseguram não só o roteamento do tráfego, mas também a interconexão com as redes externas, incluindo a RTFC, e as diversas redes de acesso, realizando a conversão do tráfego (entidade funcional *media gateway*) e a conversão da sinalização associada (entidade funcional *gateway* de sinalização).

A implementação dessa arquitetura também se traduz pelo aparecimento de novos protocolos de controle de chamada e de sinalização entre os equipamentos (de servidor a servidor e de servidor a *media gateway*). A sinalização de controle de chamada será realizada por SIP ou H.323. O SIP aparece como o protocolo escolhido pela maioria dos envolvidos pela sua utilização de tecnologia no formato Web. Contudo, esse protocolo ainda não está suficientemente maduro para ser implementado em grande escala. H.323 é identificado como um protocolo mais complexo que o SIP, em particular para o gerenciamento do trânsito, mas é atualmente o protocolo mais implementado, pois foi historicamente o primeiro padrão disponível.

A sinalização de comando dos *media gateways* será via Megaco/H.248 ou MGCP. O protocolo MGCP ainda será largamente utilizado a curto prazo devido à maturidade que ele oferece. No entanto, a maioria dos fabricantes identifica o protocolo Megaco/H.248 como seu sucessor.

A sinalização de trânsito será decidida entre BICC e SIP-T. Inicialmente, BICC foi previsto para o transporte da sinalização entre servidores de controle sobre ATM, e SIP-T sobre IP. Os dois protocolos evoluem para suportar os dois modos de transporte. É possível que o consenso em torno do SIP para o controle de chamada beneficie a longo prazo o SIP-T.

O protocolo de adaptação SIGTRAN utiliza uma nova camada de transporte denominada SCTP, no lugar do TCP, para transmitir a sinalização SS7 de uma maneira transparente sobre as redes IP.

Para cada campo anteriormente relacionado existem dois protocolos concorrentes, um mais antigo e próximo do mundo da telefonia e outro mais recente e próximo ao mundo Internet. Essa situação leva inevitavelmente à questão da interoperabilidade a curto e médio prazos entre soluções de implementação que utilizam os diferentes protocolos, que constitui mais um problema no grande desafio que representa a implantação das redes convergentes.

## Referências


ARANGO, M.; DUGAN, A. et al. *Media gateway control protocol (MGCP).* RFC 2705, IETF, Oct. 1999.

COLLINS, D. *Carrier grade voice over IP*. New York: McGraw-Hill, 2001.

CUERVO, F.; HUITEMA, C.; ROSEN, B. et al. *Megaco protocol version 1.0*. RFC 3015. IETF, Nov. 2000.

GURLE, D.; HERSENT, O.; PETIT, J. Pierre. *Telefonia IP: Comunicação multimídia baseada em pacotes*. São Paulo: Pearson Education do Brasil, 2002.

HANDLEY, M.; JACOBSON, V. *SDP: Session description protocol*. RFC 2327. IETF, Apr. 1998.

ISC – INTERNATIONAL SOFTSWITCH CONSORTIUM. *Reference Architecture*, San Ramon, CA, June 2002.

ITU-T. *BICC/ISUP – SIP interworking protocol and requirements, recommendation.* Genebra, Apr. 2003.

ITU-T. *Functional description of the Signaling Connection Control Part.* Recommendation Q.711. Genebra, July 1996.

ITU-T. *Media Gateway Control Protocol*. Recommendation H.248, Genebra, 2000.

ITU-T. *Packet-based multimedia communications systems*. Recommendation H.323. Genebra, 1999.

ITU-T. *Signaling System No.7 – ISDN user part functional description*. Recommendation Q.761. Genebra, Dec. 1999.

MILLS, D. *Network Time Protocol v3*. RFC 1035. IETF, Apr. 1992.

PROJECT P1109. *Requeriments analisys and architecture definition in NGN*. Eurescom, Nov. 2001.

ROSEMBERG, J. SCHULZRINNE, H. et al. *SIP: Session initiation protocol*. RFC 3261. IETF, June 2002.

SCHULZRINNE, H. *RTP profile for audio and video conferences with minimal control*. RFC 1890. IETF, Jan. 1996.

SCHULZRINNE, H.; CASTNER, S.; FREDERICK, R.; JACOBSON, V. *RTP: A transport protocol for real time applications*, RFC 1889, IETF, Jan. 1996.

SHELDON, Tom. *The encyclopedia of networking and telecommunications*. 3. ed. Big Sur Multimedia, 2001.

STEWART, R.; SHARP, C.; RYTINA, I. et al. *Stream control transmission protocol*. RFC. IETF. Oct. 2000.

VEMURI, A.; PETERSON, J. *Session initiation protocol for telephones (SIP-T)*. RFC 3372, IETF, Sept. 2002.

# 6

# Camada de serviços

## 6.1 Introdução

Atualmente, os serviços de telecomunicação são dedicados ao tipo de rede. Na rede inteligente sobre a rede de telefonia, têm-se os serviços para os terminais telefônicos (fixos ou móveis) e, nas redes IP, os serviços de correio eletrônico, Web e notícias.

O aparecimento de novas redes de acesso como UMTS, GPRS, xDSL, Ethernet de longa distância e redes a cabo coaxial e fibra óptica, o aumento da diversidade dos terminais de comunicação (telefone móvel GPRS, PDA, etc.) e a convergência dos núcleos de rede levaram a uma transformação da arquitetura das plataformas de serviços. Essa nova arquitetura deve possibilitar aos clientes o acesso aos serviços, por meio de uma rede de transporte única no modo pacotes, independentemente da natureza dos terminais e do tipo de protocolo utilizado. Os serviços oferecidos devem ser adaptados às necessidades e aptidões dos clientes.

A necessidade da oferta de serviços multiredes e multiterminais conduz à definição de portabilidade e de adaptabilidade das aplicações, que permitem oferecer serviços para diferentes terminais resguardando seu ambiente personalizado. Para oferecer esses serviços, é necessário o desenvolvimento de protocolos e de arquiteturas, que farão o enlace entre as plataformas de serviços e os usuários conectados à rede de pacotes.

Essas novas ferramentas (arquitetura e protocolos), utilizadas em diferentes contextos, devem ser abertas e convergentes, permitindo a simplificação das comunicações entre terminais e entre terminais e servidores de aplicação. Para atender essas necessidades da evolução da arquitetura da camada de serviços, surgem dois modelos principais e complementares:

- uma arquitetura centrada no *softswitch*, embasada na interface de serviços padronizada do modelo OSA/Parlay. Esse modelo é adaptado para serviços de telecomunicações que necessitam de uma grande cooperação da rede de controle de chamada (servidores, base de dados);
- um modelo orientado a serviços Web, embasado nas tecnologias e produtos oriundos da Internet (XML, SOAP) e tendo arquitetura distribuída mais adaptada ao fornecimento de serviços de modo transparente sobre IP, com uma grande participação do terminal.

Enquanto o modelo Serviços Web se apóia explicitamente sobre o protocolo de controle de chamada SIP, o modelo OSA é, *a priori*, independente do protocolo de controle de chamada usado.

## 6.2 Serviços na rede convergente

O maior estímulo para a mudança das redes é a redução de custos. Os custos dos equipamentos de telecomunicação têm caído na mesma proporção que os computadores pessoais, o que tem estimulado o crescimento e o uso das redes. Outra economia é o uso compartilhado da infra-estrutura, operação, manutenção e serviços. Por exemplo, uma rede convergente implementa soluções que usam um acesso IP para várias redes privadas, para acesso à Internet e para os tradicionais PABX, resultando em reduções significativas de custos.

A Internet e os acessos *on-line* trouxeram milhões de consumidores potenciais, entretanto, a convergência dos serviços será a grande oportunidade para novos negócios, não apenas a redução de custos. Os novos serviços serão orientados pelos seguintes itens:

- aplicações avançadas que organizam a forma de trabalho. *Streaming* de vídeo, *e-commerce* e os leilões *on-line* são exemplos da denominada "aplicações de conteúdo específico", enquanto a videoconferência com o compartilhamento de documentos através da *web* é um exemplo de "aplicação de rede";
- a desregulamentação das telecomunicações permitirá que os provedores possam explorar novas tecnologias e oferecer serviços sofisticados aos clientes. A conectividade universal, os *devices* multifuncionais, o aprovisionamento de serviços e facilidades e os serviços que ultrapassam os limites das redes dos provedores são alguns dos requerimentos do mercado, independentemente do ambiente regulador;
- a opção da indústria por sistemas abertos torna a integração das redes viável. A consolidação do mundo da voz (VoIP, voz através de rede sem fio e telefonia tradicional) e o mundo dos dados em dois ambientes distintos (Internet, Intranet, transmissão sem fio e transmissão através da rede de voz) é uma significativa mudança sem ter que usar *gateways* e configurar interfaces.

Mesmo que o foco atual seja as aplicações e os serviços competitivos, é praticamente impossível implementar uma rede convergente sem considerar as seguintes tecnologias de rede:

- Processamento digital de sinais. Esta é a tecnologia chave para a integração do tráfego de voz e dados. A vantagem dessa área é a facilidade de compressão de voz e a sua conversão para pacotes de dados.
- Roteamento dos pacotes. Os recentes protocolos de roteamento permitem priorizar as filas e os pacotes das aplicações que exijam qualidade de serviço (QoS).
- Redes ópticas. Essas redes aumentam, exponencialmente, a banda de transmissão que está disponível pelos provedores de serviços e dos usuários. As vantagens da multiplexação por comprimento de onda e o roteamento por comprimento de onda deverão consolidar o roteamento nas redes ópticas.
- Protocolos avançados. Desde que o TCP/IP tornou-se um protocolo estratégico, muitos esforços estão sendo feitos para conceber novas funções

e aumentar sua performance. As redes IP em breve deverão ser capazes de prover a mesma qualidade de serviço encontradas nas redes ATM. Recentes avanços incluem o protocolo RTP (R*eal Time Transfer Procotocol*), o MPLS, o Sigtran e a classe de serviço diferenciada (*DiffServ*).

O tráfego convergente tem trazido crescente interesse para os administradores de rede e tem levado os provedores de serviços a implementar soluções que vão ao encontro das demandas dos clientes. Nem os tradicionais serviços de telefonia nem os novos provedores de redes convergentes serão competitivos apenas reduzindo custos de transmissão. O ponto chave é QoS. Características como *performance*, disponibilidade, flexibilidade e adaptabilidade serão padrões de mercado.

### *6.2.1 Novas fontes de receita*

Atualmente, as operadoras obtêm dos serviços de telefonia a maior parte da sua receita. Entretanto, esses lucros diminuíram nos últimos anos devido à concorrência. Embora a receita do serviço de voz seja ainda dominante, as operadoras têm que oferecer um maior tempo de chamada com menor lucro. Em países onde as comunicações são taxadas pela duração, as perdas são compensadas, de alguma forma, pelo uso intensivo do STFC para o acesso à Internet. Com a tendência da diminuição das receitas telefônicas e as proposições de pagamento fixo para o acesso à Internet, as operadoras devem procurar outros meios de compensar perdas. Nesse caminho, as transmissões de dados e/ou vídeo apresentam-se como as perspectivas mais interessantes.

O ambiente de negócios hoje é muito competitivo e complexo. Os serviços para os clientes são certamente a chave do sucesso. A demanda por novos serviços de comunicação está crescendo, o que exige estratégias para melhorar os serviços ofertados aos usuários e construir empresas sólidas e competitivas. No centro desses novos serviços, encontra-se a rede convergente.

A rede convergente é o próximo passo nas comunicações mundiais, tradicionalmente providas por três redes separadas: a RTFC, a rede *wireless* e a Internet. Nesse novo conceito de rede, essas três redes convergem para uma infra-estrutura de pacotes comum. Essa infra-estrutura, altamente eficiente, disponibiliza acesso universal e uma série de novas tecnologias, aplicações e oportunidades de serviços.

Três tipos de serviços direcionam as redes convergentes: serviços de comunicação em tempo real ou não, serviços de conteúdo e serviços de transação. As redes direcionadas a serviços oferecem aos provedores maior controle, segurança e confiabilidade, enquanto reduz custos operacionais. Provedores de serviços poderão rapidamente e com baixo custo incrementar novas receitas.

As redes convergentes, construídas com elementos abertos e modulares, protocolos padronizados e interfaces abertas, enquadram-se nas necessidades específicas de todos os usuários: empresas, escritórios remotos e escritórios pequenos ou residenciais (SOHO). Elas unem os serviços tradicionais de voz com fio, vídeo e dados com ou sem fio usando transporte em pacotes. A nova classe de serviços viabilizada é mais flexível, escalável e com menor custo.

Um serviço-chave da rede convergente é o portal de voz, o qual provê acesso a usuários de qualquer lugar e a qualquer tempo a informações como notícias, condições do clima, estoques e balanços contábeis usando simples comandos de voz e qualquer telefone. Os portais de voz tornar-se-ão o centro das comunicações. Corporações que os utilizarem terão uma posição de destaque no mercado, diferenciando-se de seus concorrentes, atraindo usuários fiéis e fazendo crescer suas receitas.

### *6.2.2 Implementando serviços na rede convergente*

As soluções de comunicação nas redes convergentes serão construídas em blocos abertos, flexíveis e padronizados pelas seguintes razões: com soluções abertas não há necessidade de começar do nada para acrescentar serviços de comércio eletrônico habilitados por meio de voz; o uso de blocos modulares torna mais fácil e sustentável a inclusão de novas funcionalidades, serviços e valor aos sistemas existentes. Tudo isso contribui para a oferta de soluções mais poderosas e acessíveis que protegem os investimentos realizados.

A rede convergente começa com servidores de mídia que provêem capacidades de processamento de mídia mais avançadas. O valor de um servidor de mídia reside em sua flexibilidade para suportar processamento de serviços de mídia avançados como anúncio de voz, resposta de voz interativa, conferência, mensagem, tradução texto para fala (TTS) e reconhecimento de fala.

Contudo, com a computação aberta, padronizada e o processamento de voz, os servidores de mídia podem ser implementados de várias formas. Por exemplo, a plataforma de um portal de voz é um servidor de mídia que provê uma interface de usuário direcionado por fala com reconhecimento de fala e capacidades de TTS, oferecendo acesso do cliente por meio de voz ao conteúdo da Internet, mensagens ou ambos.

Portais da Internet habilitados por fala, ou portais de voz, estão se tornando rapidamente a tendência no comércio eletrônico, ampliando o acesso ao conteúdo da Internet a todos com o dispositivo de comunicação mais universal: o telefone. Os portais de voz colocam todos os tipos de informação ao acesso imediato dos usuários, bastando a eles discar ao número 800 do portal e usar comandos de voz para acessar qualquer informação, sendo rápido, fácil e efetivo, seja de um carro ou aeroporto.

O potencial de demanda aos portais de voz é proporcional à expansão do telefone. Assim, é fácil entender por que os analistas acreditam que o acesso à Web habilitado por voz crescerá. Os portais de voz atualmente são apenas a ponta de um *iceberg*, ou o primeiro passo na mudança do hábito de acesso das pessoas ao conteúdo da Internet e de como os consumidores e provedores conduzirão os negócios na Internet. Nos próximos anos, portais de voz – e as tecnologias concernentes – mudarão tanto a forma como as pessoas utilizam seus telefones quanto a forma com que os provedores enxergam e interagem com os clientes.

Portais de voz estão mudando o serviço telefônico centrado no vendedor para o cliente. Pretende-se aumentar a satisfação dos clientes enquanto se melhora a eficiência e se cortam custos nos negócios. Um portal de voz provê aos usuários de telefone uma interface de comunicação natural (linguagem) para acessar e obter o conteúdo Web. Um *browser* Internet pode prover acesso Web a um computador, mas não a um telefone. O portal de voz é então uma maneira de fazê-lo. Certamente, o simples acesso e a recuperação da informação são apenas o começo. Um portal de voz pode também proporcionar aos usuários acesso a assistentes pessoais virtuais e a aplicações Web de mensagens unificadas.

Os portais de voz podem eliminar custos operacionais liberando tempo aos agentes e substituindo operadores humanos por uma solução automatizada de fácil uso. Oferecem também novas oportunidades de receitas abrindo a possibilidade de novos serviços ou espaço publicitário. Os portais de voz são a próxima fronteira da convergência, a interseção da Internet e telecomunicações, abolindo a distinção entre voz e dados, computadores e telefone.

O sistema de referência do portal de voz é um sistema de *software* e *hardware* integrados, em pacote, para fornecer comércio eletrônico mais robusto e soluções habilitadas por fala.

O potencial da comunicação de voz nunca foi totalmente explorado, devido às poucas alternativas fornecidas pelo teclado do telefone e pelo fato de o mesmo não prover uma maneira fácil de navegar de uma fonte de questão ou informação à outra, exceto para se retornar para um menu inicial, entre outras razões. Em comunicações *wireless*, essa questão está sendo solucionada por meio de um *browser* padrão e por protocolos de aplicação para telefones usando tecnologia como WAP (W*ireless Application Protocol*). Contudo, tal interface pode ainda ser inadequada para aquele que está conduzindo um veículo e origina uma chamada, por exemplo.

Tampouco havia modelos de publicidade nos negócios na Internet para entrega de conteúdo. A maioria dos provedores de informações baseados em telefone cobra dos usuários uma taxa por resultados de jogos ou mesmo pela previsão do tempo. Mas há limites relativos ao que os consumidores pagarão por informações.

A desregulamentação da indústria de telecomunicações gerou a oportunidade de surgimento de uma nova classe de provedores de serviços que necessitam se destacar em um mercado altamente competitivo. Os portais de voz são uma maneira de viabilizar isso, oferecendo oportunidades de bem se situar no mercado.

Ao mesmo tempo, os portais existentes e os operadores de *sites* Web possuem grandes bases de dados. Podem suportar aplicações telefônicas com um mínimo de investimento e o modelo de negócios que suporta o sucesso da Web – baseado em publicidade ao invés de taxação – pode ser facilmente adaptado ao acesso à Internet usando telefone.

A tecnologia também evoluiu. A tecnologia de reconhecimento da fala experimentou particularmente grandes avanços, favorecidos pelo imenso crescimento do poder de processamento. A tecnologia de conversão de texto em fala também evoluiu. Pode-se esperar que a adoção de uma linguagem de *script* de voz padrão, como VoiceXML, fortaleça os serviços de portal de voz da mesma forma que o HTML fortaleceu o desenvolvimento da Internet. O custo de criação de uma plataforma baseada em fala tem diminuído. O aumento da densidade de processamento de voz e a diminuição dos custos de *hardware* de interface de rede permitem aos provedores de serviços servirem mais usuários a um custo menor.

Por fim, a Internet tem atendido às expectativas do público. Usuários de Internet cresceram acostumados a obter facilmente informações. Uma vez que se acostuma a ter informações imediatas – comércio eletrônico, valor de ações, faturas, transferência de fundos –, a transição para obter tais informações por telefone é o próximo passo lógico.

Para aqueles que não dispõem de computadores, o telefone é um caminho natural para atravessar a fronteira digital em direção ao novo mundo de acesso à informação. E as pessoas que usam cada vez mais intensamente telefones celulares esperam acesso instantâneo às informações, mesmo que quando longe de seus escritórios e domicílios.

Tudo isso leva a um novo tipo de convergência. A Internet, concebida como um meio de informações, está se transformando rapidamente em um meio de comunicação. O telefone foi projetado como um meio de comunicação, mas está se transformando em um meio de informação com a consolidação dos portais de voz. Em um mundo digital, comunicações e informações estão convergindo em um fluxo de dígitos que podem ser prontamente acessados por muitos dispositivos, quando e onde as pessoas quiserem.

### *6.2.3 Tendências tecnológicas para o provimento dos serviços*

O reconhecimento automático da fala tem se consolidado. As aplicações antigas continham apenas um pequeno vocabulário de vinte ou trinta palavras. Mas a precisão e o tamanho do vocabulário de máquinas de reconhecimento da fala cresceu bastante devido a algoritmos mais refinados, grande crescimento na velocidade de processamento e custos menores. Os sistemas atuais suportam naturalmente frases faladas e não requerem treinamento prévio. Há opções de suporte a múltiplas linguagens.

A tecnologia de processamento contínuo da fala (CSP) elimina a necessidade de *hardware* de fala específico. O CSP otimiza o desempenho de máquinas de reconhecimento de fala por meio de fluxos de voz em pacotes pré-processados entre os quadros de telefonia (analógico, T1 e E1) e a unidade central de processamento dos computadores. É usado como *front-end* no processamento dos dados e sistema *host* para reconhecimento da fala.

Uma vez acessada a informação, ela precisa ser comunicada ao usuário. Uma forma de fazê-lo é pela conversão de texto em fala (TTS). Usado significativamente para a conversão de *e-mail* e textos Web, TTS deve ter um cenário ainda mais propício no futuro. Aplicações do mundo real, como *e-mail*, podem ser lidas pelo telefone por pré-processadores que tratam os chamados dados de vício da linguagem, como acrônimos, contrações e diferenças de entonação.

Assim como o crescimento da Web foi catalisado pelo desenvolvimento do padrão de *script* HTML, a aceitação de um padrão universal está impulsionando a evolução dos serviços de voz. VXML (*Voice eXtensible Markup Language*), o principal padrão para os serviços de voz, permitirá a abertura dos serviços Web a usuários que utilizam interfaces de voz. Tratará fala sintetizada para a conversão de fala em texto, reconhecimento de entrada falada e controle de chamada telefônica. Uma vez que tecnologias Web já em uso são empregadas, a integração com bases de dados existentes pode ser compartilhada com aplicações HTML.

O sucesso de aplicações baseadas em fala depende de fatores como o encadeamento, para interrupções na fala e fatores comportamentais. Assim, ferramentas de suporte a testes devem ser disponibilizadas de forma a acelerar o desenvolvimento de novas aplicações.

A maior parte dos novos serviços combina serviços de telefonia e de dados. Associado a um sistema de reconhecimento da palavra, qualquer terminal, mesmo um posto telefônico elementar, pode realizar, por exemplo, o acesso vocal à Internet para pesquisar um nome em um livro de endereços *on-line*. Uma vez que o nome é encontrado, o usuário pode pedir o estabelecimento de uma conexão telefônica simplesmente pronunciando a palavra chave “Chamar”.

A mobilidade é um outro fator relevante nesse contexto. Não se trata somente da mobilidade de terminais, mas também a do usuário, que lhe permite se servir de qualquer terminal para acessar os serviços em que ele estiver registrado. O preço da comunicação é somado automaticamente à sua fatura telefônica pessoal. Com um terminal adequado, os serviços que necessitam de um “clique para acionar” podem substituir o estabelecimento da comunicação comandada pela voz, como a leitura e o envio vocal de *e-mail* e de *fax*.

Alguns outros produtos que poderão ser ofertados pelas operadoras são:

- IPfone via *desktop*: a instalação de *softwares* que disponibilizam as funções de um aparelho de telefone na tela do computador dará ao usuário condições de atender e completar chamadas pelo terminal (desde que o PC seja multimídia).
- Videoconferência e videochamada via *desktop*: com a instalação de uma câmera Web no PC, os usuários de redes convergentes poderão participar de videoconferências utilizando o PC.
- *Video on demand*: provedores de filmes sob demanda devem intensificar a oferta de produtos com a popularização das redes convergentes, que permitirão melhor qualidade de som e imagem.

- Videogames interativos: pelos computadores, utilizando a linha com acesso ADSL, os usuários poderão disputar jogos com vários participantes em alta velocidade e resolução.

## 6.3 *Virtual home environment*

O VHE (*Virtual Home Environment*), um conceito de ambiente de serviços personalizados, foi definido pelo 3GPP (*3rd Generation Partnership Project*) dentro do quadro da padronização do UMTS. Ele inclui a personalização de serviços para usuários de diferentes perfis e a portabilidade do ambiente personalizado de serviços por meio de várias redes de acesso (fixa, móvel, IP) e sobre terminais de diferentes naturezas. Assim, os usuários poderão acessar seus serviços e seu ambiente personalizado qualquer que seja a rede e o terminal que estejam usando. Para a criação dos serviços, são usadas ferramentas padronizadas como as interfaces OSA/Parlay e os protocolos Camel, MexE, Java e Corba.

A arquitetura OSA (*Open Service Architecture*) propõe uma interface padronizada para as aplicações. O objetivo dessa arquitetura é utilizar as capacidades das redes sem a necessidade de se conhecer as tecnologias usadas, diminuindo assim a complexidade das redes com as plataformas de serviços (Figura 6.1).

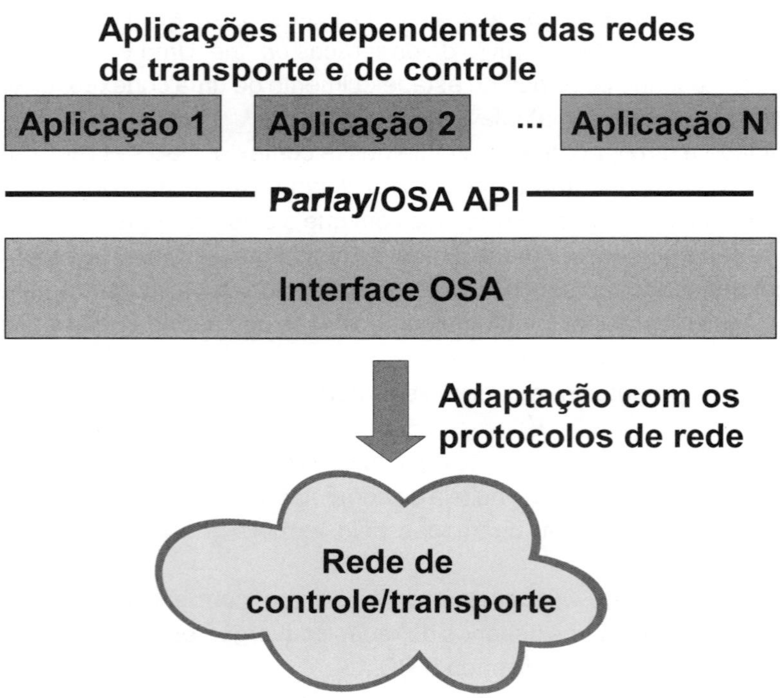


Figura 6.1 Arquitetura OSA

Esse modelo é especificado e padronizado pelo Joint API Group que coordena os trabalhos do 3GPP, do ETSI, do Jain (*Java APIs for Interoperable Networks*) e do grupo Parlay. O trabalho desse grupo é propor uma única interface padronizada para todas as necessidades.

O modelo OSA é compartilhado e suportado por um importante grupo de organizações oriundas das áreas de telecomunicações móveis e fixas (3GPP, ETSI, Grupo Parlay) e da Internet (Jain).

O 3GPP – resultado da colaboração de alguns organismos de padronizações e da maioria dos fabricantes – tem como objetivo a definição de um conjunto de especificações técnicas para os sistemas móveis de terceira geração. Em particular, o 3GPP procura definir uma arquitetura que permita oferecer o conceito VHE identificado com o modelo OSA.

O grupo Parlay é um fórum aberto para a definição das especificações de uma API (*Application Programming Interface*) para o modelo OSA. Essa interface deve permitir que operadoras, programadores e fornecedores de serviços possam desenvolver aplicações multitecnologias e multiredes. A API permite suportar os serviços de uma terceira parte ASP (*Application Service Provider*) pela definição de uma infra-estrutura que gerencia com segurança a comunicação entre clientes e servidores.

O objetivo da iniciativa JAIN é criar um conjunto aberto, envolvendo fornecedores de serviços terceirizados, operadoras, fabricantes e usuários finais. Esse conjunto é definido para ser distribuído para qualquer protocolo e *middleware* como RMI (*Remote Method Invocation*), CORBA (*Common Object Request Broker Architecture*) e DCOM (*Distributed Common Object Model*).

O serviço de controle de chamada de JAIN usa como base o definido pelo grupo Parlay. Assim, a tecnologia JAVA e a arquitetura JAIN são utilizadas como ferramentas para a realização dos elementos do modelo OSA. A arquitetura JAIN articula-se em torno de dois eixos:

- as especificações do protocolo API que definem a interface com os protocolos de sinalização das redes fixas, móveis e IP. São as API TCAP, ISUP, MAP, INAP, MGCP, SIP, H.323, Megaco e ENUM;
- as especificações das aplicações usadas na definição das API necessárias à criação do serviço, com ajuda do JAVA, para todos os protocolos cobertos pelo protocolo API.

As APIs permitem o gerenciamento da interface com os sistemas de controle da chamada e o desenvolvimento de serviços como gerência da presença e da disponibilidade, gerência do fornecimento de serviços, gerência dos usuários ou da criação do ambiente dos usuários (Figura 6.2).

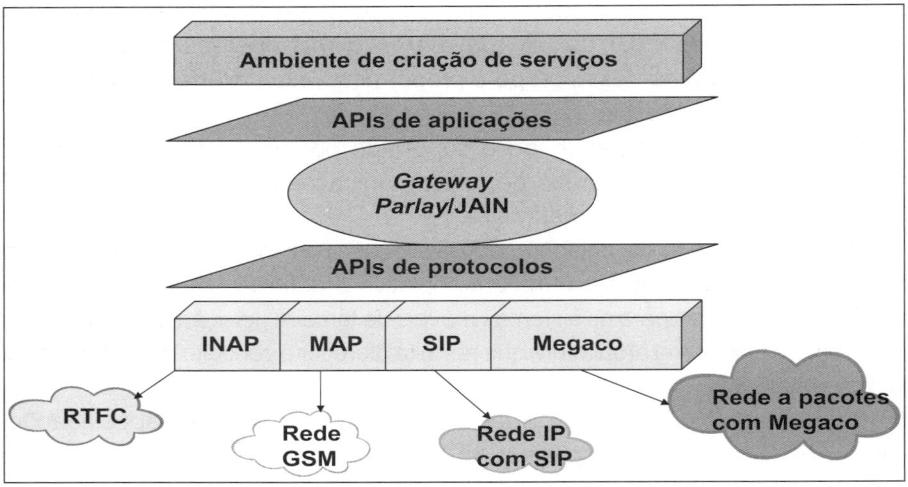


Figura 6.2 Ambiente Parlay/JAIN

### *6.3.1 Arquitetura do modelo OSA/Parlay*

A especificação OSA/Parlay define uma arquitetura que permite às aplicações de serviços usar recursos da rede como o controle da chamada, a gerência da conferência de áudio e/ou de vídeo e as informações de localização.

A interface padronizada aberta OSA/Parlay faz parte das plataformas de serviços com a camada de controle para a sinalização e com a camada de transporte para o tráfego. Essa interface facilita o acesso à rede pelas aplicações dos serviços, oferecendo as ferramentas necessárias ao bom funcionamento dos mesmos, como gerência da segurança (autenticação, autorização), dos usuários (perfil, estado) e controle da chamada. A interface é composta de diferentes funções:

- o *framework*, responsável pelo controle de acesso ao serviço e da gerência dos recursos atribuídos a esses serviços;
- os SCS (*Service Capability Servers)*, que fornecem a interface para as aplicações. Cada SCS é visto pelas aplicações como um ou mais SCF;
- os SCF (*Service Capability Features)*, que adaptam os serviços com as capacidades da rede acessível por API OSA/Parlay.

Um dos servidores de capacidade de serviço é chamado *framework*, sendo indispensável para o bom funcionamento dos serviços, pois gerencia:

- as funções de autenticação das aplicações para acessar a rede;
- as funções de autorização para as aplicações utilizarem certos SCF e dados dos clientes, e para os clientes utilizarem uma aplicação (verificação de inscrição);

- as funções de descoberta dos SCF que permitem às aplicações obter as informações sobre os SCF acessíveis;
- o gerenciamento do estabelecimento dos serviços para as aplicações que devem aceitar *on-line* a obrigação de oferta de serviços;
- o gerenciamento da integridade dos serviços, isto é, o gerenciamento da qualidade de serviço ofertado;
- o gerenciamento de registro dos SCF.

Os SCF são a interface entre os serviços e a rede onde estão os usuários. As funcionalidades dos SCF são dirigidas ao gerenciamento dos usuários e das sessões de acesso aos serviços. Atualmente, os SCF já definidos e implementados são:

- a interação com o usuário para obter informações sobre o mesmo, por meio de mensagens escritas ou orais;
- a localização e as características dos usuários finais;
- o tratamento das características do terminal utilizado;
- o gerenciamento do acesso e transporte, qualidade de serviço e tarifação dos clientes.

## 6.4 Serviços Web

Enquanto o modelo OSA/Parlay é orientado para uma arquitetura centralizada nos *softswitchs*, o modelo Serviços Web, que tem como base uma arquitetura e protocolos orientados para Web, é definido como um modelo muito mais distribuído.

Em 2000, o W3C (*World Wide Web Consortium*) criou a XML Protocol Activity para padronizar um protocolo de comunicação interaplicações com base em XML (*Extensible Markup Language*). Em 2002, sob a influência da Microsoft, IBM, Sun e Oracle, a ação desse grupo foi ampliada ao conjunto dos aspectos dos Serviços Web e IP sendo denominada Web Services Activity.

Um serviço Web é uma interface aberta que descreve um conjunto de operações acessíveis em uma rede usando um formato padronizado de mensagens XML. A descrição do Serviço Web define o conjunto das interações com o serviço, incluindo o formato das mensagens e os protocolos de transporte e de localização. Essa interface permite implementar os serviços independentemente das plataformas lógicas e físicas sobre as quais eles estão instalados e das linguagens nas quais foram criadas. Enquanto a Web permite a interação entre um usuário e um programa, os Serviços Web possibilitam estabelecer um meio de comunicação entre programas.

O acesso a Serviços Web pode ser feito diretamente em uma simples sessão cliente/servidor, sendo, contudo, orientado por meio de portais que serão abertos quando os clientes fazem a autenticação para acesso aos serviços.

Para oferecer uma interação real entre programas, os Serviços Web usam como base padrões existentes, como HTTP, XML, SOAP (*Simple Object Access Protocol*), WSDL (*Web Services Description Language*) e UDDI (*Universal Description, Discovery and Integration*).

Esse modelo de fornecimento de serviços é fortemente associado ao protocolo SIP, ou seja, para acessar os Serviços Web deve-se estabelecer uma sessão cliente/servidor, que é a função do protocolo de controle de chamada, SIP. Alguns exemplos de Serviços Web são: .NET da Microsoft, WEBsphere da IBM e J2EE da Sun.

Ao contrário do modelo OSA, o modelo Serviços Web já é uma aplicação das grandes indústrias de *software*. Isso pode ser explicado pela arquitetura personalizada desse modelo de serviços que é distribuída, relativamente independente da rede e executável de maneira transparente.

### *6.4.1 Protocolos utilizados para Serviços Web*

Os Serviços Web apóiam-se sobre os protocolos que formam a camada de adaptação para o fornecimento dos serviços. Os protocolos que usam o formato XML são o SOAP, o WSDL e o UDDI.

O SOAP é um protocolo para a troca de informações em um ambiente descentralizado e distribuído, como a Internet, por exemplo. Permite a requisição de métodos, de serviços, de componentes e de objetos em servidores distantes. Utiliza como base a combinação de:

- XML para a estruturação dos pedidos e das respostas, representando os parâmetros dos métodos, os valores de retorno e eventuais erros ligados ao tratamento;
- HTTP como mecanismo de requisição dos métodos. Para isso, apóia-se em um reduzido tipo de fonte e parâmetros especificados nos cabeçalhos HTTP, facilitando a filtragem pelos *proxy* e *firewall*.

Um exemplo para ilustrar os possíveis serviços com a associação do protocolo de estabelecimento de comunicação SIP e SOAP é mostrado na Figura 6.3. Um usuário envia uma mensagem à Martin. Contudo, essa mensagem em inglês, "Hello World", precisa ser traduzida para ser entendida. Para isso, é suficiente adicionar à mensagem SIP, um cabeçalho "translate=en_fr" que será, então, interpretada pelo servidor SIP/SOAP. Este envia um pedido SOAP a um servidor Web que será capaz de executar o método "xmethods Babel Fish" para efetuar a tradução da mensagem. O servidor Web retorna uma mensagem SOAP contendo a mensagem a ser entregue a seu destinatário. Este recebe a mensagem traduzida para o francês de maneira transparente.

O WSDL é um formato XML de apresentação atualmente submetido ao W3C. Um documento WSDL define os serviços como um conjunto de portas (pontos de rede) e permite as descrições das portas de serviços, independentemente do formato das mensagens e dos protocolos de rede utilizados.

O UDDI foi um projeto elaborado pela Microsoft, IBM e Ariba, não sendo, portanto, um padrão para os Serviços Web. Apóia-se propriamente sobre os Serviços Web para propor um diretório mundial de empresas. Ele fornece uma ferramenta de aplicativo para comunicar com qualquer tipo de coordenadas (endereço geográfico, número de telefone, *fax*, endereço de site, etc.) e também a referência das especificações permitindo diálogos entre os Serviços Web ou lugares do mercado.

Embora esse tipo de diretório possa, em particular, gerenciar diversos números de chamada e endereços, ele executa uma função de diretório no nível de aplicação, não de rede. Esse mecanismo não é diretamente relacionado aos mecanismos de endereçamento de rede como o endereço SIP ou ENUM ou funções DNS.

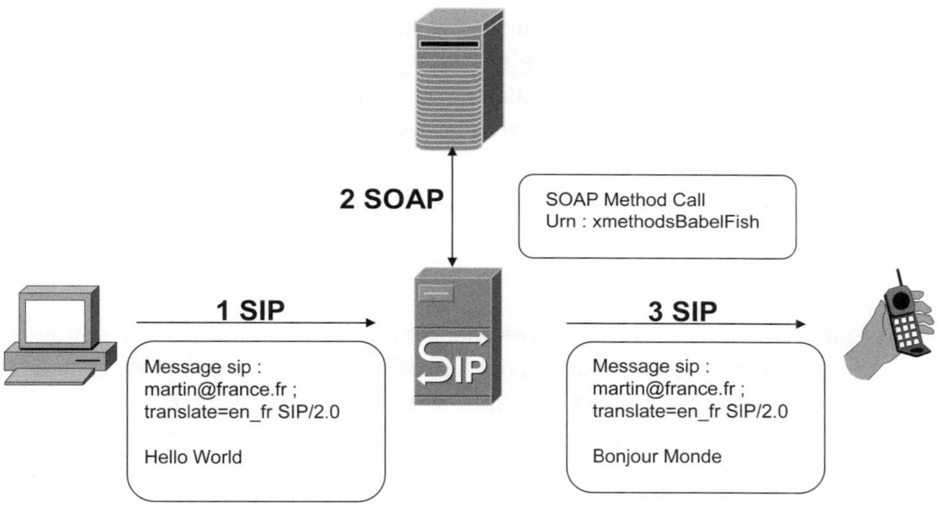


Figura 6.3 Protocolos SIP e SOAP

### *6.4.2 Modelos OSA/Parlay e Serviços Web*

Os dois modelos, OSA/Parlay e Serviços Web, têm o mesmo objetivo: permitir acesso personalizado aos serviços multimídia adaptado ao terminal utilizado. Para isso, é necessário utilizar uma camada de adaptação que permita gerenciar a interface entre as aplicações e forneça os serviços e os recursos de rede. É a interface API OSA/Parlay para o modelo OSA e uma série de protocolos, SOAP, WSDL e UDDI para os serviços Web. Contudo, esses dois modelos de serviços são diferentes em sua arquitetura.

O modelo OSA/Parlay (3GPP, Parlay, JAIN) é orientado para uma arquitetura com base em um *softswitch*, o qual é o nó central da camada de controle e a passagem obrigatória para acesso aos serviços, via interface OSA/Parlay. Esse modelo é adaptado aos serviços fortemente dependentes de funções da camada de controle da rede, por exemplo, pedido de informação sobre a localização ou sobre as características dos terminais.

O modelo Serviços Web (W3C) é, como seu próprio nome indica, fundamentado nas tecnologias Web cuja arquitetura é distribuída. A iniciação das sessões é tratada com o protocolo SIP. A camada de adaptação, necessária para o acesso dos serviços, é realizada por meio de um conjunto de protocolos Web como XML, SOAP, WSDL e UDDI. Esse modelo é adaptado aos serviços relativamente transparentes com a rede (comunicação universal entre terminal e servidor, ou entre terminais, ou entre servidores). Ele se apóia sobre os conceitos antigos de processamento de dados distribuído. Sua introdução causa impacto essencialmente na camada de serviços e, parcialmente, nos terminais.

*A priori*, esses dois modelos não são concorrentes, mas sim complementares. Pode-se imaginar as aplicações mistas com base no modelo Serviços Web, mas fazendo chamada para certos serviços com pedidos do tipo OSA/Parlay. O modelo OSA/Parlay será mais difícil de ser implementado devido a sua forte dependência da rede. Deverá se desenvolver com o surgimento das redes e serviços UMTS.

## 6.5 Exemplos de serviços ofertados

As redes convergentes oferecem as capacidades – em termos de infra-estrutura, de protocolos e de gerência – de se criar e implementar novos serviços multimídia sobre as redes no modo pacote. A grande variedade de serviços é resultado das múltiplas possibilidades oferecidas pelas redes convergentes em termos de: suporte multimídia (dados, texto, áudio, vídeo); modo de comunicação, como *unicast* (comunicação ponto-a-ponto), *multicast* (comunicação ponto-multiponto), e *broadcast* (difusão); mobilidade (serviços disponíveis em qualquer lugar a todo o tempo); e portabilidade sobre diferentes terminais.

Ainda, as noções de personalização e de adaptação dos serviços para os usuários tornam-se mais freqüente no conceito de fornecimento de serviços das redes convergentes. Elementos comuns ressaltam, como a importância das bases de dados (para a gerência de personalização dos conteúdos, da localização, dos pagamentos) e a generalização de transação em tempo real. A seguir são comentados alguns serviços no quadro das redes convergentes.

A mensagem unificada é um dos serviços mais avançados, sendo o primeiro exemplo de convergência e de acesso à informação a partir de diferentes meios de acesso. O princípio é centralizar em um servidor todos os tipos de mensagens, orais (telefônicos), escritos (*e-mail*, SMS) e multimídia, o qual se encarregará de fornecer acesso às mensagens adaptado ao tipo de terminal do usuário. Assim, um *e-mail* pode ser traduzido em mensagem oral por um *gateway* texto para voz ou, ao contrário, uma mensagem oral pode ser traduzida para o modo texto.

A mensagem instantânea usada pelos internautas já é uma aplicação de grande sucesso. Ela permite o diálogo em tempo real sobre um terminal IP, geralmente um PC conectado à Internet por uma interface texto. No entanto, é necessário instalar no terminal um *software* proprietário que permita a conexão com um provedor de acesso. Assim, é possível se comunicar somente com os usuários cadastrados no mesmo serviço. A evolução das redes deverá permitir a padronização dessa aplicação e da comunicação entre todos (abertura do serviço) a partir de qualquer terminal. É a evolução do serviço SMS, com a contribuição da interatividade e da multimídia (MMS).

A difusão de conteúdos multimídia é um dos serviços que começam a surgir ocupando um importante lugar com a evolução da banda passante ao acesso e à capacidade de processamento dos terminais. Ela agrupa duas atividades: uma focalizada sobre a ambientação em forma de conteúdo multimídia e outra centrada sobre uma agregação desses diversos conteúdos via portais. As ferramentas tecnológicas, como a multimídia *streaming* (gerenciamento de um fluxo multimídia em termos de banda passante e sincronismo dos dados) e o protocolo *multicast* (difusão ponto-multiponto), devem prover um serviço de difusão de conteúdo aos usuários finais. Todavia, não é possível pensar na difusão de vídeo de alta definição sobre uma rede a pacotes enquanto a rede de acesso não for capaz de prover taxas de dezenas de Mbps para o usuário.

Voz sobre IP é um serviço diretamente relacionado à evolução para as redes convergentes. É uma antiga aplicação, ainda não totalmente difundida devido a várias razões:

- a juventude dos protocolos de sinalização (SIP, H.323, Megaco) de voz sobre IP e o gerenciamento da qualidade de serviço, que somente agora se torna madura, não permitem desenvolver serviços de telefonia sobre IP de forma abrangente;
- o fato de o transporte de voz sobre IP não trazer um valor agregado para o usuário final, comparado com o tradicional serviço de voz. Os serviços associados à voz sobre IP com redes TDM/SS7 implicam custos relacionados aos equipamentos de interconexão (*gateways*) e no preço dos terminais (telefones IP) anulando a vantagem econômica trazida pelo transporte sobre IP;
- o custo dos terminais IP ainda é alto quando comparado aos equipamentos tradicionais.

Contudo, a evolução da tecnologia e dos protocolos e o aparecimento de serviços associados ao mundo IP deverão permitir a emergência da voz sobre IP. A evolução dos terminais de comunicação multimídia é um argumento adicional para a migração das redes de telefonia para voz sobre IP.

A possibilidade de localizar geograficamente os terminais móveis foi rapidamente percebida como uma fonte adicional de receitas. A geolocalização fornece aos usuários serviços relativos ao contexto com alto valor agregado, onde se encontra, como por exemplo, horário, clima e lugar.

Nesse contexto, o fórum LIF (*Location Inter-Operability Forum*), formado por fabricantes de redes móveis, definirá por meio de organismos de padronização e de especificações uma solução comum de serviços de geolocalização.

Atualmente, existem muitas soluções técnicas em fase de implementação nas redes de operadoras móveis. Entretanto, se essas soluções oferecem a capacidade de localizar os terminais móveis, elas não existem ainda como interfaces que permitam a exploração desses dados pelas aplicações de serviços, assim como não existe o interesse das operadoras de abrir seus servidores de localização para os fornecedores de serviços terceirizados utilizarem essa função como servidor de capacidade de serviço.

Para evolução e abertura das redes, é preciso suportar os serviços considerados tradicionais. Logo, com o uso de *software*, pode-se gerenciar o transporte de um fornecedor de serviços através da rede. Esse modo de fornecimento de serviços impõe uma flexibilidade muito significativa e uma redução de custos devido à terceirização.

A evolução dos terminais para os serviços inteligentes e o desenvolvimento de soluções para pagamentos com segurança devem propiciar o comércio *on-line*. Para isso, foi criado em 2000 o *Mobey Forum*, formado por bancos e fabricantes de redes móveis para desenvolver os serviços financeiros, como telepagamentos, favorecendo a abertura das soluções e sua interoperabilidade.

O aumento da capacidade das redes e a gerência dos fluxos de dados possibilitam oferecer serviços de armazenamento de dados com *backup*, em sites protegidos, assim como acesso local e conteúdo (servidor *proxy* ou *cache*). Dessa forma, com o volume de dados crescendo de forma exponencial, torna-se indispensável oferecer os serviços a partir de servidores locais. Esse aspecto é particularmente essencial para as aplicações de televisão interativa e vídeo sob demanda.

Muitas evoluções dos protocolos de serviços de redes inteligentes são previstas pelas normas de maneira a levar em consideração a migração para serviços de dados e também assegurar melhor interoperabilidade dos serviços inteligentes entre redes. Exemplos de serviços inteligentes móveis são as especificações do grupo CAMEL, que padronizam a interconexão de serviços entre diferentes redes móveis.

A segunda fase dessas especificações contém as evoluções levando em consideração o faturamento dos serviços em tempo real. A terceira fase acrescenta funções relacionadas à localização e à gerência da mobilidade, à gerência dos dados dos usuários e ao suporte dos serviços de transmissão de dados por pacotes GPRS e do SMS-MO. Contudo, em um ambiente multirredes, parece que a rede inteligente, apresentada como uma ferramenta que permite criação de serviços de forma simples e uma forte interoperabilidade desses serviços entre as diversas redes, não se mostra confiável em dois pontos.

Primeiro, o ambiente de criação de serviços permanece específico a cada fabricante e complexo para os iniciantes. Isso limita os desenvolvimentos com as operadoras a uma estreita relação com seus fornecedores. Segundo, existem poucos casos implementados de interconexão de serviços inteligentes entre redes por causa da sua complexidade de implementação e dos protocolos específicos sobre os quais a rede inteligente se apóia. Alguns fabricantes identificam essa rede como não sendo um fator relevante no quadro das redes convergentes, argumentando que sua utilização se limitará gradualmente à consulta como banco de dados.

No modelo OSA, as plataformas inteligentes não são identificadas como plataformas de serviços, mas como servidores de capacidade de serviços, ou seja, servidores sobre os quais as plataformas se apóiam para a execução dos serviços.

Os diferentes serviços mencionados anteriormente oferecem a capacidade de comunicar e de acessar conteúdos multimídia. Entretanto, para oferecer esses serviços, é necessário apresentar ao cliente garantias com relação à confidencialidade e à segurança e, aos fornecedores de serviços, ferramentas que permitam a gerência dos serviços de faturamento, autenticação e pagamentos.

Para os clientes, a confidencialidade e a segurança são gerenciadas pelos mecanismos de codificação na rede de transporte IP (IPSec) ou pelos protocolos aplicativos (SSL, TLS). Para os fornecedores de serviço, as ferramentas de gerência são fornecidas pelos modelos OSA/Parlay e Serviços Web

## 6.6 Linguagens e protocolos

Os dois modelos de fornecimento de serviços OSA/Parlay e serviços Web apóiam-se em ferramentas que permitem padronizar suas interfaces e adaptar o fornecimento dos serviços. Os diferentes elementos das interfaces fundamentam-se em linguagens como JAVA (OSA/Parlay, Serviços Web), XML (Serviços Web) e protocolos como CORBA (OSA/Parlay). Esses três tipos de linguagens já são largamente utilizados dentro do domínio da indústria de informática e da Internet e sua extensão ao domínio da telecomunicação móvel está em andamento.

A linguagem JAVA foi criada em 1991 pela *Sun Microsystem*, inicialmente com o objetivo de desenvolver *software* embarcado para controlar instrumentos eletrônicos e permitir aos mesmos a comunicação entre si. Possibilita criar aplicações seguras e executáveis sobre diversas plataformas (Windows, Macintosh) sem modificar as aplicações. Após 1995, JAVA tornou-se um grande sucesso e foi integrada na maioria dos navegadores e plataformas.

JAVA é uma linguagem de programação orientada a objeto, derivada do C++, podendo ser executada sob qualquer plataforma usando um interpretador JAVA. É utilizada para criação das API JAIN da arquitetura OSA/Parlay e também pelos serviços Web, sendo, portanto, um ponto de convergência entre esses dois modelos de serviços. A linguagem JAVA possibilita a produção de dois tipos de programas:

- as aplicações que são executadas diretamente em um ambiente gráfico do computador no qual está instalada;
- as *applets* que são as aplicações funcionando sobre os navegadores. São introduzidas em uma página HTML e executadas à distância em um terminal por meio de um navegador Web.

A XML é um conjunto de regras para a concepção de formatos texto permitindo a estruturação dos dados. Foi desenvolvida pelo XML *Working Group* sob a supervisão do W3C em 1996. Após 1998, as especificações XML 1.0 foram reconhecidas como recomendação pelo W3C.

O interesse em XML traduz-se pela sua capacidade de poder descrever qualquer campo de dados em razão da sua extensibilidade. Permite a estruturação, colocação de vocabulário e sintaxe dos dados nela contidos, e caracteriza-se pelos aspectos a seguir.

- Legível: não é necessário ser um especialista para apreender o conteúdo de um documento XML.
- Extensibilidade: pode ser facilmente distribuída, independentemente do protocolo, mesmo baseado em transporte de texto como http.
- Estrutura hierárquica: sua estrutura permite modelar os conteúdos hierarquicamente.
- Um dos campos mais promissores da XML é a troca de dados ou documentos entre sites distantes ou aplicações diferentes.

Em resumo, XML é o formato padrão utilizado pelos protocolos implementados dentro dos serviços Web.

A norma CORBA (*Common Object Request Broker Architecture*) surgiu nos anos 1990 pela necessidade de se efetuar a comunicação conjunta de aplicações em ambiente heterogêneo, ou seja, muitos sistemas e muitas linguagens. É a solução adotada pelo OMG (*Object Management Group*) pela necessidade de interoperabilidade diante do aumento de computadores e *softwares* disponíveis no mercado.

A versão CORBA 1.1 define a IDL (*Interface Definition Language*) e as API (*Application Programming Interface*) que permitem a interação dos objetos cliente-servidor com assistência do ORB (*Object Request Broker*). A versão CORBA 2.0, finalizada em 1995, define dentro da interoperabilidade como ORBs diferentes podem colaborar.

CORBA representa as especificações do ORB que é a entidade principal para a qual todos os comandos são dirigidos. ORB é um *middleware* que estabelece a relação cliente–servidor entre os objetos. Ao utilizar um ORB, um cliente pode chamar um método de um objeto servidor de maneira transparente, o qual pode estar na mesma máquina ou em máquina distante. O ORB é responsável por encontrar o objeto que implementa esse pedido e de lhe passar os parâmetros, para depois chamar o método e, finalmente, retornar o resultado. Para fazer isso, o ORB provê a interoperabilidade entre as aplicações situadas em diferentes máquinas dentro de um ambiente distribuído e heterogêneo, interconectando os sistemas de objetos diversos. Fornece também flexibilidade permitindo programar a escolha do sistema de operação, o ambiente de execução e mesmo a linguagem de programação a ser usada pelos componentes de um sistema em construção.

## 6.7 Conclusão

A evolução das redes, tanto na camada de transporte quanto na camada de controle, possibilita o desenvolvimento de novos serviços. As redes de acesso com altos fluxos de dados, a gerência da mobilidade, a geolocalização e a personalização são algumas ferramentas disponíveis para a criação de serviços multimídia cada vez mais interativos e adaptados ao tipo de terminais utilizados, de acordo com as necessidades dos usuários.

Para fornecer esses serviços flexíveis, é necessário, diante do aumento da diversidade de redes de acesso e de terminais de comunicação, definir uma nova arquitetura de acesso aos serviços. Surgem dois modelos diferentes, mas complementares: uma arquitetura OSA/Parlay e um modelo Serviços Web, apoiados em protocolos e interfaces abertas e padronizadas, o que facilita o surgimento de fornecedores de serviços terceirizados e a interoperabilidade entre as soluções.

O modelo OSA/Parlay, fundamentado na interface de serviços padronizada do modelo OSA/Parlay recomendada pelo 3GPP, é apoiado por um grande número de fabricantes de equipamentos de telecomunicações e operadoras tradicionais. A arquitetura centrada no *softswitch* possibilita a evolução das redes de comunicações atuais. Esse modelo é mais adaptado aos serviços, necessitando de forte cooperação dos servidores de chamada e bases de dados do núcleo da rede.

O modelo Serviços Web, recomendado pelo W3C, é, por outro lado, avançado e já utilizado na Internet e pelas empresas da área de informática. Esse enfoque tem base nas tecnologias e protocolos (XML, SOAP) oriundos da Internet com uma arquitetura distribuída. O protocolo de controle de chamada utilizado nessa arquitetura é o SIP. Esse modelo é mais adaptado aos serviços realizados de maneira transparente após o estabelecimento de uma conexão IP.

Porque esses modelos são relativamente novos, ainda não se pode prever o sucesso de um ou de outro. Contudo, o enfoque OSA/Parlay é inevitável para as empresas de telecomunicações estabelecidas migrarem para rede convergentes. O sucesso do modelo OSA será realmente confirmado com o surgimento das redes e serviços UMTS. Por sua vez, o enfoque dos Serviços Web é menos complexo para implementar e mais acessível aos fornecedores de serviços terceirizados que a interface OSA/Parlay. A prova é a existência dos primeiros serviços derivados desse modelo. Os dois produtos mais conhecidos para desenvolvimento de Serviços WEB são Microsoft.NET e Java 2 Enterprise Edition (J2EE) da *Sun Microsystems*.

O objetivo de tais arquiteturas é também a abertura das plataformas e das interfaces aos novos participantes do mercado. Isso é, na visão de muitos, a única solução para propiciar um mercado dinâmico, viável e aberto. A questão primordial é saber se os participantes já estabelecidos desejam realmente abrir suas infra-estruturas aos novos participantes, os quais serão ao mesmo tempo seus potenciais concorrentes.

## Referências

ESTES, Glenn H. NGN: preparing for tomorrow services. *Alcatel Telecommunications Review*, 2nd quarter 2001.

FALCARIN, P.; LICCIARDI, C. A. *Analysis of NGN service creation technologies*. Oct. 2001.

PROJECT P1109. *Service creation analysis in na NGN context*. Eurescom, Nov. 2001.

PROJECT P1111. *Service delopment through SIP*. Eurescom, June 2002.

WILKINSON, Neill. *Next generation network services*. Wiley, England, 2002.

# 7

# Aspectos relativos à convergência de redes

## 7.1 Introdução

Este capítulo aborda aspectos característicos encontrados no contexto da evolução para as redes convergentes, tais como a gerência do endereço e do nome em um ambiente de convergência entre telefonia e dados, a convergência para o protocolo IP; a gerência da mobilidade entre sistemas, desde os terminais até as plataformas de serviços; e os problemas técnicos gerais com a gerência da segurança e da qualidade de serviço fim-a-fim.

Também são contemplados, neste capítulo, aspectos da privatização do sistema de telecomunicações e a sua conseqüência na universalização dos serviços, da regulação exercida pelos órgãos de governo, do *unbundling* com as suas vantagens e desvantagens e as influências exercidas por esses elementos no mercado de telecomunicações.

## 7.2 Interconexão da rede IP

A rede convergente apoiar-se-á em inúmeras redes heterogêneas, de diferentes tamanhos e coberturas, unindo servidores, estações de trabalho e dispositivos terminais, como a Internet faz atualmente. Em longo prazo, o IP será a tecnologia comum de interconexão para as redes convergentes. Se as redes devem fornecer serviços convergentes e transformarem-se em redes multisserviços, algumas questões de interconexão entre redes têm de ser superadas.

A interconexão entre redes IP implica a troca de informações de roteamento entre as mesmas. Essas informações permitem que roteadores enviem pacotes ao próximo ponto da rede, que pode ser outro roteador ou um *host*. Nos roteadores, a informação é guardada em tabelas de roteamento, as quais contém detalhes de rotas disponíveis. Como essa informação é guardada e que mecanismos são usados para atualizá-la dependem da política de roteamento estabelecida em cada domínio administrativo ou sistema autônomo, isto é, em uma ou diversas redes sob o controle administrativo de uma única organização.

A seguir serão descritas as características básicas de uma tabela de roteamento, os diferentes tipos de roteamento e as diferenças entre roteamento intradomínio e interdomínio.

O conteúdo de uma tabela de roteamento varia de acordo com o modelo e os protocolos de roteamento usados. As entradas das tabelas são prefixos de endereços correspondentes a rotas agregadas. Cada prefixo ou entrada de rota pode representar uma ou diversas redes, com diversos *hosts* anexados a cada uma dessas redes. Quanto menor o prefixo, mais elevado é o nível de agregação de rota; quanto maior o prefixo, mais informação é fornecida sobre o endereço de rede. No caso em que diversos prefixos combinam com o endereço do receptor em um pacote, um roteador necessitará enviar o pacote na rota agregada correspondendo ao maior prefixo, conseqüentemente mais detalhado.

Dependendo do protocolo de roteamento usado, informação adicional associada com cada rota é armazenada, como o número de saltos necessários para entregar o pacote, o número de sistemas autônomos atravessados, a largura de banda disponível, o atraso, etc.

Para a eficiência e desempenho da Internet, é importante que as tabelas de roteamento não cresçam mais rápido que a capacidade de comutação dos roteadores; muitas entradas em tabelas de roteamento podem causar atraso no envio de pacotes, que dependerão da velocidade de processamento do roteador. Portanto, é importante controlar o crescimento das tabelas de roteamento.

Nos anos 1990, a estrutura ineficiente de endereços IPv4 em classes tinha conduzido indiretamente a um crescimento exponencial das tabelas de roteamento. Principal mecanismo implementado para diminuir esse crescimento, o CIDR (*Classless Inter-Domain Routing*) fornece uma solução para agregar endereços de *hosts* e sub-redes. Permite uma alocação mais exata dos endereços das organizações, dependendo das necessidades reais de endereços de *hosts*.

O *multi-homing*, o princípio de se ter diversas conexões com ISPs (*Internet Service Providers*), é considerado como um fator que aumenta o tamanho das tabelas de roteamento. Os *multi-homed* ISP têm blocos de endereços encontrados através de rotas diferentes, impedindo o uso de agregação de endereços acima de um certo nível, e requer que prefixos maiores sejam usados como entradas de tabelas de roteamento, aumentando-as.

Para roteamento intradomínio, são usados os protocolos IGP (*Interior Gateway Routing Protocols*), que permitem a troca de informações de roteamento em um domínio administrativo único. Para roteamento interdomínio, são utilizados os protocolos EGP (*Exterior Gateway Routing Protocols*), que possibilitam a troca de informações entre diferentes domínios administrativos. Eles permitem a troca de tráfego entre ISPs interconectados.

A Figura 7.1 ilustra que diferentes ASs (sistemas autônomos) interconectados devem ter diferentes protocolos de roteamento intradomínio implementados dentro de seu respectivo domínio de administração. Entretanto, eles precisam implementar um protocolo interdomínio comum para trocar informações relevantes à interconexão.

Tanto o EGP quanto o IGP têm o propósito de conduzir o roteamento de pacotes da forma mais eficiente possível. Contudo, o IGP também tem de considerar, adicionalmente, as condições e estratégias relativas a acordos de interconexão. Tais condições devem ser implementadas manualmente nos roteadores como um processo separado. As condições podem, por exemplo, requerer que o tráfego de dados nunca cruze um domínio com um especificado número AS, ou nunca saia do país se o seu destino for o mesmo país onde foi originado.

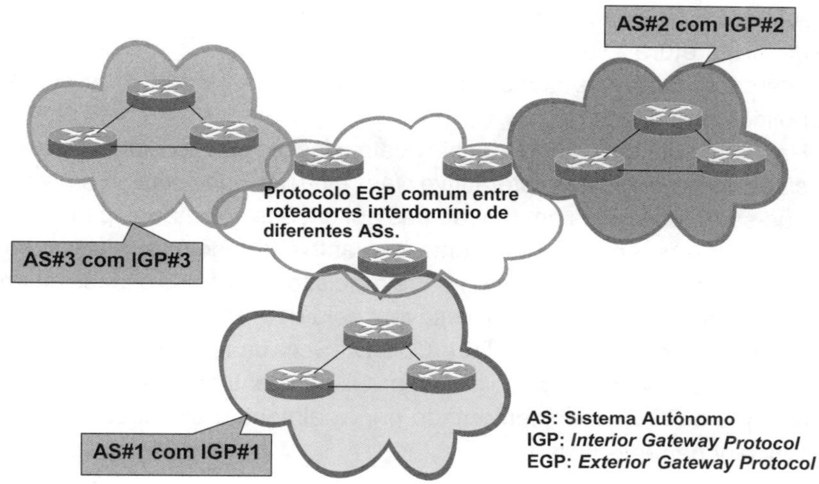


Figura 7.1 Implementação dos protocolos IGP e EGP

## 7.3 Mecanismos de QoS em redes IP

Diferentes mecanismos podem ser usados para prover QoS em redes IP. Aumentar a largura de banda disponível em uma rede ou aumentar a velocidade de processamento dos componentes de *hardware* é um mecanismo simples que não requer a implementação de protocolos adicionais na rede. Em um único domínio administrativo, a eficiência dos protocolos de roteamento e as políticas de congestionamento de redes têm também um impacto significativo na QoS.

Para se obter qualidade de serviço fim-a-fim, cada enlace deve ser capaz de prover a QoS requerida. Normalmente, os problemas não ocorrem dentro das redes, mas nos pontos de interconexão. Podem ser relativos à questão da interoperabilidade de equipamentos como também na falta de SLAs (*Service Level Agreements*) ou na falta de coordenação das políticas de QoS.

É necessário que seja feito um mapeamento entre as diferentes classes de serviços (CoS – *Class of Service*) definidas nos diferentes protocolos de QoS de maneira a permitir a interoperabilidade, por exemplo, entre redes IP com DiffServ ou RSVP, redes ATM e redes MPLS. Tal mapeamento entre redes interconectadas é realizado com um acordo sobre a maneira de troca e apresentação da informação nos pontos interconectados. Portanto, cada rede precisa formatar seu tráfego como combinado no ponto de saída antes de enviá-lo para trânsito ou entrega.

Diferentes fóruns e organismos de padronização estão trabalhando na definição do mapeamento entre CoS de diferentes tipos de redes. O estabelecimento de SLAs entre redes é também uma questão comercial que precisa ser resolvida entre redes interconectadas.

A seguir encontram-se exemplos de como o mapeamento é resolvido entre certos tipos de redes.

- A interoperabilidade entre redes com DiffServ é considerada na definição da arquitetura DiffServ. Ele supõe a existência de SLAs entre redes interconectadas, as quais detalham o perfil do tráfego e os critérios da política utilizada.
- Nas redes UMTS, o 3GPP definiu quatro classes de serviços: *conversational class*, *streaming class*, *interactive class* e *background class*. Essas classes, que serão utilizadas em função das aplicações solicitadas pelos usuários finais, descrevem, principalmente, o quanto o tráfego é sensível ao atraso e representam uma negociação entre requisitos de atraso e taxas de erro. As operadoras UMTS são responsáveis pela determinação do mapeamento apropriado entre CoS UMTS e CoS DiffServ usadas em suas redes.
- O IETF está trabalhando na interoperabilidade entre redes RSVP e DiffServ, em que o RSVP é implementado principalmente nas redes de borda e o DiffServ na rede núcleo.

Enquanto as operadoras retêm as principais potencialidades em prover qualidade de serviço garantida, surgem novos participantes com potencial de afetar indiretamente a atual qualidade de serviço oferecida.

Na rede convergente, os ASPs (*Application Service Providers*) estarão envolvidos cada vez mais nas questões de QoS, pois eles representam a principal relação com os usuários finais para os serviços oferecidos. A QoS necessária para um dado tipo de serviço fornecido poderia, portanto, primeiramente ser negociada entre o usuário final e o ASP, dependendo de critérios como o tipo de serviço ofertado, o tipo de terminal utilizado, o tipo de acesso usado, o crédito disponível, etc. Após isso, o ASP poderia negociar a QoS requerida com as várias operadoras envolvidas no transporte dos fluxos de dados.

A negociação da QoS poderia ser feita diretamente com o ASP e todas as operadoras envolvidas no transporte do tráfego, ou apenas com algumas delas, contanto que tenham estabelecido SLA com as operadoras restantes. Isso também pode ser feito por uma terceira parte atuando como um corretor de QoS entre o ASP e as operadoras de rede.

Um corretor de largura de banda pode também ser associado com cada domínio de rede e pode interagir com outro corretor de largura de banda para comunicar SLAs possibilitando QoS fim-a-fim.

## 7.4 Interconexão dos sistemas de endereçamento

A convergência para as redes requer que clientes de diferentes mercados, usando diferentes tecnologias de rede, possam se comunicar entre si e acessar recursos em outra rede. Para isso, é necessária a interconexão entre sistemas de nomes, endereçamento e numeração.

Existem duas propostas principais para a padronização, uma do IETF (*Internet Engineering Task Force*) e outra do TIPHON (*Telecommunications and Internet Protocol Harmonisation Over Networks*).

### 7.4.1 Esquemas de nomes e endereçamento

Um endereço identifica os pontos de terminação específicos de uma conexão e é usado para propósitos de roteamento. Contém a informação da topologia de rede a fim de identificar a localização dos recursos dentro da rede.

Embora os endereços IP não sejam geralmente usados por usuários para contatar outros usuários conectados à Internet, eles representam o esquema de endereçamento fundamental para todas as aplicações que funcionam na Internet. Os endereços do enviador e do receptor são inclusos em dois campos específicos no cabeçalho IP. Seu formato pode diferir dependendo da versão do protocolo: IPv4 ou IPv6.

Os endereços IPv4 são codificados com 32 bits. Teoricamente, isso poderia gerar mais de 4 bilhões de endereços, mas a estrutura implantada reduz esse limite para menos de 1 bilhão de endereços. A demanda para conexão com a Internet tem sido muito maior que a esperada e ainda continua a crescer (devido ao surgimento da 3G, conexões domésticas, etc.). Isso tem levado a uma escassez de endereços IPv4. Diferentes mecanismos têm sido usados para contornar o problema, como endereçamento dinâmico ou endereçamento privado usando NAT (*Network Address Translation*) ou CIDR (*Classless Inter-Domain Routing*).

O endereçamento dinâmico consiste em alocação de endereço provisório de um *pool* de endereços disponíveis a um usuário pelo tempo usado na última conexão com a Internet. Se o usuário encerra a conexão e se conecta mais tarde, o endereço alocado poderá ser alterado. Esse mecanismo permite que os ISPs possuam menos endereços para atender os clientes considerando que nem todos os assinantes estão conectados ao mesmo tempo.

O mecanismo CIDR descarta a estrutura de classes original dos endereços IPv4 e provê uma alocação de endereços mais exata às organizações, dependendo das necessidades reais de endereços. É o mecanismo atualmente usado para alocação de endereços em IPv4, sendo descrito na RFC 1519 do IETF.

Uma das inovações providas pelo protocolo IPv6 está no grande número de possíveis endereços, pois são codificados com 128 bits. Os endereços IPv6 são divididos em vários níveis hierárquicos que refletem a proximidade de uma rede ao *backbone* Internet.

O sistema registro da Internet é responsável pelo gerenciamento dos endereços IP. Seu papel é assegurar que o espaço de endereço seja controlado globalmente de maneira justa e consistente de forma a minimizar o desperdício e evitar um crescimento incontrolado das tabelas de roteamento da Internet.

No topo desse sistema, o ICANN (*Internet Corporation for Assigned Names and Numbers*) é responsável pela coordenação da alocação de endereços IP no nível internacional. Ele tem delegado o gerenciamento de endereços IP a três organizações regionais sem fins lucrativos, as RIR (*Regional Internet Registries*):

- RIPE NCC (*Réseaux IP Européens, Network Coordination Centre*) responsável pela Europa, Oriente Médio, África e parte da Ásia;
- ARIN (*American Registry for Internet Numbers*) responsável pela América;
- APNIC (*Asia Pacific Network Information Centre*) responsável pela Ásia.

Em suas respectivas zonas, os RIR são responsáveis pela alocação de endereços IP a seus membros, principalmente operadoras de rede e ISP. Esses, então, alocarão endereços IP a seus clientes.

A numeração da telefonia pública segue a recomendação E.164 do ITU-T. Essa recomendação especifica o plano de numeração de telecomunicação pública internacional e a estrutura dos números de telefonia pública, denominados números E.164. No ambiente do STFC, o roteamento é executado associando um número de roteamento, contendo a informação de rede necessária, para "nomes" E.164.

O ITU é responsável pela coordenação do plano de numeração internacional e aloca os códigos dos países para cada estado-membro. Na prática, cada estado-membro é a autoridade de regulamentação nacional (no Brasil, a Anatel), sendo responsável nacionalmente pela alocação e uso do recurso da numeração. Eles garantem a integridade e a consistência do plano de numeração nacional.

Um nome é uma combinação de caracteres que é usada somente para identificar usuários finais e não contém nenhuma informação relacionada à rede. Ele precisa ser traduzido em um endereço para efeito de roteamento. Um nome pode ser usado entre provedores de serviços, enquanto que o endereço associado ao nome mudará para refletir a alteração para uma localização diferente dentro da rede.

À parte dos números E.164, os nomes na Internet representam um esquema de nomes muito comum em um ambiente IP. Eles usam como base o conceito de nome do domínio, o DNS (*Domain Name System*) e são normalmente da forma user@domain, em que "domain" representa a rede do usuário ou *host*. O mesmo nome na Internet (por exemplo, user@ene.unb.br) pode ser usado para diferentes serviços, como *e-mail* e chamada de voz com SIP.

Os usuários finais podem também ter outras identidades dependendo das aplicações que eles utilizam. Por exemplo, servidores de mensagem instantânea podem alocar outros IDs para os usuários.

A IM (*instant messaging*) é uma ferramenta de *software* de comunicação popular que possibilita aos usuários se comunicarem em tempo real. Inicialmente consistia somente de serviços de *chat* em PCs, mas hoje contém mais serviços como jogos e telefonia e pode ser suportada por outros dispositivos, como telefones móveis.

A identidade atribuída a clientes IM pode ser formada de caracteres ou números. Exemplo de serviços IM é o MSN *Instant Messenger*.

Embora os números de telefones móveis façam parte do plano de numeração E.164, usuários de telefones móveis podem também ser identificados por meio de suas IMSI (*International Mobile Subscriber Identity*). O número IMSI é codificado no cartão SIM (*Subscriber Identify Module*). Ele é único para cada cliente específico e não muda enquanto o cliente usar o mesmo cartão SIM. O número IMSI foi especificado na recomendação ITU E.212 e é dividido em três partes:

- MCC (*Mobile Country Code*) o qual identifica o país da operadora móvel;
- MNC (*Mobile Network Code*) que identifica a rede da operadora móvel dentro do país especificado pelo MCC;
- MSIN (*Mobile Subscriber Identification Number*) o qual identifica o assinante dentro da rede da operadora móvel.

O número fornece toda a informação necessária para encontrar um registro de cliente dentro de uma rede móvel específica.

### *7.4.2 Métodos de mapeamento*

Como os usuários usam mais freqüentemente nomes da Internet que endereços IP para encontrar recursos (pessoas ou documentos), foi necessário criar um sistema do mapeamento para mapear esses nomes em endereços e, assim, obter informações acerca dos usuários ou localização de recursos na Internet. O DNS executa essa função e traduz nomes de domínio em endereços IP. Foi descrito primeiramente em 1983 nas RFCs 1034 e 1035 do IETF e desde então tem sido modificado e melhorado.

O DNS pode ser visto como um banco de dados cujas entradas são nomes de domínios, por exemplo, unb.br, associado com um número de registro de recursos, como endereços IP. Cada um desses registros pode ser acessado individualmente com uma pergunta ao DNS.

O DNS é um elemento chave da Internet e também terá um papel importante a desempenhar na migração do IPv4 para IPv6, pois os servidores de nomes precisarão ser atualizados para poder trabalhar com endereços IPv4 e IPv6.

O protocolo ENUM (*tElephone Number Mapping*) foi descrito pelo grupo de trabalho ENUM do IETF em 2000 na RFC 2916. O objetivo do ENUM é usar a estrutura existente do DNS e expandir sua funcionalidade para fazer um mapeamento entre números E.164 e um número de outros endereços/nomes como endereço *e-mail*, número de *fax*, número de celular e endereço *website*. Esses endereços podem então ser usados para contactar um recurso associado com o número E.164. O sistema ENUM segue os mesmos princípios que o DNS em termos de organização e processos. O protocolo ENUM descreve como os números E.164 podem ser mapeados em nomes de domínios e serem introduzidos no DNS; e como os números E.164 podem, então, ser mapeados em identificadores preferenciais (endereços *e-mail*, Voz sobre IP, endereços SIP, servidores de correio de voz, máquina de *fax*, etc.).

A estrutura da zona ENUM dentro do DNS é derivada do mapeamento de números E.164 em nomes de domínio, como descrito pela recomendação do IETF. O exemplo seguinte mostra como isso ocorre.

- Inicialmente o número E.164 é escrito na sua forma geral, incluindo o código do país, por exemplo, + 55 61 3072308.
- Todos os caracteres com exceção dos dígitos são removidos e são inseridos pontos entre os dígitos: 5.5.6.1.3.0.7.2.3.0.8.
- Para respeitar os níveis hierárquicos do DNS, o nome do domínio é obtido da ordem inversa do número, completado com o nome do domínio raiz ENUM: 8.0.3.2.7.0.3.1.6.5.5.(raiz).

Em termos de zonas de administração, a fim de proteger a integridade dos números E.164, o IETF e o ITU têm recomendado uma arquitetura para a zona ENUM dividida em três níveis:

- nível 0 corresponde à zona raiz ENUM dentro do DNS. A entidade de nível 0 mantém os servidores de nome para a zona raiz do ENUM. Ela contém os registros do servidor de nome correspondente aos códigos do país ou partes deles do esquema de numeração E.164;
- nível 1 corresponde à zona do código do país ou partes da zona de códigos do país. Pode incluir vários dígitos do nome de domínio, por exemplo, .3.3 para a França, .5.5 para o Brasil, etc. Ela contém os registros de servidor de nomes para o domínio de nomes correspondendo às zonas nacionais;
- nível 2 corresponde às zonas nacionais e incluem os dígitos restantes do nome do domínio. Ela contém os registros de recursos associados com número E.164.

O IETF e a IAB (*Internet Architecture Board*) concordaram que o domínio raiz ENUM poderia ser .e164.arpa sob o domínio .arpa (*Address and Routing Parameter Area*).

O protocolo ENUM oferece a possibilidade de selecionar o modo preferido de comunicação dependendo das capacidades e características da parte chamadora como a chamada de voz pela RTFC, VoIP, *e-mail*, etc. Sua implementação deverá garantir a continuidade dos serviços atuais, como portabilidade numérica, código seleção da prestadora, identificação da linha chamadora, etc.

Em sua terceira edição, o TIPHON fornece um procedimento para determinação de endereços IP para roteamento de pacotes em redes IP interconectadas que suportam telefonia pública. Seu enfoque é diferente do ENUM do IETF pelo fato de este fornecer, com ENUM, uma solução de interconexão entre a RTFC e a Internet associando números E.164 com nomes Internet, que podem ser usados para telefonia sobre a Internet. Além disso, o TIPHON visa o suporte do serviço de telefonia pública em tecnologia IP.

Como resultado, a interconexão entre a RTFC e a Internet é possível somente se o usuário de telefonia da Internet tiver também alocado um número E.164. Logo, o nome Internet não é suficiente para fornecer serviços de telefonia pública, embora ele possa ainda ser usado para serviços de VoIP. Em um certo estágio, o número E.164 tem de ser mapeado em um nome Internet que será resolvido pelo provedor de telefonia Internet.

Nesse enfoque, TIPHON produz padrões de maneira a possibilitar telefonia pública e outros serviços avançados, como serviços multimídia, sobre tecnologia IP e, portanto permitindo que operadoras migrem de suas redes comutadas a circuito para redes comutadas a pacotes IP. O controle desses serviços ainda permanece dentro da rede da operadora, ao contrário do modelo ENUM em que o serviço é escolhido pelos usuários usando protocolos de aplicação. O enfoque TIPHON requer que telefonia pública sobre IP seja fornecida por um provedor de serviço específico a seus clientes e que a comunicação com os clientes de outro provedor de serviço precise de interconexão entre os provedores de serviços.

Como exemplo, o caso de uma resolução de endereço entre dois usuários SIP é descrito a seguir.

No ENUM, o usuário chamado não tem a necessidade de ter um número E.164 associado com seu telefone IP, embora isso fosse possível; o usuário chamador disca um número E.164, o qual não é necessariamente o número do telefone IP, mas é associado com um número de identificadores no sistema ENUM, incluindo o identificador do telefone IP; a parte chamadora inicia uma pergunta ENUM, como seria feito no DNS; com base nas preferências contidas dentro do ENUM escolhidas pelo usuário chamado e as capacidades da parte chamadora, o endereço SIP é então selecionado como a melhor opção para o estabelecimento da comunicação. Poderia também ter sido um número de telefone móvel, um número de telefone fixo, etc. Portanto, a resolução de endereço é resolvida pela parte chamadora, sem controle da rede de transporte.

No TIPHON, o usuário chamado precisa ter um número E.164 associado com seu telefone IP. Esse número pode ter sido atribuído por um provedor de serviço de telefonia pública; a parte chamadora disca o número E. 164 associado com o telefone SIP; a resolução de endereço é executada pelas operadoras de redes de transporte, passo a passo (por exemplo, a rede A primeiro resolverá que a chamada precisa transitar pela rede B, então a rede B resolverá que a chamada precisa transitar via rede C, etc.). Para o estabelecimento da chamada, é necessário haver interconexão de serviço entre as operadoras de diferentes redes de transporte. A resolução de endereço é feita pelas operadoras das redes.

Em um sistema TIPHON, podem ser usados três tipos de resolução em um serviço de telefonia pública usando números E.164 como identificadores para tecnologia IP ou rede comutada a circuitos.

- Resolução de busca. O propósito da resolução de busca é obter um número E.164 usado, ou seja, um número local sem o código do país e código nacional. A resolução de busca é feita somente pela parte chamadora.

- Resolução de serviço. A resolução de serviço é dirigida a acessar informações de serviços associados com o número E.164, por exemplo, portabilidade numérica, numeração pessoal, etc. Ela resolve o número E.164 para um nome de rede de destino e depois fornece informação como a chamada pode ser completada. Essa resolução, quando necessário, é desempenhada por um elemento de controle dentro das redes envolvidas. Por exemplo, no caso de um número E.164 associado com um serviço de telefonia Internet SIP, a resolução de serviço consistirá no provisionamento de uma URL, a qual pode depois ser usada com o número E.164 para gerar um endereço SIP <E.164_number>@domain.
- Resolução de roteamento. A resolução de roteamento é dirigida na obtenção de informação de roteamento para o próximo pulo e é executada pelos elementos de controle de chamada com as redes de transporte.

Alguns provedores já utilizam métodos de mapeamento proprietários que lhes permitem fornecer serviços como ENUM a seus clientes. Um exemplo é o serviço *on-line* de mensagem instantânea, o MSN *Messenger* da Microsoft, suportado por PCs e dispositivos móveis com acesso à Internet por servidor MSN *Messenger*, onde os usuários podem fazer chamadas de voz, vídeo conferência, enviar SMS, *e-mails*, arquivos, *chat*, etc. As informações de endereços e nomes são armazenadas em um servidor remoto Microsoft e, dependendo do serviço solicitado pelo usuário (SMS, chamada de voz, etc.), o mapeamento requerido é completado.

O IETF também está desenvolvendo padrões para permitir comunicações entre diferentes sistemas IM. O grupo IMPP (*Instant Messaging and Presence Protocol*) está trabalhando nas definições de serviços comuns para um mínimo grupo de funcionalidades de mensagem e presença com funções de segurança. A especificação resultante é chamada CPIM (*Common Presence and Instant Messaging*). O grupo SIMPLE (*SIP for Instant Messaging and Presence Leveraging Extensions*) trabalha na aplicação do SIP em serviços IM.

## 7.5 Gerência

O papel da gerência de redes é controlar o desempenho e as funcionalidades de cada elemento de rede, seja em relação ao seu funcionamento isoladamente, seja em função do papel contextual que cada elemento de rede desempenha. O atual desenvolvimento das redes aponta para um maior determinismo das suas condições de operação, o que permite estabelecer condições e políticas claras para custos de utilização, acesso, prioridades e segurança. Nesse contexto, é evidente que os protocolos, sistemas e ferramentas de gerência têm um papel essencial, como forma de administrar os recursos da rede e integrar essa administração com a gestão de negócio das operadoras.

A tarefa que cabe às estruturas de gerência de redes não é simples. Com o aumento e a distribuição da capacidade de processamento dos sistemas interligados pela rede, a gerência de redes deve agir em um cenário de vários fabricantes, várias arquiteturas e vários sistemas operacionais, porém de funcionalidades muitas vezes comuns. Isso evidencia a necessidade de mecanismos e protocolos de gerência abertos, não-proprietários, para que seja possível integrar equipamentos de características intrínsecas diferentes. A seguir, será discutido como as estruturas de gerência devem ser constituídas e que informações devem considerar para que sua tarefa seja executada.

A gerência de redes de comunicação é bem mais do que somente observar e corrigir parâmetros de funcionamento dos elementos da rede. Para possuírem a abrangência necessária, os protocolos de gerência de redes têm que considerar os aspectos de comunicação, informação, funcionalidade e organização. Assim, pode-se caracterizar os protocolos de gerência por meio de quatro modelos distintos:

- Modelo de comunicação. Relaciona-se com a forma que as informações de gerência são trocadas, e refere-se diretamente aos protocolos de transferência de informações de gerência. Preocupa-se com detalhes como escopo, codificação e confiabilidade das informações transferidas.
- Modelo de informação. Está relacionado com a descrição do conjunto de recursos a serem gerenciados, e quais as normas utilizadas para que essa descrição seja padronizada, além do tipo de metodologia de acesso que será utilizada para obter e modificar essas informações.
- Modelo funcional. Especifica as funcionalidades suportadas pelo protocolo de gerência. Pode incluir especificações de mecanismos necessários à realização de manutenção e testes, por exemplo. Sua complexidade é inversamente proporcional à do modelo de informação.
- Modelo organizacional. Descreve as diferentes camadas de gerência, propiciando uma visão da arquitetura gerencial da rede e de como as funcionalidades de gerência estão decompostas nas camadas, além de definir a hierarquia dos componentes da arquitetura de gerência.

Um dos objetivos da rede convergente é criar uma estrutura de rede que possibilite a convergência de serviços utilizando o protocolo IP. Assim sendo, o modelo de gerência adotado pode ser o modelo herdado das redes TCP/IP, utilizando o protocolo SNMP (*Simple Network Management Protocol*). Evidentemente, a competição entre fabricantes de equipamentos faz com que surjam soluções proprietárias casando equipamentos de rede e plataformas de gerência. Porém, a pressão por padrões abertos e interoperabilidade realizada pelas empresas prestadoras de serviços existe, e o fato do SNMP já ser um padrão de fato o capacita a ser o padrão de protocolo de gerência para a rede convergente.

A gerência de equipamentos da rede convergente (*softswitch* e *gateways*) tem basicamente as mesmas funcionalidades da gerência de nós IP comuns até a camada 4 (rede) do modelo TCP/IP. Acima dessa camada, a gerência passa a ser relacionada com as funções das aplicações de voz e mídia sobre IP, e está diretamente relacionada com os protocolos utilizados para essas comunicações no mundo IP (SIP, MGCP/Megaco, H.323). Dessa forma, basta que sejam incorporados agentes SNMP aos equipamentos da rede convergente, e que tais agentes possuam no seu código a capacidade de extrair do equipamento as informações relativas aos serviços executados, para que seja possível gerenciar os serviços da rede convergente pelo SNMP.

Um fator que prejudica a utilização exclusiva do SNMP como protocolo de gerência das redes convergente é a sua arquitetura, que dificulta a hierarquia e a escalabilidade. Desse modo, a tendência é existirem agentes SNMP nos elementos de rede conectando-se com plataformas de gerência com arquiteturas hierarquizadas e, possivelmente, com processamento distribuído. Essa conexão se dará por *softwares* tradutores (*layers* de adaptação).

## 7.6 Aspectos econômicos

Nos últimos anos, o processo de desregulamentação e privatização do mercado brasileiro de telecomunicação incentivou os investimentos na criação e na expansão das redes. A busca por uma crescente participação no mercado, por domínio geográfico e as exigências de atendimento às metas de universalização da Anatel marcaram fortemente as estratégias empresariais. Passada e cumprida a primeira etapa, a palavra de ordem agora é atuar para que o retorno sobre os investimentos (ROI) seja rapidamente atingido em todos os segmentos, pelo aumento das receitas geradas por serviços oferecidos e pela criação de novas fontes de renda, bem como por meio da otimização do custo operacional do negócio.

Como as atuais redes suportam os serviços de voz e dados utilizando plataformas independentes e como a maior parte da rentabilidade das operadoras está associada aos serviços de voz, permanece o dilema acerca de como garantir os fundamentos básicos de desempenho de negócios (ROI, aumento de faturamento, margem operacional otimizada) e realizar novos investimentos em serviços com expectativa de forte crescimento.

Como resposta a esse dilema, a convergência de serviços (voz, dados e vídeo) e de redes apresenta-se como a melhor solução para o cumprimento de todas essas metas. A rede convergente associa uma forte redução nos custos operacionais e viabiliza o incremento de novas fontes de receita, pois provê uma grande diversidade de serviços multimídia, resultando, portanto, no desejado ROI em prazo significativamente curto. Desse modo, a implementação de redes convergentes possibilita sustentar a introdução de uma gama de novos serviços de banda larga, suportada pela rentabilidade dos serviços de voz associados a essa rede convergente.

### 7.6.1 Benefícios da implementação de uma rede convergente

Em um primeiro momento, a forte retração da economia mundial, associada à atual ociosidade de circuitos de telecomunicações, parece compor um cenário pouco propício para a discussão de novos investimentos em convergência de serviços. Em contrapartida, ao se analisar alguns indicadores e cenários, é possível identificar importantes motivadores que alicerçam a decisão pela implementação de uma rede convergente.

A onipresença da Internet é real, tanto no segmento corporativo, na qual o aumento da produtividade é resultante da transformação gerada pelo *e-business*, como no segmento residencial com a crescente demanda por serviços diferenciados, em particular os relacionados ao entretenimento. São serviços que requerem uma largura de banda cada vez maior e taxas de transporte crescentes que garantam a qualidade e o desempenho esperados pelo usuário.

Se, por um lado, o tráfego gerado pela Internet cresce exponencialmente e o tráfego de voz mantém-se com crescimento mais lento, também é bastante clara a forte queda nas tarifas dos serviços de conectividade e, por conseguinte, das receitas médias geradas por usuário. Além disso, ao contrário do comportamento relativamente previsível do tráfego gerado por serviços de voz, o tráfego gerado pelo ambiente Internet tem enorme volatilidade. Por exemplo, o acesso de centenas de milhares de usuários à determinada página durante uma promoção, gerando picos de utilização sem precedentes na rede, em determinado momento, pode cessar logo em seguida. Portanto, torna-se essencial disponibilizar uma solução de rede que seja extremamente flexível para o provimento de serviços diferenciados e sob demanda, que associe o desempenho e a confiabilidade da atual infra-estrutura das redes de telefonia e de dados e que possa sustentar o crescimento de novas demandas.

A migração de plataformas de telecomunicação para um ambiente que associe as vantagens tecnológicas do IP (flexibilidade e rapidez no provimento) às vantagens das tecnologias TDM (*Time Division Multiplexing*) tradicionais (confiabilidade, desempenho e proteção de rede) é um fator crucial para o sucesso futuro de empreendimentos nos segmentos de operadoras de serviços e corporativo.

O que as redes convergentes realmente significam para as operadoras de serviços de telecomunicações? Basta lembrar que o ambiente IP permitirá às operadoras oferecer novos serviços, aplicações e comodidade ao seu cliente de maneira mais eficiente e de custo mais otimizado do que se adotasse uma rede de serviços baseados em circuitos.

A implementação de uma infra-estrutura de rede convergente para o provimento de serviços de voz e dados integrados, em contraste com as atuais plataformas independentes, representa um enorme potencial de redução de custos de operação e manutenção de rede. Verifica-se que, na atual topologia de rede, quanto maior a diversidade de serviços associados, maior será a quantidade de elementos e a complexidade da rede. Em mercados competitivos, como o brasileiro, algumas importantes oportunidades de negócio favorecem a introdução gradual de soluções convergentes. Um exemplo é a redução de custos operacionais com VoIP *trunking*. Atualmente, os serviços de voz e dados são providos por redes independentes e algumas operadoras planejam estender a prestação de serviços para outras áreas de atuação.

Uma alternativa para a "estratégia de invasão" pode ser a introdução de componentes de comutação que viabilizem a implementação de redes convergentes e eliminem a necessidade da camada de trânsito de redes. Na etapa inicial, seriam implementados *softswitches* para a realização do controle da rede e dispositivos *media gateways* para a interligação das redes de voz e dados existentes, possibilitando, assim, a eliminação da camada de trânsito nas redes de telefonia.

Desse modo, a migração dos serviços de voz de uma complexa rede por circuitos para uma rede flexível por pacotes ocasiona redução significativa da quantidade de elementos de rede, e, conseqüentemente, redução substancial nos custos de operação e manutenção para o provimento de serviços de longa distância.

Em seguida, as diversas aplicações multimídia poderiam ser implementadas por meio da infra-estrutura de *softswitches* e *gateways* existentes, gerando novas receitas, agregando valor à rede e disponibilizando, inclusive, serviços para as redes existentes.

Outra imediata oportunidade, de custo bastante reduzido, baseia-se na migração da atual rede óptica SDH, de perfil puramente estático, para um modelo mais flexível em direção ao modelo dinâmico e eficiente, planejado com soluções de redes totalmente ópticas. É nessa etapa que se introduz novas funcionalidades aos sistemas SDH existentes, viabilizando a implementação de serviços Ethernet, Fast Ethernet e Gigabit Ethernet, providos por interfaces de baixo custo integradas aos sistemas SDH. Essa solução protege os investimentos realizados na planta SDH existente e cria novas oportunidades de negócios para a extensão de soluções VPN ou LAN-to-LAN, de custo muito mais competitivo do que as soluções tradicionais.

Na etapa posterior, é feita a expansão de novas características de agregação de serviços por pacotes (IP) e por circuitos (SDH) com MPLS, resultando em uma utilização ainda mais eficiente e flexível da infra-estrutura óptica e viabilizando o retorno sobre os investimentos.

O impacto das inovações tecnológicas no cotidiano tem ocasionado contínuas e significativas mudanças na relação de comodidade e qualidade de vida das pessoas. A crescente demanda por serviços multimídia, tanto no ambiente residencial como no corporativo, viabiliza uma extensa gama de novas aplicações e oportunidades de crescimento. Vídeo sob demanda, TV interativa, jogos interativos *on-line*, *e-learning*, telemedicina, teletrabalho, *webconferencing* e *websurfing* são alguns exemplos associados a novos conteúdos e aplicações multimídia que atendem a uma nova demanda por elevada flexibilidade e mobilidade.

Com o conceito *tripleplay*, é possível associar tecnologias de acesso banda larga distintas (ADSL, SHDSL e VDSL) para prover serviços integrados de voz, dados e vídeo, por meio de infra-estrutura de acesso. As operadoras podem dobrar o fluxo de caixa empregando a abordagem *tripleplay* quando comparada à exploração exclusiva do serviço ADSL.

A forte demanda por conteúdo e serviços multimídia de banda larga proporcionada pela Internet tende a colocar em xeque a estratégia de se empregar exclusivamente a tecnologia ADSL, uma vez que maior interatividade, associada à agilidade de aplicações de vídeo requer técnica de codificação mais eficiente.

Nota-se, também, que a maior comodidade e desempenho da rede com base no conceito *tripleplay* resulta na tendência de o usuário permanecer mais tempo conectado à Internet, comparado ao usuário via acesso discado.

Para garantir o atendimento às necessidades do cliente e disponibilizar serviços e aplicações multimídia com as redes convergentes, é imprescindível o provimento de uma infra-estrutura eficiente e flexível que possibilite a melhor utilização do meio de transporte óptico. Dessa forma, as atuais redes ópticas migram de um modelo de conexões estáticas para um modelo que passa a incorporar características de transporte inteligentes, viabilizando o transporte integrado e otimizado de serviços por pacotes (IP) e TDM (SDH, por exemplo), a ocupação de banda sob demanda e o roteamento automático do tráfego.

Incorporando novas funcionalidades e facilidades, as redes totalmente ópticas viabilizam dinamicamente serviços de VPN, largura de banda sob demanda, roteamento óptico e dinâmico, possibilitando, portanto, enorme flexibilidade e otimização de rede com custos reduzidos de implementação para o usuário.

Enfim, a implementação de uma rede convergente terá um impacto decisivo nos modelos de negócios de operadoras de serviços, gerando soluções mais competitivas, com maior eficiência de utilização de rede e sua infra-estrutura orientada à demanda de tráfego, bem como a um pacote completo e amplo de novos serviços de multimídia e banda larga. Assim, a chave para o sucesso está na rapidez com que as operadoras responderão às mudanças do ambiente e de que modo garantirão a evolução de suas redes da maneira mais competitiva.

A estratégia deverá ser a de congregar as soluções e as oportunidades para desenvolver inovadores modelos de negócios e proteger o patrimônio dos investimentos realizados, garantindo a maximização do retorno sobre os investimentos.

## 7.7 Liberalização das telecomunicações

O plano anunciado pela reguladora brasileira Anatel em setembro de 1998, para a implementação do estágio final da privatização, pavimentou o caminho para uma profunda transformação no setor das telecomunicações no país. O primeiro estágio da estratégia de liberalização da Anatel era provocar a competição por meio de empresas "espelhos", permitindo um novo provedor de serviços em cada área de serviço dominada pelas empresas tradicionais da Telebrás. Licenças para novos provedores de serviços foram outorgadas e, assim, a transição em direção à desregulamentação total culminou no fim de 2002. Hoje, não existe praticamente restrição de serviço ou de área geográfica no Brasil. Além disso, com uma visão macroeconômica muito melhor que outros mercados da América Latina, a situação tolera operadoras licenciadas (*incumbents*), bem como as empresas "espelhos", sendo que todas têm sinalizado que perseguem licenças para oferecer serviços nacionalmente.

Na América Latina, o processo de liberalização de telecomunicações começou no Chile em 1980 e culminou com a abertura do mercado brasileiro. A abertura gradual de todos os mercados de telecomunicações da América Latina nivelou por cima, com sucesso, o campo de disputa, permitindo a competição efetiva aos novos entrantes. Entretanto, os usuários finais não testemunharão, por algum tempo ainda, os efeitos totais da privatização, predominantemente devido à redução de atividade econômica global. As operadoras continuam ainda a experimentar dificuldades econômicas. De fato, nenhuma operadora da América Latina apresentou lucro em 2002. Para complicar mais esse cenário, os investidores internacionais estão avaliando o investimento realizado e a gerência de risco. A maioria desses investidores não está preparada para emprestar mais, o que tem prejudicado o nível de investimento estrangeiro na América Latina.

A demanda do usuário final foi também impactada severamente pela crise. Todavia, com a reviravolta no ambiente econômico global, os efeitos da privatização tornar-se-ão ainda mais aparentes. Os clientes podem esperar um aumento da competição, declínio nos preços, grande melhoria na QoS e aumento da cesta de serviços disponíveis. Espera-se que a nova face do mercado de telecomunicações na América Latina seja caracterizada pela fragmentação e pela competição feroz, desde que a maioria dos novos entrantes focalizará a oferta de serviços especializados de ponta. Como resultado do aumento do investimento, serviços como o *outsourcing*, que nunca foi uma opção viável em qualquer dos mercados regionais, têm-se transformado agora numa realidade praticável pelos clientes com operações nos mercados principais do Brasil, México e Chile. A Argentina tem ainda um caminho a seguir; de fato, o investimento estrangeiro e o investimento no setor de telecomunicação do próprio país foram virtualmente paralisados.

Hoje, na América Latina, a tendência está claramente na direção da total liberalização. Mas a liberalização deve ser acompanhada por clara regulação, o que não tem sido o caso da maioria dos países. Enquanto todos os principais mercados têm sido totalmente liberalizados, alguns com mais sucessos que outros, somente o Chile parece ter um sistema de regulação transparente e eficiente. Este não é o caso de mercados menores que têm ainda um longo caminho a percorrer. Espera-se que todos os mercados regionais façam uma total e bem-sucedida transição em direção a um mercado inteiramente competitivo. A importância de uma tendência de regulação final é o fato de os governos estarem desempenhando um papel ativo crescente no controle de preços. A Argentina e o Brasil se dirigem para esse caminho. Se essa tendência se tornar mais difundida, ela pode mudar a paisagem competitiva consideravelmente. Uma outra tendência que parece ter emergido é o acréscimo de investimento na base de custos de capital regional ou local *versus* principais concorrentes externos (estrangeiros). Tem-se observado isto claramente na Argentina e no México.

Da perspectiva do usuário final, a desregulamentação melhorou e continuará a melhorar, no longo prazo, a qualidade e a cesta dos serviços. A desregulamentação continuará a ser um processo progressivo na América Latina. Os usuários finais terão que, primeiramente, conviver com os desconcertantes planos de serviços oferecidos pelos novos entrantes bem como as *incumbents* querendo marcar posição no mercado. Com isso, ambas, as operadoras tradicionais e os novos entrantes tentarão seduzir clientes em potencial a assinar contratos de longo prazo. Todos os mercados da região continuarão a ser formatados pelos avanços das mudanças na regulação e pela oferta de mais serviços inovadores a preços menores, o que deverá se materializar em um patamar regular. Os clientes podem obter uma vantagem competitiva adotando um critério de "esperar para ver" até que todos os benefícios da desregulamentação se tornem aparentes.

## 7.8 *Unbundling*

Além das questões de tecnologia, a desregulamentação tem um impacto considerável sobre as condições de exploração da rede. Por meio de um processo conhecido como *loop* local de desagregação (*unbundling*), reguladores governamentais em todo mundo estão exigindo que as operadoras estabelecidas abram as suas portas à concorrência. Uma vez dentro da central, esses operadores alternativos devem poder disputar a clientela local com as operadoras tradicionais, tomando o controle direto da "última milha de cobre". Isso leva ao aumento da competição entre as operadoras tradicionais, as operadoras tradicionais que operam fora de sua área habitual e de novas operadoras de redes que disputam os assinantes mais interessantes, isto é, aqueles que gastam mais em telecomunicações. As redes convergentes têm as qualidades indispensáveis às novas arquiteturas e aos novos modelos econômicos compatíveis com a regulamentação.

*Unbundling* pressupõe desagregação entre rede e serviço. Trata-se do arrendamento de partes desagregadas das redes por prestadores de serviços que não possuem infra-estrutura. O *unbundling* é um mecanismo de interconexão das redes, que se baseia no compartilhamento das mesmas, possibilitando que os operadores entrantes destituídos de infra-estrutura possam ofertar serviços por meio das redes existentes. Assim, o *unbundling* permite a concorrência naqueles segmentos da indústria em que o controle da infra-estrutura de rede se constitui numa grande barreira à entrada de novas operadoras no mercado.

*Unbundling* significa acesso aos elementos de uma rede, que podem ser as últimas milhas, centrais de comutação, rede de transporte, redes de TV a cabo, fibra escura ou "direitos de passagem". Em outras palavras, é o compartilhamento das redes entre as operadoras e, em geral, ocorre no sentido da concessionária que instalou a rede para poder oferecer o serviço para as novas empresas prestadoras de serviços. O objetivo é, justamente, facilitar a entrada dessas novas operadoras no mercado, estimulando a concorrência no setor. Com o *unbundling*, as operadoras pagam uma espécie de aluguel pelo uso da rede da concessionária, de modo a não precisar investir na instalação de infra-estrutura própria .

No início do desenvolvimento das telecomunicações, o processo de trabalho era mais simples. Sob um conceito comum de regulação que era adotado, os provedores de serviços ofereciam áreas para franquia nos locais em que operavam como provedores únicos. Não existia competição numa dada área de franquia, porque aos competidores, se existisse algum, era dado uma área de franquia distinta para que ele operasse. Era também reconhecido que o valor da rede e, correspondentemente, o serviço oferecido aumentava notadamente pela adição de assinantes à rede. Isto permitia um quadro de interconexão amigável e harmônico, porque era dinheiro a ser feito por todas as empresas envolvidas. De fato, era tão amigável que, em certos casos, algumas operadoras verdadeiramente construíam facilidades em áreas franqueadas para facilitar o *handoff* do tráfego da célula corrente para a seguinte, livre de encargos.

Nos Estados Unidos, nos anos de 1970, a competição era permitida dentro de um monopólio de operadoras de áreas franqueadas, primeiro no mercado de longa distância e depois no mercado local. Especificamente, isso incluía o transporte de chamadas entre as operadoras concorrentes e era conhecida como acesso à operadora. Como o mercado de telecomunicação se expandiu, a interconexão, pelo seu dinamismo, mudou em muitas regiões do mundo. Agora, operadoras eram requeridas a interconectar com outras operadoras com o único objetivo de "subtrair" assinantes umas das outras, não otimizando os serviços que elas proviam.

O medo de um domínio do mercado pelas operadoras poderosas fez com que as reguladoras interferissem para forçar as operadoras a interconectarem-se. Elas acreditavam que necessitava facilitar o nascimento da competição, porque um mercado competidor robusto beneficiaria os usuários. Os UNEs (*Unbundled Network Elements)*, os braços dessas exigências de interconexão reguladas, permitiram aos novos concorrentes adquirir componentes de rede das operadoras, o que evitava um gasto extensivo de construção fora da rede. Entretanto, o que aconteceu é que do conceito de UNE resultou o desenvolvimento de um relacionamento de competição entre as operadoras. A disputa aumentou, em parte, pelo papel duplo das operadoras locais de comutação (ILEC), ou seja, fornecedor de serviços e concorrente, predominantemente das operadoras locais alternativas.

Se escolhessem não utilizar uma rede local competitiva, as operadoras alternativas deveriam requisitar da ILEC os elementos da rede (*loop* e *switching*) necessários para fornecer seu próprio serviço aos clientes. Isso significa que as operadoras alternativas deveriam depender da ILEC para provisionar, manter e operar esses elementos no interesse de seus concorrentes sem discriminação.

Assim, o grande problema da concorrência na indústria das telecomunicações é o acesso à última milha, que ainda é monopólio da concessionária local, pelas operadoras entrantes e pelas operadoras de longa distância. A construção de uma estrutura de mercado competitiva esbarra nesse importante *bottle-neck*: o elevado custo unitário de implantação da rede local, mais especificamente da última milha, que ainda confere à indústria de telecomunicação características de monopólio natural.

A interconexão das redes de telefonia permite que qualquer usuário conectado à rede de determinada empresa possa se comunicar com outros usuários conectados em outras redes de outras empresas. Assim, se pretende que o *unbundling* venha a constituir-se num mecanismo de redução das barreiras à entrada na indústria de telecomunicação e possa diminuir o preço dos serviços de telefonia ofertados ao consumidor.

Para operadoras entrantes, operadoras de longa distância e concessionárias de outras regiões, existem três alternativas para a entrada no mercado local: entrada direta, revenda e *unbundling*.

A entrada direta é a entrada no mercado local mediante a construção de toda a infra-estrutura necessária, ou seja, duplicação da rede local. A vantagem desse tipo de solução é permitir a concorrência em igualdade de condições. As desvantagens são os elevados níveis de investimento, além do custo de duplicação da rede. Por causa do alto custo dessa opção, os operadores entrantes, quando a escolhem, o fazem por meio de serviços sem fio ou de TV a cabo.

A revenda é o tipo de entrada no qual a concessionária local, proprietária da rede, revende os serviços locais de telefonia para as firmas concorrentes por um preço abaixo do de mercado. Esta é uma forma fácil de incentivar a entrada, mas que não deixa explícito se o entrante vai oferecer um novo produto ou somente o mesmo produto, diferenciado apenas por elementos de *marketing*. Todavia, a revenda pode servir de base temporária aos entrantes até que estes construam sua própria infra-estrutura. O processo de revenda exige que o regulador estabeleça e monitore o preço de acesso à rede local, que não deve impedir a entrada nem expropriar a concessionária.

A terceira forma de entrada, o *unbundling*, é uma combinação híbrida entre as formas anteriores, entrada direta e revenda. O *unbundling* é a forma de entrada que permite ao entrante arrendar alguns elementos da rede local (transmissores e comutadores) diretamente da concessionária. Como exemplo, uma operadora de longa distância poderia arrendar os cabos de uma concessionária local e prover as suas próprias centrais telefônicas. A concessionária mantém a responsabilidade de manutenção dos elementos locados sob *unbundling*.

Diversos elementos podem ser arrendados via *unbundling*, como transmissores da rede local, comutadores (centrais e terminais), infra-estrutura de transmissão entre centrais e terminais, equipamentos específicos e serviços de operação e assistência.

Em decorrência do fato de ser o acesso ao usuário o maior obstáculo ao desenvolvimento da concorrência no setor de telecomunicação, a problemática do *unbundling* surge com maior relevância na última milha da rede local. O *unbundling local loop*, ou seja, o compartilhamento do acesso local, é a modalidade de *unbundling* mais premente para a diminuição das barreiras à entrada na indústria das telecomunicações, pelo fato de esse trecho da rede concentrar os mais pesados investimentos em infra-estrutura. Assim, os fios de cobre da última milha são os principais objetos de compartilhamento pelos operadores que desejam ofertar serviços de telefonia e não possuem infra-estrutura de rede local.

Das três formas de entrada no mercado local, somente a revenda e o *unbundling* são formas de interconexão. A entrada direta não se constitui num mecanismo de interconexão, já que é realizada por meio da construção de uma nova rede. A entrada direta somente se afirma como uma alternativa viável quando o custo social de duplicação da rede local é compensado pelo benefício auferido pelo consumidor, mais especificamente o ganho de excedente do consumidor, com as condições competitivas que se estabelecem após a entrada. A experiência prática mostra que, quando se trata da duplicação de uma rede convencional, dotada de cabos de cobre e fibra óptica, terminais e centrais telefônicas, o incremento do excedente do consumidor dificilmente supera o custo do investimento. Existem opções de entrada direta no mercado local que propiciam custos de implantação mais reduzidos. Essas opções se baseiam na utilização de outras redes já existentes ou de novas tecnologias para a oferta dos serviços de telefonia. No primeiro caso, destacam-se não só o uso, já corriqueiro, da rede de TV a cabo, como também a perspectiva de utilização da rede de energia elétrica. No segundo caso, vem se expandindo a oferta de serviços WLL, ou seja, conexão via rádio para telefones fixos. Entretanto, essas opções são limitadas por restrições tecnológicas e ainda não permitem a exploração completa dos serviços de telefonia.

No caso da entrada pela modalidade de revenda, as limitações decorrem do fato de essa forma se basear em um tipo de interconexão via mercado, no qual o entrante terceiriza, para a concessionária, as atividades relativas às conexões locais. Não há, assim, a interconexão tecnológica, que só a entrada via *unbundling* permite. No estágio atual da indústria das telecomunicações, caracterizado por uma grande diversidade de tecnologias disponíveis e pelo ritmo acelerado de inovações que potencializa ainda mais a oferta de opções tecnológicas, é exatamente a combinação de tecnologias que pode ampliar a rentabilidade. Isso porque essa combinação gera vantagens competitivas, na medida em que pode proporcionar economias de escala e escopo, possibilita a oferta de serviços de maior valor adicionado e, principalmente, o desenvolvimento de novos serviços, além de facilitar a geração e a difusão do progresso técnico, com a aplicação direta das inovações.

O *unbundling* é uma forma de entrada superior às anteriores porque permite a maximização do uso da rede sob três pontos de vista: produtivo, pois permite a combinação de diversas tecnologias, ampliando as opções de processos produtivos e aumentando, assim, a produtividade geral dos serviços de telecomunicações; mercadológico, já que o acesso e a combinação das tecnologias disponíveis possibilitam a diversificação da oferta e o desenvolvimento de novos serviços; e social, porque, além do aumento de produtividade e da oferta de novos serviços, permite a utilização da rede por diversas operadoras, racionalizando um recurso escasso para a sociedade.

Dessa forma, o *unbundling* possibilita a introdução na indústria das telecomunicações da filosofia de "rede aberta". Trata-se da desagregação do ponto de vista econômico entre rede e serviço. Segundo essa filosofia, os provedores de serviço é que possuem a responsabilidade exclusiva sobre a oferta dos serviços, e devem prover os seus serviços através das redes existentes, pagando aos proprietários destas uma quantia relativa ao transporte da informação. Assim, todos os provedores devem ter acesso à rede para permitir que o consumidor possa escolher os melhores serviços que lhe convier.

A Tabela 7.1 mostra as vantagens e as desvantagens extraídas da experiência prática em alguns países onde o *unbundling* foi implantado. A principal desvantagem diz respeito ao risco da redução dos investimentos privados na expansão e modernização da infra-estrutura de rede. Entretanto, diante de todas as vantagens anteriormente explicitadas, faz-se necessário um esforço para que o *unbundling* possa ser implantado sem que haja redução do fluxo de investimentos na rede. Isto é possível por meio da regulamentação de uma metodologia adequada para o cálculo do preço do *unbundling*, que deve ser capaz de permitir a entrada no mercado sem inibir os investimentos na rede.

O conceito de UNE fez a transição nos mercados de telecomunicação nos Estados Unidos, no Canadá, na Europa Ocidental e no Chile e está avançando antes das reguladoras em países como Brasil, México e Japão.

Nos Estados Unidos, as reguladoras têm que coordenar mais de 400 elementos discretos; nenhum outro país se aproximou ainda da extensão a que *unbundling* atingiu naquele país e nenhum outro país pôde aproximar desse nível de disputa. Além disso, a "sobre-regulação" de UNE nos Estados Unidos teve o resultado involuntário de parar o emprego da infra-estrutura de banda larga. Ninguém tem incentivo para investir na rede. As operadoras tradicionais não investirão onde o retorno do investimento não atende as expectativas do acionista. A operadora nova não investe se UNEs estiverem disponíveis e puderem substituir a necessidade dos investimentos. Isso é verdadeiro em tudo, exceto nos mercados mais lucrativos.

Tabela 7.1 Vantagens e desvantagens do *unbundling*

| Vantagens | Desvantagens |
|---|---|
| Acelera a competição na medida em que reduz os investimentos em infra-estrutura que os entrantes teriam que realizar. | Reduz incentivo para os investimentos na construção de infra-estrutura de rede, a depender do preço do *unbundling*. |
| Incentiva inovações de produto e processo, uma vez que os entrantes podem combinar tecnologias novas e tradicionais para ofertar serviços de valor adicionado e de alta velocidade. | Reduz o investimento em redes alternativas, com ou sem fio, a depender do preço sob o qual a infra-estrutura é compartilhada. |
| Evita o custo social de duplicação da rede. | Pode retardar a modernização da rede nos trechos de operação exclusiva dos entrantes. |
| Viabiliza renda extra para os proprietários da infra-estrutura quando existe ociosidade. | Requer intervenção e coordenação regulatória prolongada e detalhada. |
| Evita problemas urbanos e ambientais com a construção de novas redes. | Requer coordenação técnica entre os operadores locador e locatário. |

## 7.9 Regulação

Embora o governo brasileiro tenha empreendido uma reforma abrangente no sistema de regulação do país em 1995, foi a introdução da Lei Geral das Telecomunicações, em 1997, que propiciou a competição e a privatização da Telebrás. O instrumento utilizado para direcionar a reforma das telecomunicações no Brasil foi uma agência com autonomia financeira e independente administrativamente, a Anatel (Agência Nacional de Telecomunicações). Hoje, três órgãos, juntamente com o Congresso e a Presidência da República, conduzem as mudanças na Constituição e regulam as telecomunicações brasileiras. Esses órgãos são:

- Ministério das Comunicações, uma organização de supervisão, para determinar as políticas a serem seguidas. Este órgão continuará a estabelecer as políticas gerais a respeito do setor das telecomunicações.
- Anatel, uma agência independente associada ao Ministério das Comunicações.

- CADE (Conselho Administrativo de Defesa Econômica), um órgão de guarda, para assegurar a competição justa dentro de todos os setores de negócio do Brasil.

A regulação é o mais influente fator no modelo de mercado de telecomunicação. As agências reguladoras nacionais fazem regras que podem diretamente desviar ou aumentar os investimentos e as despesas das empresas e, assim, projetar o sucesso ou o fracasso das empresas e de tecnologias.

Em nenhuma parte a influência da reguladora é vista mais claramente que nos mercados de telecomunicação que estão ainda em desenvolvimento. Em alguns casos, a influência é sentida mais pela sua ausência, quando é permitido às *incumbents* continuar a dominar o mercado, arranjando todos os negócios a seu gosto. Mais freqüentemente, os governos estão experimentando simultaneamente abrir os mercados, melhorar a qualidade de serviço e atingir um serviço universal. Pela sua natureza, essas atividades conflitam umas com as outras. Todas elas incorrem em custos para operadoras.

A maioria das reguladoras acha que conduzir o desenvolvimento da rede convergente desvia do seu objetivo tradicional que é a competição, a disponibilidade e a qualidade do serviço. Mas as reguladoras devem também atender ao que os concorrentes necessitam para desenvolver suas redes. Os concorrentes necessitam de um paradigma de regulação bem-equilibrado que reúna as forças de mercado, tanto quanto possível, e que aceite negociar os acordos de interconexão e outros elementos requeridos para um ambiente competitivo.

Um comportamento pouco atuante da reguladora não incentiva as *incumbents* a tratar as novas entrantes como clientes, melhor que simplesmente concorrentes. Inversamente, um regime restrito e muito detalhado causa a inércia e reprime a inovação, foi o que aconteceu nos Estados Unidos .

A rede convergente não somente modela pontos de conflito na regulação doméstica, mas também apresenta soluções internacionais de portabilidade de identidade e de equivalência de taxas e tarifas. As reguladoras nacionais necessitam colaborar e devem alocar funcionários para essas soluções, resistindo à oposição das *incumbents* globais que objetivam atrasar o desenvolvimento e o emprego da rede convergente.

Uma boa medida do provável sucesso de um regime de regulação é o custo. Planos para abertura do mercado a um custo baixo ou nenhum custo não acontecerão. As operadoras tradicionais terão que incorrer em investimento e custos operacionais em áreas onde, por exemplo, o governo ou o mercado não permitirá que aqueles custos sejam recuperados.

A portabilidade do número local, por exemplo, requer uma solução de base de dados para produzir uma verdadeira competição. Isso envolve uma rede de sinalização avançada e uma base de dados interativa. Geralmente, isso necessita de um novo capital a ser gasto ou, no mínimo, projetos a serem desenvolvidos para atender as exigências da regulação. Similarmente, as redes abertas à competição podem ser muito caras para as *incumbents* que podem ter que empreender todas ou algumas das tarefas seguintes:

- redesenho, processos de configuração e projeto de rede para sistemas, aprovisionamento e faturamento para acomodar elementos de rede *unbundled* (UNE) e interconexão da operadora;
- modificação da rede ou facilidades de construção para atender às exigências da regulação;
- espaço pronto para a colocação dos equipamentos;
- adaptação da marca da empresa e seus produtos.

As operadoras concorrentes terão não somente que construir suas próprias redes (que podem ser excessivamente caras), mas terão também que incorrer em custos para adaptar sistemas e processos para conectar-se com as *incumbents*.

Desde que as iniciativas de políticas públicas e de regulação dão forma de como a rede convergente será organizada, operadoras e fornecedores necessitam compreender inteiramente essas políticas e seus objetivos (explícitos e implícitos), bem como a força de sua pressão. Freqüentemente, uma política pública ou decisão governamental não consegue atingir totalmente o objetivo desejado. Além disso, pode haver também efeitos involuntários a considerar, o que é particularmente verdadeiro para uma decisão de governo de impacto sobre a tecnologia.

Mesmo a regulação bem-intencionada pode oprimir as vantagens naturais de uma tecnologia particular, interromper uma migração ou a introdução de um novo produto ou a inovação da rede. Nos Estados Unidos, por exemplo, as políticas de serviço universal de governo aumentaram a penetração em áreas precariamente servidas, mas de uma maneira que beneficiava as operadoras tradicionais sobre os concorrentes, quando se olha para as alternativas WLL(*Wireless Local Loop*), satélite e celular.

Os paradigmas da regulação raramente se dirigem às tecnologias futuras e estão mais freqüentemente olhando para trás. Regras, leis e políticas são tipicamente planejadas e implementadas por políticos e advogados, raramente por técnicos ou engenheiros. Exemplos isolados de financiamento para levar conexões de alta velocidade às escolas, bibliotecas e facilidades para a saúde caminham em direção ao desenvolvimento e ao emprego da rede convergente.

De fato, apesar das boas intenções, as regulações de governo podem impedir investimentos, o que, por sua vez, atrasará o emprego da rede convergente. A regulação, de uma forma ou de outra, protegeu o investimento nos dois mercados principais de telecomunicações: Estados Unidos e Europa Ocidental. Infelizmente, outros países estão olhando para essas áreas como modelos a seguir.

Nos Estados Unidos, a sobre-regulação tem bloqueado atualizações mesmo na rede de cobre, impondo um regime de UNE, definindo que as operadoras disponibilizem suas redes aos concorrentes. Na União Européia, em contraste, uma condução sem interferência deixou muito pouco estímulo para o emprego da banda larga, que ficou claramente sob a responsabilidade das operadoras tradicionais.

Algumas recomendações relativas ao tema da regulamentação podem ser dadas aos fornecedores, operadoras e agências de regulação, conforme comentado a seguir.

No caso dos fornecedores, eles devem entender inteiramente os ambientes de regulação relevantes, antecipar e reagir às más combinações de regulação; ajudar os clientes regulados a atender as suas exigências e os clientes não-regulados a operar em um mercado modelado pela regulação; e ajudar o regulador a formatar normas e regulamentos de modo que elas sejam tecnicamente praticáveis no futuro.

As operadoras não-regulamentadas não devem confiar na regulação do mercado. Nos Estados Unidos, por exemplo, o regime vigente após o acordo de despojamento com a AT&T, em 1984, criou uma segmentação artificial de mercado entre serviços de longa distância e locais e desenvolveu-se um novo mercado competitivo para provedores de acesso. Nenhum desses mercados foi criado em função da demanda e de forças competitivas, mas somente pela regulamentação. Todos estão agora se desmoronando. Elas não devem também construir planos de negócios em torno dos mercados que existem somente pelo decreto de regulação, e devem se concentrar no mercado e nos clientes, melhor que na lacuna do regulamento.

As operadoras reguladas, por sua vez, também não devem confiar na desregulamentação do mercado. A desregulamentação poderia indicar que algumas normas poderiam ser minoradas para permitir, por exemplo, às *incumbents* nos Estados Unidos aumentarem os preços para acesso a seu UNE. Mas a regulação nos Estados Unidos será ainda assimétrica por algum tempo. Devem estar preparadas para olhar conservadoramente o mercado; mover-se para tornar a operação mais eficiente para competir, reduzindo o custo dos negócios e não depender de um possível futuro; alavancar as vantagens da experiência superior com o regulador; olhar para as oportunidades, para ser menos combativo, quando necessário, focalizando na política, não sobre os membros da agência reguladora. Construir outras redes antes dos concorrentes pode ser uma grande dianteira, obtendo as melhores contas e ganhando uma vantagem tecnológica. Trabalhar em direção a soluções de longo prazo, que maximize o uso da rede, preparando para a migração da infra-estrutura de rede convergente.

Finalmente, as agências reguladoras devem permitir ao mercado operar e não fazer processos de microgerenciamento na indústria. Criar regulamentos que sejam tecnicamente neutros. Ativar mecanismo para suportar a indústria como determinam os padrões e os critérios que governam recursos importantes. Evitar a criação de mercados reguladores artificiais que atrairão concorrentes que procuram somente lucros temporários sem benefícios a longo prazo para os clientes. Evitar os mandados que resultem na construção de rede ineficiente e ineficaz. Saber ser um catalisador e saber quando sair do caminho. Confiar mais em decisões negociadas e agir como um árbitro quando aquelas soluções difíceis não puderem ser acordadas. Evitar ordenar taxas detalhadas, termos e condições para promover a competição. Incentivar o emprego da rede convergente.

## 7.10 Universalização

Tradicionalmente, o conceito de universalização de serviços referia-se exclusivamente à telefonia como meio de comunicação de voz. Na origem, a idéia era que todos pudessem ter acesso ao telefone, inclusive em regiões como as zonas rurais, ou onde a demanda por si só não garantisse retorno dos investimentos necessários em infra-estrutura. A explosão da Internet no mundo – facilitada pela possibilidade de uso das redes telefônicas – tornou inquestionável sua importância estratégica e fez-se imperativo incorporar, ao conceito de universalização dos serviços de telecomunicações, a meta de acesso de todos à Internet.

Para países em desenvolvimento, a incorporação desse novo conceito coloca um duplo desafio: o acesso à telefonia e o acesso à Internet. Mas o conceito de universalização deve abranger também o de democratização, pois não se trata tão-somente de tornar disponíveis os meios de acesso e de capacitar os indivíduos para tornarem-se usuários dos serviços da Internet. Trata-se, sobretudo, de permitir que as pessoas atuem como provedores ativos dos conteúdos que circulam na rede. Nesse sentido, é imprescindível promover a alfabetização digital, que proporcione a aquisição de habilidades básicas para o uso de computadores e da Internet, mas que também capacite as pessoas para a utilização dessas mídias em favor dos interesses e necessidades individuais e comunitários, com responsabilidade e senso de cidadania.

Fomentar a universalização de serviços significa, portanto, conceber soluções e promover ações que envolvam desde a ampliação e melhoria da infra-estrutura de acesso até a formação do cidadão, para que este, informado e consciente, possa utilizar todos os serviços disponíveis de um computador e da Internet. Dessa forma, utilizar-se-á o desafio da oportunidade digital para o objetivo nacional maior de inclusão social e econômica.

No campo das telecomunicações, dados de agosto de 2003 mostram que o Brasil tinha 39,1 milhões de telefones fixos instalados que, se comparados com os 20 milhões existentes em julho de 1998, no momento da privatização, representa um acréscimo de 95,5% da planta instalada. Os telefones celulares em operação contavam, em julho de 1998, 5,6 milhões e, em agosto de 2003, mais de 40,1 milhões, o que representa um crescimento de 616% no período. Esses números, que ainda têm potencial de crescimento, colocam o Brasil em posição privilegiada no cenário internacional.

No Brasil, apesar de haver indícios do processo de abertura desde meados dos anos 1980, a reconfiguração das telecomunicações começou a ser implementada a partir dos anos 1990. Nessa época, teve início a introdução de uma política liberal, com o processo de privatização no setor, para reduzir o papel do Estado, mudando o seu papel de órgão produtor para órgão regulamentador. O setor de telecomunicações brasileiro foi um dos últimos a ser privatizado na América Latina.

A Anatel, criada pela Lei Geral de Telecomunicações (Lei nº 9.472/1997) no período anterior à privatização do sistema de telecomunicações, foi introduzida nesse processo de reconfiguração das telecomunicações. Até então, cabia ao Ministério das Comunicações regular o sistema de telefonia, dinamizado, sobretudo, pela empresa estatal Telebrás. O Ministério das Comunicações, a partir da criação da Anatel, perdeu grande parte das atribuições sobre as telecomunicações. A Anatel, órgão público independente, detém autonomia financeira, de gestão e administrativa.

A agência funciona como um órgão regulador das concessionárias de telecomunicações, entre elas as de telefonia. Cabe também à Anatel regular as empresas de telefonia autorizadas, conhecidas como "empresas-espelho", que pagam uma taxa de licitação para a própria Anatel para entrar no mercado, além da tarifa de interconexão para as empresas concessionárias. A necessidade de interconexão entre as redes constitui uma barreira à entrada de novas empresas no setor. Isso porque as concessionárias (*incumbents*), empresas detentoras do direito de explorar a rede, procuram não facilitar a interconexão, com o intuito de impedir a entrada de concorrentes. Por isso, na prática, ainda não há concorrência no mercado de telefonia fixa no Brasil.

Apesar de a concorrência existente ser bastante tímida, não se pode negar que houve uma universalização (expansão) do sistema de telecomunicações promovida pelas empresas concessionárias. Aqui ainda vigora a universalização sob concepção restrita, que foi implantada por meio da expansão dos serviços de telefonia local, com as concessionárias sendo obrigadas a expandir as suas redes, obrigações estas regulamentadas pelo Plano Geral de Metas de Universalização e de Qualidade, cuja fiscalização ficou a cargo da Anatel. O objetivo da universalização é integrar todo o território brasileiro.

O grande desafio da universalização é a baixa renda *per capita* da população e a péssima distribuição de renda. Como promover uma universalização em locais onde há pouca demanda e a população não tem condições de pagar nem a assinatura do telefone?

Então, o consumidor ganhou e perdeu ao mesmo tempo com o novo modelo de telecomunicações brasileiro. Agora, há um acesso mais fácil aos serviços telefônicos, porém a altos custos. Houve uma modernização da infra-estrutura, mas a população mais carente está sendo socorrida novamente por políticas públicas.

Uma das maneiras encontradas pelo governo para "socorrer" essa população foi a criação do Fundo de Universalização do Serviço de Telecomunicações (FUST), regulamentado em agosto de 2000 pela Lei nº 9.998, que tem como preocupação ampliar o alcance da telefonia. É um meio de tentar cobrir essas deficiências, ou seja, de fazer com que quem mora em meio rural também tenha acesso às telecomunicações. Atualmente, 1% do valor do faturamento das empresas de telecomunicações é destinado ao FUST.

## 7.11 Conclusão

A implementação da rede convergente indica uma forte redução nos custos operacionais e de manutenção da rede de comunicações, pois provoca uma diminuição significativa na quantidade de elementos de rede e viabiliza novas fontes de receita. É uma solução flexível para o provimento de serviços diferenciados e sob demanda. Associa o desempenho e a confiabilidade da atual infra-estrutura da rede de telefonia e sustenta o crescimento de novas demandas.

O grande impulsionador para o emprego de novas tecnologias, sem dúvida, é a competição entre empresas e isso foi timidamente, até a presente data, conseguido pela privatização das empresas do Sistema Telebrás. Mas, para que essa competição se intensifique, é necessária a abolição das restrições de serviço e de área geográfica. É preciso também que se estabeleçam regras claras para a interconexão de redes (*unbundling*), pois as *incumbents* detêm a propriedade da última milha, o que influencia diretamente na existência e nos investimentos das novas empresas. A necessidade de interconexão entre as redes constitui uma barreira à entrada de novas empresas no setor. Isso porque as *incumbents*, empresas detentoras do direito de explorar a rede, procuram não facilitar a interconexão, com o intuito de impedir a entrada de concorrentes. Por isso, na prática, ainda não há concorrência no mercado de telefonia fixa no Brasil. Apesar disso, não se pode negar que houve uma universalização (expansão) do sistema de telecomunicações promovida pelas empresas concessionárias.

Enfim, a regulação é o mais influente fator no modelo de mercado das telecomunicações. A rede convergente modela pontos de conflito na regulação doméstica e as reguladoras devem resistir à oposição das *incumbents* que querem atrasar o emprego da rede convergente.

## Referências

CHAHED, T.; HEBUTERNE, G.; FAYET, C. *On mapping of QoS between integrated services and differentiated services*. IEEE, 2000.

COMER, D. E. *Internetworking whith TCP/IP: principles, protocols and architectures*. Prentice Hall, 2000.

COWLES, Ron; DELCROIX, Jean Claude. How can regulators unbundle better? *Gartner Dataquest*. Disponível em: <http://www.gartnet.com>. Acesso em 8 maio 2002.

ETSI TR 101329 V 1.2.5. *TIPHON: general aspects of quality of service* (QoS).

FALTSTRON, P. *E.164 Numbers and DNS*. RFC 2916, Sept. 2000.

FULLER, V.; LI, T.; YU, J. *Classless Inter-Domain Routing (CIDR)*. Sept. 1993.

HAHN, Wm. L. NGN: Regulation key factor in telecom investments. *Gartner Dataquest*. Disponível em: <http://www.gartnet.com>. Acesso em 13 fev. 2003.

INTEL. White Paper. *An introduction to next generation network services*: *the next big opportunity on the Web*. 2001.

INTVEN, H. et al. *Telecommunications handbook regulation*. Infodev Program of the World Bank. Cap. 4: Price Regulation.

ITU-T. *Complement to ITU-T Recommendation E. 164*. Feb. 2004.

ITU-T. *List of mobile country or geographical area codes*. Recomendation E.212, May 2002.

LAFFONT & TIROLE. *Competition in telecommunications*. Cambridge: MIT Press, 2000.

MOCKAPETRIS, P. *Domain Names-Concepts and Facilities*. RFC 1034, Nov. 1987.

ROSEN, E.; VISWANATHAN, A.; CALLON, R. *Multiprotocol Label Switching Architecture*. RFC 3031, Jan. 2001.

SIEMENS LTDA COMUNICAÇÃO CORPORATIVA. *NGN: Em busca do retorno desejado*. Disponível em: <http://www.siemens.com.br/coluna1.asp?canal=3822>. Acesso em 15 out. 2002.

STUART, Donald A.; TUSET, Joe. Telecommunications liberalization, privatization and reform in Latin America. *Gartner Dataquest*. Disponível em: <http://www.gartner.com>. Acesso em 21 jul. 2003.

TELEFÔNICA EMPRESAS. Disponível em: <http://www.telefonicaempresas.net.br/www/sessoes/biblioteca/>.

ZHANG, G.; MOUFTAH, H. T. *End-to-End QoS Guarantees Over DiffServ Networks*. IEEE 2001.

# A. Órgãos de padronização e pesquisa

Um elemento-chave que conduziu a implantação das infra-estruturas de rede existentes (telecomunicações, dados e *broadcast*) foi o fato de certos padrões terem sido adotados globalmente, como, por exemplo, os padrões do STFC, o IP, o MPEG2 e o DVB.

Alguns desses padrões continuarão a dar suporte à estrutura básica da rede convergente, mas a convergência de rede e o ambiente de novos serviços implicam novas necessidades de padronização e interoperabilidade, principalmente com relação às interfaces entre redes e serviços.

Para os fabricantes, uma coordenação dos órgãos reguladores com os organismos de padronização permitiria uma adaptação melhor às novas soluções para atender à regulamentação. Por sua vez, as operadoras esperam dos órgãos reguladores uma colaboração mais estreita com os organismos de padronização para assegurar a neutralidade das decisões tecnológicas e para verificar a conformidade da maioria das operadoras com as normas em vigor.

A seguir são relacionados os organismos de padronização e suas respectivas áreas de atuação no contexto das redes convergentes.

## European Telecommunications Standards Institute

O European Telecommunications Standards Institute (ETSI) é uma organização européia de padronização para telecomunicações. Os temas são tratados pelo ETSI em comitês técnicos organizados por assunto, como o AT-Access and Terminals, ou relacionados a uma dada arquitetura, como a TIPHON. Em 2001, foi criado o grupo NGN-SG (Start Group) para tratar de assuntos relacionados a redes convergentes. Esse grupo identificou os tópicos listados a seguir, que precisavam de uma atuação específica.

**Arquitetura convergente**. A arquitetura sugerida pelo grupo TIPHON do ETSI foi usada como uma proposta inicial para reflexão da definição da arquitetura da rede convergente. Outras organizações importantes identificadas pelo NGN-SG na parte da arquitetura são: ISC (arquitetura *softswitch*); IETF SIP (protocolos); MSF (arquitetura com base na separação das camadas); Parlay, 3GPP, JAIN, ETSI SPAN 12 (controle da chamada e API para controle do serviço); 3GPP (acesso UMTS); ETSI TIPHON (arquiteturas genéricas e interoperabilidade com RDSI, RTFC e SIP); ETSI SPAN (evolução e interoperabilidade com RDSI); e ITU-T SG 9, 11, 13, 15 e 16 (padronização de terminais, protocolos de sinalização, arquiteturas, codificadores, multimídia, SS7, protocolos Internet).

**Qualidade de serviço fim-a-fim**. A padronização da qualidade de serviço fim-a-fim para os serviços de voz é a mais importante quando comparada com outros tipos de tráfego. As organizações envolvidas nesses problemas são listadas a seguir.

- ETSI TIPHON e STQ que já elaboraram um documento (TS 101329-1) relativo à definição de classes de serviços harmonizados para a telefonia.

Esse trabalho foi seguido pelo ITU-7 SG11 e 16 para a negociação dessas classes entre os sistemas.

- ETSI TIPHON e o ITU-T SG 16 iniciaram um trabalho relativo à definição de classes de serviços para multimídia.
- Com relação aos mecanismos de negociação entre as camadas básicas, o NGN-SG recomenda que o IETF é considerado o líder para o protocolo IP e o Fórum ATM para o protocolo ATM. Os trabalhos do ETSI poderão contribuir dentro dessas duas estruturas.

**Criação de Serviço**. Considera-se que é importante ter arquitetura aberta e interfaces compatíveis e harmonizadas. Os trabalhos relativos a API OSA são considerados como um ponto de partida a uma discussão mais aberta com o grupo Parlay, 3GPP, Jain e ETSI SPAN.

**Gerência das redes**. Recomenda-se complementar as especificações e definições existentes com informações específicas a redes convergentes. Pode-se relacionar a textos emitidos pelo ITU, ETSI e IETF.

**Interceptação legal**. Recomenda-se que esse item seja discutido com a colaboração de diferentes comitês e especialistas, pois a arquitetura aberta da rede convergente permite oferta de serviços sobre diversas pilhas de protocolos, tornando o trabalho de interceptação mais complexo.

O projeto Telecommunications and Internet Protocol Harmonization Over Networks (TIPHON) é usualmente citado como um pivô central para reflexão sobre as redes convergentes. Esse projeto foi criado em 1997 com o intuito de coordenar os esforços de interconexão e interoperabilidade entre os diferentes protocolos.

Tem como objetivo o desenvolvimento de um protocolo de comunicações generalizado para os serviços de voz sobre IP nas redes de telefonia pública. Esse metaprotocolo seria independente dos protocolos de transporte utilizados. TIPHON também gerencia a interfuncionalidade entre H.323 e SIP, assim como entre esses protocolos e o ISUP para prover interoperabilidade com as redes de comutação a circuitos. Trabalha em conjunto com o IETF, o MSF e o ISC. Atualmente é composto de oito grupos de trabalhos (WG):

- WG1: definição das características dos serviços;
- WG2: arquitetura da solução;
- WG3: definição dos protocolos;
- WG4: endereços e nomes;
- WG5: qualidade de serviço;
- WG6: verificação e demonstração;
- WG7: mobilidade;
- WG8: segurança.

Diversos grupos técnicos do ETSI estão relacionados com as redes convergentes, tais como:

- ETSI AT (*Access and Terminals*): trata dos aspectos relacionados aos terminais;
- ETSI BRAN (*Broadband Radio Access Networks*): esse projeto ETSI desenvolve os padrões das redes Hyperlan e trabalha sobre os padrões relativos à redes de acesso via rádio em banda larga em vários ambientes;
- ETSI HF (*Human Factors*): trabalha sobre o tema *Common Identification Schemes for* NGN;
- ETSI SEC (*Security*): grupo multitarefa para garantir que os aspectos de segurança sejam considerados dentro do conjunto de trabalhos do ETSI;
- ETSI SES (*Satellite Equipment and Systems*): prepara as especificações da arquitetura para uma rede de satélites suportar os serviços de banda larga;
- ETSI SPAN (*Services and Protocols for Advanced Networks*): comitê técnico qualificado para todos os aspectos relativos à padronização das redes fixas e das redes IP;
- ETSI STQ (*Speech Processing, Transmission and Quality Aspects*): coordena e elabora documentos relativos à qualidade da voz dentro das redes fixas ou móveis;
- ETSI TMN (*Telecommunications Management Network*): trata da questão dos problemas de gerência das redes de telecomunicações.

### International Telecommunication Union

O trabalho de padronização é elaborado por 13 grupos de estudos (SG) nos quais os membros participantes que representam o *International Telecommunication Union* (ITU-T) desenvolvem recomendações para os vários campos das telecomunicações internacionais com base no estudo das questões, isto é, áreas para estudo. Alguns desses grupos são relacionados abaixo:

- SG 2: definição de serviços, numeração e roteamento;
- SG 4: rede de gerenciamento de telecomunicações (TMN);
- SG 9: redes banda larga integradas de cabo e televisão;
- SG 11: requisitos de sinalização e protocolos;
- SG 13: redes com base IP e multi-protocolos e sua conexão com a Internet;
- SG 16: serviços multimídia, sistemas e terminais;
- SSG IMT 2000: Grupo Especial de Estudo (SSG) em aspectos de rede para IMT-2000 (International Mobile Telecommunications 2000).

### Internet Engineering Task Force

O Internet Engineering Task Force (IETF) é o mais importante grupo de padronização das técnicas da Internet. Os grupos de trabalhos organizados por temas trabalham principalmente com a troca de correios eletrônicos, tendo o mesmo objetivo: elaborar uma *request for comments* (RFC). As áreas de atuação do IETF são:

- Área de aplicações: como o próprio nome diz, lida com aplicações como o IMPP (*Instant Messaging and Presence Protocol*) e outros.
- Área Geral: assuntos como IPR (*Intellectual Property Rights*).
- Área Internet: o protocolo Ipv4 foi padronizado pelo IETF em 1981 (RFC 791) e o IPV6 em 1998 (RFC 2460). Outros grupos dentro dessa área são, por exemplo, mip4 (*Mobility for* Ipv4) e dnsext (DNS *Extensions*).
- Área de Segurança: a segurança é um problema muito importante nas redes IP. Alguns mecanismos de segurança originados no IETF são: IP *Security Protocol* (IPSec, RFC 2401) para a encriptação e autenticação de dados; e *Public Key Infrastructure* (PKI X509, RFC 2459) que define a gerência dos certificados de autenticação e os princípios de encriptação em uma rede pública.
- Área de Gerência e Operações: essa área de O&M possui grupos de trabalhos como o *Authentication, Authorization and Accouting* (AAA) e *Entity* MIB *Management information base* (EntMib, RFC 2737).
- Área de Roteamento: um dos seus principais grupos de trabalho é o *Multiprotocol Label Switching* (MPLS), o qual é responsável pela padronização de uma tecnologia base para usar comutação de etiquetas e para a implementação de caminhos comutados por etiquetas sobre várias tecnologias de enlace como *Packet over Sonet* (POS), *Frame Relay*, ATM e tecnologias LAN.
- Área Sub-IP: o grupo de trabalho Tewg (*Internet Traffic Engineering*) define, desenvolve, especifica e recomenda princípios, técnicas e mecanismos para engenharia de tráfego na Internet com relação à otimização do desempenho do tráfego manuseado em redes operacionais.
- Área Transporte: é uma das mais importantes dentro do domínio das redes convergentes, pois envolve os problemas da camada de transporte e da camada de controle. Cabe aqui ressaltar alguns dos grupos de trabalho dentro dessa área.
    - AVT (*Audio/Video Transport*): esse grupo foi formado para especificar um protocolo para transmissão em tempo real de áudio e vídeo sobre UDP/IP unicast e multicast. São os protocolos RTP (*Real Time Transport Protocol*, RFC 1889) e o RTCP (*Real Time Control Protocol*, RFC 1890).
    - ENUM (*tElephone Number Mapping*): esse grupo de trabalho definiu uma arquitetura e um protocolo com base no DNS, RFC 2916, nos quais um número E.164 pode ser expresso como um nome de domínio totalmente qualificado em uma infra-estrutura Internet específica definida para esse propósito (e.164.arpa).
    - IPTEL (*IP Telephony*): o foco do grupo de Telefonia IP é centrado nos problemas relativos a nomes e roteamento para protocolos de voz sobre IP (*VoIP*).

- o Megaco (*Media Gateway Control*): o protocolo de controle de gateway de mídia, Megaco, RFC 3015, foi desenvolvido pelo grupo de trabalho Megaco em cooperação com o grupo de estudos 16 do ITU-T (Recomendação H.248).
- o SIGTRAN (*Signalling Transport*): o propósito inicial desse grupo de trabalho é o endereçamento de transporte de sinalização RTFC com base em pacotes sobre Redes IP, levando em consideração as necessidades funcionais e o desempenho da sinalização RTFC. O objetivo é definir o protocolo de controle entre os gateways de sinalização, os *media gateway controllers* e os pontos de sinalização da rede IP.
- o SIP (*Session Initiation Protocol*): SIP é um protocolo com base em texto, RFC 3261, para estabelecer sessões de comunicações interativas entre usuários. Tais sessões incluem voz, vídeo, chat, jogos interativos e realidade virtual.
- o SPIRITS (*Service in the PSTN/IN Requesting Internet Service*): os serviços dentro do grupo de trabalho SPIRITS encaminham pedidos originados na rede inteligente para as entidades da rede IP.

O IETF é de fato um organismo indispensável para todos os problemas relativos às redes IP e, portanto a rede convergente.

### World Wide Web Consortium

O W3C (World Wide Web Consortium) foi criado em 1994 com o objetivo de desenvolver os protocolos comuns, promover sua evolução e de assegurar sua interoperabilidade. Ele organiza o trabalho necessário para o desenvolvimento ou evolução de uma tecnologia Web em atividades. Para assegurar as atividades, estas são organizadas em grupos de trabalhos divididos em quatro domínios: arquitetura, interação, tecnologia e sociedade, e iniciativa de acessibilidade da Web.

O W3C criou a Atividade do Protocolo XML para padronizar um protocolo de comunicação interaplicações com base na XML. Em 2002, com o incentivo da Microsoft, IBM, Sun e Oracle, esse grupo estendeu o conjunto dos aspectos dos serviços Web e, a partir daí, chamou-se Atividade Serviços Web.

### Fóruns e grupos de interesse no núcleo

Ao lado dos organismos de padronização como o ETSI, ITU e o IETF existem diversos fóruns que intervêm de maneira mais especializada. São os locais onde atualmente se realiza o trabalho efetivo da padronização, em geral em torno de soluções “consensuais”.

O 3GPP (3rd Generation Partnership Project) está trabalhando em padrões abrangendo redes móveis UMTS e GSM, como a evolução da arquitetura do núcleo da rede de tecnologia comutada a circuitos para pacotes com a criação do domínio IP multimídia. Em particular, o uso de tecnologias convergentes dentro de um ambiente de serviço comutado a circuito na versão 4 e também parte do modo de operação Internet Multimídia na versão 5.

O 3GPP2 trata das especificações técnicas para os sistemas móveis da terceira geração norte-americana e asiática suportados pela ANSI, TIA e EIA-41 isto é, aplicações dos conceitos de redes convergentes a uma rede móvel CDMA2000.

Como foi visto anteriormente, dois modelos de serviços convergentes coexistirão: o modelo OSA/Parlay e o modelo Serviços Web. Essa dualidade é encontrada nos organismos para padronização das interfaces entre redes e plataformas de serviços convergentes.

## Modelo de serviço OSA/Parlay

**Grupo Parlay**. O grupo Parlay é um fórum organizado com o intuito de criar as interfaces APIs abertas para facilitar o desenvolvimento de aplicações em múltiplas redes. Essa definição tomará forma de uma API (*Application Programming Interface*) para o modelo OSA (*Open Service Architecture*). Isso permitirá que companhias de TI, empresas de Internet, E-Business, criadores de software, birô de serviços, provedores de serviços e ASPs desenvolvam aplicações.

**Iniciativa JAIN**. O objetivo da iniciativa JAIN (JAVA APIs *for Interoperable Networks*) é permitir o rápido desenvolvimento dos serviços e produtos da rede convergente na plataforma JAVA. AS APIs JAIN provêem portabilidade de serviço, convergência e acesso às redes de telefonia e dados. Fornecem um novo nível de abstração e interfaces JAVA para a criação de serviços através de redes RTFC, pacotes (IP ou ATM) e *wireless*, permitindo a integração de protocolos da Internet (IP) e das Redes Inteligentes (IN).

A tecnologia JAIN está mudando o mercado de telecomunicações, de sistemas proprietários fechados para uma arquitetura de rede única onde os serviços podem ser rapidamente criados e implementados.

**Grupo API**. O modelo de abertura das redes com serviços terceirizados OSA/Parlay é especificado e padronizado pelo Joint API Group que coordena os trabalhos do 3GPP, do ETSI, do JAIN e do grupo Parlay.

## Modelo Serviços Web

O W3C é o organismo encarregado da padronização dos Serviços Web. Esses serviços se apóiam sobre uma arquitetura de serviços distribuída, aberta e utiliza os protocolos orientados Web.

## Organismos que realizam testes de interoperabilidade

Pode-se notar que em relação a testes de interoperabilidade, um número significante de fabricantes realiza por si mesmo os programas de testes complementares de acordo com um enfoque sistemático, ou, mais freqüentemente, por parcerias ou ainda de acordo com os projetos de seus clientes. Eles colocam à disposição de seus clientes prospectos das tabelas de testes e de conformidade.

**Consórcio/MTC**. O *International Multimedia Telecommunications Consortium* (IMTC) é uma organização cuja missão é promover e facilitar o desenvolvimento e a implementação das soluções de comunicação multimídia com base em padrões internacionais. Ele realiza demonstrações e eventos de testes de interoperabilidade multimídia através do mundo. Os trabalhos aplicam-se particularmente sobre H.323, SIP e H.248/MEGACO.

**ISC**. O ISC (*International Softswitch Consortium*) foi criado em 1999 e seu objetivo é a coordenação do interfuncionamento para as comunicações e as aplicações multimídia com base nas tecnologias IP. Seus principais grupos de trabalho são: Aplicação, Arquitetura, Controle de dispositivo, Gerência de sessão e Grupo SIP-T.

**MSForum**. O MSForum (*Multiservice Switching Forum*) é uma associação de provedores de serviços e fornecedores de sistemas com o compromisso de desenvolver e promover arquitetura aberta e sistemas de comutação multisserviços. Fundada em 1998, tem como atividades o desenvolvimento de acordos de implementação, interoperabilidade e compatibilidade mundial. Oferece um fórum aberto de discussões entre vendedores e provedores de serviços envolvidos no campo das redes convergentes.

## Comitê T1

Os padrões do Comitê T1 desenvolvem padrões nacionais americanos, relatórios técnicos e necessidades técnicas para serviços de telecomunicações, interconexão de redes, interoperabilidade e desempenho. É financiado pela ATIS (*Alliance for Telecommunications Industry Solutions*) e pelo ANSI (*American National Standards Institute*).

O Comitê T1 tem seis subcomitês técnicos gerenciados pelo T1AG (*T1 Advisory Group*). Cada subcomitê técnico desenvolve um esboço dos padrões e relatórios técnicos dentro de suas áreas específicas que são:

- T1A1: desempenho e processamento de sinal;
- T1E1: interfaces, alimentação e redes de proteção;
- T1M1: operações da rede Internet, administração, manutenção e provisionamento;
- T1P1: sistemas e serviços wireless/móveis;

- T1S1: serviços, arquitetura e sinalização;
- T1X1: hierarquia digital e sincronização.

## Telecom Industries Associations

A TIA (Telecom Industries Associations) representa provedores de serviços e produtos de tecnologia da informação para o mercado mundial por meio de suas competências no desenvolvimento de padrões. Tem cinco divisões orientadas a produtos: Equipamento nas premissas do usuário, Equipamento de rede, Comunicações *wireless*, Fibras ópticas e Comunicações via satélite.

## Telecommunications Technology Commitee

O TTC (*Telecommunications Technology Commitee*) no Japão desenvolve vários padrões relacionados a telecomunicação, especificações técnicas, documentos técnicos e relatórios técnicos aplicáveis ao Japão, principalmente com base em especificações e padronizações internacionais, com as recomendações do ITU-T. As áreas técnicas para padronização são:

- TC1: interface rede-rede;
- TC2: interface rede-usuário;
- TC3: PBX e LAN;
- TC4: protocolo camada alta;
- TC5: codificação de voz e multimídia;
- TC6: comunicações móveis.

## Outras organizações especializadas

Diversas organizações foram criadas para estudos ligados à convergência de redes, abordando tecnologias específicas. Abaixo estão os respectivos sites.

- www.mpls.forum.org;
- www.atmforum.org;
- www.Ipv6forum.org;
- www.dslforum.org;
- www.dvb.org.

## Agência Nacional de Telecomunicações

No Brasil, a Anatel (Agência Nacional de Telecomunicações) criou a CBC5 (Comissão Brasileira de Comunicações 5) com o objetivo de acompanhar os assuntos relacionados a sinalização, comutação, protocolos e aspectos gerais de rede, que são atividades tratadas nos grupos de estudos 11, 13 e 15 da ITU-T.

O Grupo de estudo 11 (Requisitos de sinalização e protocolos) trata de assuntos relacionados a redes inteligentes. Esse grupo é responsável por estudos relativos aos requisitos de sinalização e protocolos para o IP relacionados com as funções de mobilidade, funções de mídia e realces às recomendações existentes, o acesso e a rede interna que sinaliza protocolos do ATM, da RDSI faixa estreita (N-ISDN) e da RTFC.

O Grupo de estudo 13 (Redes multiprotocolos e baseadas em IP e seus interfuncionamentos) aborda matérias relacionadas à IP, RDSI de faixa larga (B-ISDN), infra-estrutura global da informação e satélite. Esse grupo é responsável pelos estudos que se relacionam ao Internet *working* das redes heterogêneas que abrangem domínios múltiplos, protocolos múltiplos e tecnologias inovadoras com o objetivo de prover uma rede com alta qualidade e confiabilidade.

Os aspectos específicos são arquitetura, Internet *working* e adaptação, considerações fim-a-fim, roteamento e exigência para o transporte.

O Grupo de estudo 15 (Redes de transporte ópticas e outras redes) aborda o transporte da rede de acesso e a tecnologia óptica. É o ponto focal do ITU-T para estudos em redes de transporte ótico e outras redes de transporte, em sistemas e em equipamentos. Isso abrange o desenvolvimento de padrões para seções da rede de acesso, rede metropolitana e rede de longa distância relacionadas com a camada de transmissão. A descrição das questões é mostrada nas tabelas a seguir.

| QUESTÕES (DESCRIÇÃO) | STATUS | | REALIZADO | | | REPROG. | | |
|---|---|---|---|---|---|---|---|---|
| | PR | AC | CC | CF | AC | CC | CF | AC |
| **COMISSÃO DE ESTUDOS 11, UIT-T(SG 11) – Requisitos de sinalização e protocolos** | | | | | | | | |
| **Grupo de Trabalho 1/11 – Aplicações de Rede Inteligente (WP 1/11)** | | | | | | | | |
| Q. 1/11 – Requisitos de sinalização para suportar novos serviços, serviços de valor adicionado, serviços baseados em IP e serviços baseados em RI | X | | | | X | | | X |
| Q. 2/11 – Requisitos da rede de sinalização para suportar o serviço *Virtual Home Environment* (VHE) em redes fixas | | | | | | | | |
| Q. 3/11 – Protocolos de sinalização de rede para suportar mobilidade na rede fixa | | | | | | | | |
| Q. 4/11 – API/interface dos objetos e arquitetura de sinalização | | X | | | X | | | X |
| Q. 5/11 – Protocolos para posteriores evoluções de conjunto de capacitações de RI | | X | | | X | | | X |
| **Grupo de Trabalho 2/11 – Aplicações de rede avançada e redes IP (WP 2/11)** | | | | | | | | |
| Q. 6/11 – Requisitos de sinalização para suportar: Interfuncionamento de serviços de acesso Internet discado e voz; comunicações de dados e multimídia sobre redes baseadas em IP | | | | | | | | |

| | | | | | | | | |
|---|---|---|---|---|---|---|---|---|
| Q. 7/11 – Requisitos de sinalização para sinalizar, eficientemente, a identificação e direcionamento do tráfego destinado aos Provedores de Serviços Internet (ISPs) | | | | | | | | |
| Q. 8/11 – Requisitos de sinalização para um gerenciamento flexivel da largura de banda dinâmica e a qualidade de serviço no controle de admissão | | | | | | | | |
| Q. 9/11 – Requisitos de sinalização para suporte de aplicações de controle de chamada independente do suporte (BICC) | | X | | | X | | | X |
| **Grupo de Trabalho 3/11 – Engenharia de BICC e Sinalização legada (WP 3/11)** | | | | | | | | |
| Q. 10/11 – Requisitos de sinalização para o controle do equipamento de processamento de sinal e de nós de transmissão remotos | | | | | | | | |
| Q. 11/11 – Protocolos para o suporte de aplicações de controle de chamada independente do suporte (BICC) | X | | | | X | | | X |
| Q. 12/11 – Sinalização de acesso e de rede para serviços avançados de faixa estreita e faixa larga | | X | | | X | | | X |
| **Grupo de Trabalho 4/11 – Engenharia de Sinalização AAL2 e Protocolos de Sinalização comum (WP 4/11)** | | | | | | | | |
| Q. 13/11 – Protocolo de transpote comum | | X | | | X | | | X |
| Q. 14/11 – Especificações de testes de protocolos | X | | | | X | | | X |
| Q. 15/11 – Protocolos para o suporte das AAL2 | | X | | | X | | | X |
| **COMISSÃO DE ESTUDOS 13, UIT-T(SG 13) – Redes multiprotocolos e baseadas em IP e seus interfuncionamentos** | | | | | | | | |
| **Grupo de Trabalho 1/13 – Gerência e coordenação de projeto (WP 1/13)** | | | | | | | | |
| Q. 12/13 – Coordenação global de aspectos de redes | X | | | | X | | | X |
| Q. 15/13 – Terminologia geral de redes incluindo aspectos IP | | X | | | X | | | X |
| **Grupo de Trabalho 2/13 – Aquitetura e princípios de interconexão (WP 2/13)** | | | | | | | | |
| Q. 1/13 – Princípios, requisitos, estruturas e arquiteturas para um ambiente de rede heterogênea | | X | | | X | | | X |
| Q. 5/13 – Interfuncionamento de redes incluindo redes IP multisserviço | X | | | | X | | X | |
| Q. 10/13 – Arquitetura do núcleo/*core* da rede e princípios de interfuncionamento | X | | | | X | | X | |
| Q. 13/16 – Interoperabilidade de redes satélites e terrestres | | X | | | X | | | X |
| Q. 14/16 – Princípios e características da arquitetura de acesso e em camadas mais baixas para sistemas baseados me IP e outros | | X | | | X | | | X |
| Q. 16/13 – Arquitetura de telecomunicações para um ambiente em evolução | X | | | | X | | | |
| **Grupo de Trabalho 3/13 – Redes multiprotocolos e mecanismos (WP 3/13)** | | | | | | | | |
| Q. 2/13 – Camada ATM e suas adaptações | | | | | | | | |
| Q. 3/13 – Gerência de rede e OAM em redes baseadas em IP e outras redes | | | | | | | | |
| Q. 11/13 – Mecanismos para permitir serviços baseados em IP usando MPLS para operar em redes públicas | | | | | | | | |
| **Grupo de Trabalho 4/13 – Desempenho de redes e gerência de recursos (WP 4/13)** | | | | | | | | |
| Q. 4/13 – Gerenciamento de recursos de redes fixa larga e redes relacionadas ao IP | X | | | | X | | X | |
| Q. 6/13 – Desempenho de redes baseadas em IP e infra-estrutura de informação global emergente | X | | | | X | X | | |
| Q. 7/13 – Desempenho de transferência e de disponibilidade de células ATM | | X | | | X | | | X |
| Q. 8/13 – Erro de transmissão e desempenho de disponibilidade | | X | | | X | | | X |

| | | | | | | | | |
|---|---|---|---|---|---|---|---|---|
| Q. 9/13 – Desempenho de processamento de chamada | | X | | | X | | | X |
| **COMISSÃO DE ESTUDOS 15, UIT-T(SG 15) – Redes de transportes óticas e outras redes** | | | | | | | | |
| **Grupo de Trabalho 1/15 – Rede de acesso (WP 1/15)** | | | | | | | | |
| Q. 2/15 – Sistemas ópticos para redes de acesso | X | | | | X | | | X |
| Q. 3/15 – Suporte para recomendações especificando sistemas baseados em camadas físicas ISDN | | | | | | | | |
| Q. 4/15 – Transceptores para acessos de usuários e sistema de rede de linha telefônica em pares metálicos nas dependências do usuário | | | | | | | | |
| **Grupo de Trabalho 2/15 – Processamento de sinais na rede (WP 2/15)** | | | | | | | | |
| Q. 5/15 – Compressão e classificação em equipamentos de processamento de sinais | | | | | | | | |
| Q. 6/15 – Melhoramento da voz em equipamentos de processamento de sinais | | | | | | | | |
| Q. 7/15 – Gateway para voz | | | | | | | | |
| Q. 8/15 – Aspectos de interação do equipamento de processamento de sinal | | | | | | | | |
| **Grupo de Trabalho 3/15 – Estrutura OTN (WP 3/15)** | | | | | | | | |
| Q. 9/15 – Equipamento de transporte e proteção/restauração da rede | | | | | | | | |
| Q. 10/15 – Equipamento ATM e equipamento IP | | | | | | | | |
| Q. 11/15 – Estruturas de sinal, interfaces e interfuncionamento para redes de transporte | | | | | | | | |
| Q. 12/15 – Arquitetura de redes de transporte com tecnologia específica | | | | | | | | |
| Q. 13/15 – Sincronismo de rede | | | | | | | | |
| Q. 14/15 – Gerência de rede para sistemas de transporte e equipamentos | | | | | | | | |
| **Grupo de Trabalho 4/15 – Tecnologia OTN (WP 4/15)** | | | | | | | | |
| Q. 15/15 – Características e métodos de testes das fibras ópticas e cabos | X | | | | X | | | X |
| Q. 16/15 – Características dos sistemas ópticos para redes de transporte terrestre | X | | | | X | | | X |
| Q. 17/15 – Características dos componentes ópticos e dos subsistemas | X | | | | X | | | X |
| Q. 18/15 – Características dos sistemas de cabo submarino de fibra óptica | | X | | | X | | | X |
| **Grupo de Trabalho 5/15 – Projetos de redes (WP 5/15)** | | | | | | | | |
| Q. 1/15 – Transporte de rede de acesso | | X | | | X | | | X |
| Q. 19/15 – Características gerais das redes de transporte ópticas | X | | | | X | X | | |
| **SIGLAS**:<br><br>**SG**: *Study Group* – **CE**: Comissão de Estudos<br>**WP**: *Working Party* – **GT**: Grupo de Trabalho | **AC** – Acompanhamento<br>**CC** – Contribuição de Fundo<br>**CF** – Contribuição de Forma<br>**PR** – Prioritárias | | | | | | | |

## Centro de Pesquisa e Desenvolvimento em Telecomunicações

O CPqD (Centro de Pesquisa e Desenvolvimento em Telecomunicações) atua em diversas áreas, desenvolvendo soluções personalizadas, as quais se concretizam na forma de consultorias, *softwares*, serviços tecnológicos, transferência de tecnologia e treinamento aplicados nas seguintes áreas: operações e negócios; serviços e aplicações; redes de telecomunicações; *Wireless*; comunicações ópticas; certificações; ensaios e calibrações.

Na área de redes convergentes, o CPqD *Next Generation Network* é uma consultoria voltada para as operadoras de rede que desejam adotar uma solução de rede contemplando: informações referentes às vantagens geradas; estudo de prospecção tecnológica focando as diferentes alternativas tecnológicas presentes no mercado para redes convergentes; e desenvolvimento de especificações e testes de aceitação da rede.

Atualmente, o CPqD concentra seus projetos de P&D nos temas abaixo, baseado no valor estratégico da tecnologia para o setor de telecomunicações e para o país, na sua experiência acumulada no processo de geração de tecnologia e na avaliação de seu impacto para o segmento industrial/provedor de serviços e para o comércio exterior brasileiro:

- Tecnologias de transporte e redes de telecomunicações:
  - ✓ gerência das redes de próxima geração;
  - ✓ qualidade de serviço, desempenho e protocolos na rede convergente;
  - ✓ meios e redes móveis de comunicação;
  - ✓ redes ópticas com multiplexação em comprimento de onda (WDM);
  - ✓ meios físicos para redes ópticas;
  - ✓ infra-estrutura para redes de telecomunicações.
- Tecnologias de serviços e aplicações de telecomunicações:
  - ✓ serviços para a rede convergente;
  - ✓ serviços de TV digital interativa;
  - ✓ sistemas de controle de acesso e serviços baseados no protocolo IP;
  - ✓ processamento da fala.
- Tecnologias de suporte a operações e negócios de telecomunicações:
  - ✓ sistemas de informação geográfica;
  - ✓ sistemas de suporte a operações de telecomunicações;
  - ✓ sistema de suporte a negócios de telecomunicações;
  - ✓ infra-estrutura para *software* de alta complexidade;
  - ✓ planejamento e integração de sistemas de telecomunicações.

Designado pela Anatel como organismo certificador, o CPqD tem atuado na certificação de produtos de telecomunicações, sempre visando ao satisfatório atendimento das necessidades do cliente e ao mesmo tempo o cumprimento da legislação pertinente às telecomunicações no Brasil.

QUALIDADE
GRÁFICA E EDITORA

Este livro foi composto em Arial 10/13
no formato 170 x 240 mm e impresso no sistema off-set sobre
papel AP 75 g/m², com capa em papel
Cartão Supremo 250 g/m².